Laat me!

De boeken van **Kate Cann**
bij Uitgeverij Kluitman:

Trilogie:

Verliefd

Samen

Twijfels

*

Vrij

*

Verscheurd

*

Fiësta

*

Trilogie:

Grof geld

Alle ruimte

Vol gas

*

Lekker weg!

*

Laat me!

Laat me!

Kate Cann

KLUITMAN

Voor Jill, Jim, Clare en Josephine, with love

NEDERLANDSE
KINDERJURY
2007

Omslagillustratie: Ingrid Baars/The Artbox
Omslagontwerp: Design Team Kluitman
Nederlandse vertaling: Lydia Meeder
Dit boek is gedrukt op chloorvrij gebleekt papier,
dat afkomstig is van hout uit productiebossen.

Nur 284/G090601
©MMVI Nederlandse editie:
Uitgeverij Kluitman Alkmaar B.V.
©MMVI Kate Cann
Oorsponkelijke titel: *Leaving Poppy*
First published in the UK by
Scholastic Children's Books, London.

www.kluitman.nl

BIJ KONINKLIJKE BESCHIKKING
HOFLEVERANCIER

1

Het pad naar de voordeur was bezaaid met bladeren die al vroeg van de plataan bij het hekje waren gevallen. Amber zette haar enorme koffer neer en zocht in haar tas naar haar sleutel. Ze gebaarde naar de taxichauffeur dat alles in orde was.

Toch reed hij niet weg. „Red je het wel, meisje?" riep hij.

„Ja hoor!"

„Zal ik even wachten? Tot je zeker weet dat dit het juiste adres is?"

Amber draaide zich om en wierp hem een geforceerd glimlachje toe. „Dit is het! Ik weet zeker dat dit het is."

Hij haalde op een dan-moet-je-het-zelf-maar-weten-manier zijn schouders op, startte de motor en reed weg.

Amber bleef alleen achter.

Als dit het verkeerde huis is, hield ze zichzelf voor, verstop ik mijn koffer in de bosjes en ga op zoek naar een telefooncel, en dan bel ik…

Wie? Wie kan ik bellen?

Het is het goede adres. Dat moet wel.

Ze merkte dat ze trilde, half uit angst, half van opluchting dat ze eindelijk van de taxichauffeur af was. Tijdens de rit had hij haar duidelijk weten te maken hoe geschift ze was, nergens tegen opgewassen, gedoemd tot falen. Het was een nachtmerrie geweest, net als de treinreis ervoor. Ze had ineengedoken op haar stoel gezeten. De doodsangst om wat ze had gedaan, wat ze gíng doen, was met elke kilometer toegenomen. Ze had geen eten of drinken meegebracht en had geen puf gehad om op te staan en zich een weg naar de restauratiewagon te banen. Door honger en dorst was ze licht in haar hoofd geworden.

Toen de trein het station in Cornwall was binnengereden, was ze overmand geraakt door paniek en een soort wanhopige vastberadenheid. Ze had haar koffer zo snel ze kon naar de taxistandplaats gesleept, had de eerste auto in de rij opgeëist en was vlak voor het oude dametje dat tegelijk met haar aankwam, naar binnen geschoven.

De chauffeur was kortaf tegen haar geweest vanwege het oude vrouwtje, en zei dat hij nog nooit had gehoord van het adres dat ze hem opgaf: Merral Road 17. Hij had contact opgenomen met de centrale, maar daar herkende ook niemand het. De centrale had hem voorgesteld om Merral Park Avenue aan de rand van de stad te proberen. Ze waren erheen gegaan en hadden zoekend rondjes gereden. Intussen was de chauffeur steeds meer geïrriteerd geraakt en zij was zich steeds slapper gaan voelen van de honger en nervositeit. Toen hij haar had gevraagd wat ze hier kwam doen, of ze soms een late vakantie hield, had ze zo onsamenhangend geantwoord dat ze wel achterlijk leek.

Uiteindelijk had hij geparkeerd in een doodlopende straat zonder naambordje, die uitkwam op een met struiken overwoekerd, braakliggend terrein. De huizen waren hoog en smal, de meeste waren opgedeeld in armoedig uitziende flatjes. Hij had tegen Amber gezegd dat ze ergens moest aanbellen om navraag te doen, maar ze was verstard, en had gedaan alsof ze hem niet verstond, dus hij was zelf vloekend uitgestapt. Net op dat moment was er een man met een hond uit de bosjes tevoorschijn gekomen. De chauffeur riep naar hem, en de man zei dat hij vrij zeker wist dat dit Merral Road was, of misschien Merral Way, in elk geval Merral en nog iets. Hij had nummer 17 gevonden, en nu was ze alleen.

Amber tilde haar loodzware koffer op en sjokte naar het portaal. In een baksteen boven de draagbalk stond een jaartal gegraveerd: *1887*. Er kropen ranken van een Oost-Indische kers over het pad, tot vlak voor de deur, dikke, ronde bladeren die gele en oranje bloemen verborgen. In de hoeken van de portiek zaten dorre bladeren, twijgjes en toefjes mos vastgekoekt. Het pand zag eruit alsof er in geen eeuwen iemand naar binnen was gegaan, wat vreemd was, want dit zou een studentenhuis moeten zijn. Ze pakte de deurklopper en liet hem tegen het hout vallen, al wist ze ergens al dat er niet op gereageerd zou worden.

Stilte, alleen de echo van het kloppen.

Ze klopte opnieuw. Ten slotte pakte ze haar sleutel en stak hem in het sleutelgat. Amber was nooit handig geweest met sleutels. Ze werd er altijd zenuwachtig van, probeerde ze rond te wrikken, maar kreeg het nooit voor elkaar…

De sleutel draaide in het slot.

Het was gewoon een sleutel die in een slot verdween, langzaam, stroef, maar hij draaide, knarste rond. Het was gewoon een deur die krakend openging, een stoffige gang erachter. Maar om de een of andere reden bezorgde het Amber een raar gevoel. Even was het alsof de oude, rood-zwarte tegelvloer op haar af kwam.

Ze tilde haar koffer over de drempel. Door een half openstaande deur aan het eind van de lange gang stroomde zonlicht naar binnen.

Ze liet haar koffer zakken en liep eropaf.

Er stond een briefje tegen een mok met een afbeelding van een dinosaurus.

Hallo Amber! Welkom in ons krot; sorry dat we er niet zijn. Mama Kaz heeft een boterham voor je gesmeerd, die ligt in de koelkast. Jouw kamer is boven, de eerste deur rechts. Hoop dat het je bevalt! We zijn tussen zes en zeven terug. Mijn beurt om te koken; bof jij even!!! XXX Ben

Amber pakte het briefje op, hield het even vast en legde het weer terug op de kleine grenenhouten tafel. Ze keek om zich heen. Ze stond in een vriendelijk ogende, middelgrote keuken. De wandkastjes waren van gehavend grenenhout, voor het raam was een aanrecht met een ouderwetse, diepe gootsteen en een brede glazen deur leidde naar de rijkelijk begroeide, zonnige tuin.

Ze liep naar de gootsteen, vulde de waterkoker en zette hem aan. Ze trok de koelkast open (bedekt met magneten: een getekende kat, een dolfijn, fruit en de woorden *Afwassen, Rory, jij eikel* in rode en groene letters) en haalde er een fles melk en een bord met een grote witte sandwich, afgedekt met folie uit. Ze liep terug naar de waterkoker en zette een kop thee in de dinosaurusbeker.

Ineens voelde ze zich euforisch. Slap van nervositeit en honger, maar ook euforisch. „Ik ben ontsnapt," fluisterde ze. „Het is me gelukt. Ik ben er!"

Ze ging aan de tafel zitten en nam een slok van de hete, zoete thee. De warmte schoot als een drug door haar aderen. Toen haalde ze de folie van de sandwich en zette haar tanden erin. Haar maag verwelkomde het brood alsof het haar nieuw leven schonk, alsof je merkte dat je het toch nog zou overleven terwijl je het eigenlijk al had opgegeven. Dank je wel, Mama Kaz, dacht ze, dank je wel. Er zat ham, kaas en sla op, het was zalig.

Ze at de boterham op, sprong toen in een impuls op en liep naar de glazen deur met de mok in haar hand. Op het aanrecht lag een sleutel. Ze pakte hem op, stak hem in het slot en stapte naar buiten. Het was heerlijk hier, in de laagstaande zon van de vroege herfst. Aan haar thee nippend, stond ze om zich heen te kijken. De tuin was ernstig overwoekerd, afgeschermd door bomen die zwaar waren van de vergelende bladeren. Ook hier kroop overal Oost-Indische kers met zijn mooie gesteelde bloemen.

Als ze het een beetje op zouden ruimen, dacht ze, zou het een geweldige plek zijn in de zomer… „Amber, je bent er," zei ze hardop, terwijl ze over het gebarsten cementen pad liep. „Je bent er!"

Ze dacht terug aan de rampzalige reis en alles wat eraan vooraf was gegaan. De hele zomer was een verschrikking geweest. Het had een droom moeten zijn, want ze had haar eindexamen gehaald en was in een feeststemming geweest, maar het was een nachtmerrie geworden. Eigenlijk had ze twee weken op vakantie willen gaan met drie meisjes die ze in de bovenbouw had leren kennen, in een appartement op de Seychellen. Het was de eerste keer dat ze in haar eentje op pad zou gaan; het zou fantastisch worden. Maar tien dagen voordat ze zou vertrekken, was Poppy weer ziek geworden.

Poppy was haar halfzus, veertien maanden jonger dan zij. Poppy was 'kwetsbaar', vatbaar voor de raarste angsten en depressies. Hun moeder kon het onmogelijk alleen bolwerken, niet zonder de regelmaat van de schoolweek, niet wanneer Poppy weigerde zich aan te kleden of fatsoenlijk te eten en maar huilde, de héle tijd huilde…

Amber kon hen niet in de steek laten. Zo egoïstisch kon ze niet zijn.

Ze stond op het gebarsten pad, nam nog een slok thee en herinnerde zich het lege gevoel dat ze had gehad toen ze haar vakantie annuleerde. Ze was er bergen geld door kwijtgeraakt, haar nieuwe vriendinnen waren vreselijk boos op haar en wilden waarschijnlijk niets meer met haar te maken hebben, maar haar moeder was in tranen geweest van dankbaarheid en Amber had geweten dat ze er goed aan deed...

En toen was Poppy hersteld, opmerkelijk vlug. Amber had er blij om moeten zijn, maar in plaats daarvan had zich een woede in haar opgebouwd, een verontwaardigde, verwarde woede, die almaar toenam. Zelfs de mooie uitslag van haar eindexamen had haar niet opgevrolijkt.

„Het spijt me zo van je vakantie, lieverd," had haar moeder gezegd. „Maar je krijgt vast wel weer een kans, hè? Jij hebt alles mee. Jij hebt het niet zo moeilijk als Poppy. Wanneer kan zij ooit op vakantie?"

Amber had zich urenlang in haar kamer opgesloten en over het internet gesurft. Ze had reizen naar Mexico, India en Cambodja bekeken voor een overbruggingsjaar, allemaal doodeng en aanlokkelijk én uitgesloten, omdat ze binnenkort zou gaan studeren in het nabijgelegen stadje. Het was maar veertig minuten met de bus, wat betekende dat ze thuis kon blijven wonen, ver weg van de grote boze buitenwereld en dat ze haar moeder kon blijven helpen en steunen zoals altijd...

Op een middag was ze een website tegengekomen waarin huisgenoten werden gezocht. Ze had versteld gestaan van de keuze; door het hele land waren kamers te huur. Ze schreef een paar adressen aan, in Schotland, Cornwall, Leicester. Tijdens het schrijven had ze zichzelf opnieuw uitgevonden, was ze langzaam aan haar oude ik ontsnapt. Ze spiegelde mensen voor dat ze een overbruggingsjaar had willen nemen om een wereldreis te maken, maar dat haar plannen gestrand waren (ze zinspeelde op een verbroken relatie). Ze zei dat ze er nu alleen nog maar een poosje tussenuit wilde, een baantje vinden, alles op een rijtje zetten... Zoals ze het opschreef, klonk het geloofwaardig, zoiets had iedereen kunnen overkomen.

De reacties die ze kreeg, waren begripvol. Het huis in Cornwall was er erg happig op geweest dat ze bij hen zou komen wonen. Alle bewoners zaten op de universiteit en stonden op het punt aan het tweede jaar te beginnen. Iemand had het laten afweten en ze konden zich geen leegstaande kamer veroorloven, kon ze zo snel mogelijk komen? Ze zou het er prima naar haar zin hebben, het was een leuke omgeving en de baantjes lagen voor het oprapen omdat alle vakantiewerkers na de zomer vertrokken.

Langzaam maar zeker was het idee om van huis weg te gaan vaste vorm aan gaan nemen, alsof het erover corresponderen het pas echt mogelijk maakte.

Zonder met haar moeder of halfzus te overleggen, nam Amber contact op met de universiteit en het bleek verrassend eenvoudig om haar inschrijving een jaar op te schuiven. Vervolgens sprak ze met de mensen in Cornwall een huurprijs en een datum af.

Pas toen ze haar treinkaartje had gekocht, had ze beseft dat het geen fantasie meer was, dat ze daadwerkelijk ging. Ze maakte lijstjes met wat ze moest meenemen. Ze kocht wat nieuwe kleren, beddengoed (ze hadden gezegd dat het een eenpersoonsbed was, maar wel groot) en handdoeken, die ze onder haar bed verstopte.

Ze had het gevoel dat ze doormidden werd gescheurd. De ene helft was heimelijk plannen aan het smeden, maar bleef functioneren binnen het benauwende en geïsoleerde gezin, hielp haar moeder met het huishouden en besteedde al haar aandacht aan Poppy om te voorkomen dat ze weer depressief werd. De andere helft stond stijf van het schuldbesef over wat de ene helft allemaal plande.

Drie dagen voordat ze zou vertrekken, raapte ze al haar

moed bijeen en vertelde haar moeder en Poppy dat ze was uitgenodigd om een paar weken bij een kennis in Cornwall te komen logeren, voordat ze zou gaan studeren. Haar moeder keek onthutst, want nu zou ze het in haar eentje moeten redden met Poppy, die in september naar de bovenbouw ging. Ze zat er echter nog steeds mee in haar maag dat Amber haar vakantie op de Seychellen was misgelopen, dus ze probeerde positief te zijn. Ze snoerde Poppy zelfs de mond toen die jengelde dat ze ook mee wilde, dat het niet eerlijk was, dat zij nooit een normale vakantie had gehad en dat Amber nu helemaal in haar eentje wegging... Niemand bood Amber aan om haar te helpen met de voorbereidingen; het kwam eenvoudigweg niet op bij haar moeder of Poppy. Amber was de sterkste; zij offerden zich al genoeg op door haar te laten gaan.

Vanochtend om zes uur was Amber naar het station gegaan, beverig van angst. Zoals afgesproken had ze haar moeder en halfzus niet wakker gemaakt; ze hadden de avond tevoren al afscheid genomen.

En nu stond ze hier, in deze overwoekerde tuin, op het punt om naar binnen te gaan en haar nieuwe kamer te bekijken. Het besef dat ze haar moeder binnenkort zou moeten bellen om te vertellen dat ze niet terugkwam om naar de universiteit te gaan, dat ze nog maanden in Cornwall zou blijven, het hele jaar misschien, liet haar geen moment los, rustte als een loden last op haar schouders. Ze liep de keuken weer in.

„Wat moet jij hier?"

De jongen die bij de koelkast stond, was zo knap dat het onvoorstelbaar was dat hij tegen haar praatte. En zijn vraag was geoorloofd. Wat moest ze hier?

Toen schonk hij haar een brede grijns en zei: „Shit, sorry! Jij bent zeker onze nieuwe huisgenoot? Had ik moeten zien aan die koffer in de gang. Ik verwachtte alleen niet dat je via de tuin binnen zou komen."

„Sorry," mompelde Amber. Ze staarde naar de vloer, maar dwong zichzelf vervolgens om hem weer aan te kijken. Hij was lang, slank en had vrij lang, donker haar.

„Geen punt. Ik ben Rory. En jij heet…?"

„Amber."

„Amber, o ja, dat heeft Kaz gezegd. Nou, welkom op Merral Road. Wat vind je van je kamer?"

„Ik… ik wilde net naar boven om te gaan kijken."

„Je hebt hem nog niet gezíén? Kom op dan, ik help je wel met je koffer." Hij liep de keuken uit. „Wanneer ben je aangekomen?"

„Net," antwoordde ze, terwijl ze hem achternaliep. „Ik verging van de honger, dus ik…"

„Dus je bent de tuin in gegaan om wat bessen te plukken." Hij draaide zich met een smalende mond naar haar toe. „Geintje! Kom mee." Hij pakte haar koffer op en zeulde hem naar de trap. „Man, wat heb je hierin zitten? Bakstenen?"

Ze lachte nerveus en greep de achterkant van de koffer beet, waar de nutteloze kleine wieltjes zaten. Samen hesen ze hem de brede, steile trap op, waar bovenaan een gigantische spiegel in een barokke gouden lijst hing. Rory's gezicht was naar haar toe gebogen terwijl hij stap voor stap achteruitliep, maar ze durfde hem niet aan te kijken. Hij rook naar sigaretten en aftershave, en ze hoorde hem zwaar ademen…

„Ik moet eens stoppen met roken," zei hij. „Dit overleef ik niet. Hé, niet naar mijn kont staren in de spiegel!"

„Dat deed ik niet!" piepte Amber en ze dwong zichzelf weer te lachen. Ze vroeg zich af hoe het was om zo veel zelfvertrouwen te hebben dat je zulke opmerkingen kon maken als hij, hoe het was om te zíjn zoals hij. In een wanhopige poging van onderwerp te veranderen zei ze: „Dat ding moet een fortuin waard zijn."

„Mijn kont?"

„Die spíégel! Hij is schitterend."

„Ja, alleen zit hij min of meer aan de muur vast geplamuurd. Anders zou ik hem verkopen. Kom op, duwen!"

Tegelijk zetten ze kracht en de koffer schoof de overloop op. Rory ging overeind staan en grijnsde naar haar. Ze probeerde terug te lachen.

„Die spiegel is niet het enige pronkstuk hier," vertelde hij. „Het staat hier vol met garderobekasten, stoelen, tafels – allemaal antiek. Volgens de huisbaas staan sommige meubels er al sinds de eerste bewoning."

„Wauw. Waarom verkoopt hij ze niet?"

„Weet niet. Een hoop is nogal beschadigd… Ik denk dat hij er gewoon nooit aan toe is gekomen." Hij pakte haar koffer weer op, stampte de overloop op en zei: „Hier, dit is jouw kamer."

Bij het openen van de deur viel het Amber als eerste op hoe praktisch de ruimte was. Ze zou er niet verliefd op kunnen worden, niet zoals op haar kamer thuis, die haar toevluchtsoord was, haar veilige haven. Nee, deze kamer zou haar uitvalsbasis worden, een basis vanwaaruit ze haar nieuwe leven zou leiden. Hij was behoorlijk ruim, vierkant, met een raam dat uitkeek op de bomen in de tuin. Behalve het brede eenpersoonsbed dat haar was beloofd, stonden er een ladekast met een oude kapspiegel erbovenop en een forse eikenhouten kledingkast. Alles wat je je kon wensen.

„Nogal somber, hè?" zei Rory. „Afschuwelijke gordijnen."

„Ja," knikte Amber, hoewel ze ze juist mooi vond – ze waren zandkleurig, met een motief van palmbladeren erop. Ze stelde zich voor hoe ze de kamer zou veranderen, er haar eigen stempel op zou drukken.

14

„Als je een paar posters ophangt, gaat het wel." Rory geeuwde en liep achteruit de gang op. „Daar is de badkamer," wees hij, „en daar Bens kamer. Dat is de droogkast en Chrissies kamer is daar. Kaz en ik slapen beneden. Níét bij elkaar, zeg ik er meteen bij."

Aan de andere kant van Bens deur, verstopt achter de droogkast (die in de muur boven aan de trap was ingebouwd, die met de enorme spiegel eraan) lag nog een trap. Er hing een vreemd, grauwig licht over en hij was veel smaller en steiler dan de eerste trap.

„Is er nog een verdieping?" vroeg Amber.

„Ja, de zolder."

„Waar gebruiken jullie die voor?"

„Daar dumpen we onze troep."

„Kan die ruimte niet ook verhuurd worden?"

Rory haalde zijn schouders op. „Er is maar één badkamer voor het hele huis, plus die zogenaamde douche beneden. Je zit met al die wettelijke voorschriften voor badkamers en het aantal bewoners, hè?"

„Ja, maar als de huisbaas een deel van de zolder tot badkamer zou verbouwen..."

„Het is nogal krap. Lage plafonds, piepkleine dakramen. Bovendien denk ik dat de huisbaas weinig zin heeft om de tent op te knappen. Er willen hier niet veel mensen wonen, alleen studenten en mafketels zoals jij." Hij grijnsde weer en even dacht Amber dat hij haar zou vragen wat ze hier eigenlijk te zoeken had, maar dat gebeurde niet, hij zei alleen: „Ik heb koffie nodig. Ik moet een werkstuk afmaken dat ik vorig semester al had moeten inleveren. Ik zie je wel bij het eten, oké?" En daarmee verdween hij de trap af.

Dus dat was Rory, dacht ze. Met hem had ze nog niet eerder te maken gehad. Ze had alleen contact gehad met Kaz en Ben, via e-mail en de telefoon. Het was wel duidelijk dat zij de organisatoren waren in dit huis. Dan had je Chrissie nog… en nu zij, Amber, de vijfde huisgenoot.

Ze opende de deur van de badkamer. Die was, net als haar kamer, ruim en praktisch. Toen ze weer naar buiten kwam, wierp ze een blik op de zoldertrap. Daarboven zou ze ook wel eens een kijkje willen nemen. Een flauwe streep zonlicht scheen door een klein dakraam boven aan de trap, een lange, smalle lichtbaan waarin stofdeeltjes dansten. Het had iets vreemds. Amber kon het gevoel niet precies plaatsen. Toen realiseerde ze zich dat stofdeeltjes meestal glinsterden in het zonlicht, maar dat deden deze niet, deze zagen er eerder dof uit, duister…

Ineens voelde ze zich doodmoe, zoals ze daar stond, doodmoe en droevig. Wat ze had gedaan, zoals ze op de vlucht was geslagen, het verraad dat ze had gepleegd… het dreigde haar te overmannen.

Vlug besloot ze haar spullen uit te pakken om haar gedachten af te leiden. Het was kwart voor zes en Ben had geschreven dat hij zo thuis zou komen om te koken.

„Amber! Hé, Amber! Ben je boven? Kom je erbij?"

Met een schok werd Amber wakker. Ze lag op haar nieuwe bed, met het prachtige, gloednieuwe, paarse dekbed om zich heen gewikkeld. Het licht was bijna uit de kamer verdwenen.

„Ik kom eraan!" riep ze. Ze krabbelde overeind en liep naar de spiegel om haar haar te kammen. De paniek sloeg toe bij de gedachte dat ze zo meteen haar andere huisgenoten zou leren kennen. Stel dat ze allemaal net zo flitsend waren als Rory. Ze verdrong haar angst en mompelde: „Het komt wel goed," waarna ze wat lipgloss opdeed, zoals altijd wensend dat ze wat mooier was, wat minder… niksig. „Het komt allemaal wel goed. Gewoon diep ademhalen en eropaf stappen."

Voordat ze in slaap was gevallen, had ze haar spijkerbroeken, shirts, rokken en haar enige jurk in de kast opgehangen, en haar topjes en truien opgevouwen en samen met haar ondergoed in de ladekast gelegd. Alles paste precies. Ze had zelfs het volmaakte plekje gevonden voor haar sieraden, in het kleine laatje van de kapspiegel. Toch had er iets niet geklopt aan de kamer... Ze had zich gespannen gevoeld, rusteloos. Het komt wel in orde als ik eenmaal gewend ben, hield ze zichzelf voor. Ze had haar nieuwe dekbedovertrek tevoorschijn gehaald en verlangde er hevig naar haar bed op te maken. Dan was het alvast klaar voor vanavond, wanneer ze eindelijk uit kon rusten. Ze was maar voor een paar minuutjes gaan liggen om te proberen hoe het voelde...

„Wat dacht je nou?" mompelde ze terwijl ze de trap af rende. „Ik ben al vanaf vanochtend half vijf op. Hoe dácht je dat het zou voelen?" Ze sprong min of meer de keuken in zoals je in het diepe zou springen, zonder de tijd te nemen om na te denken.

Drie onbekende gezichten, twee meisjes en een jongen, draaiden zich glimlachend naar haar toe en groetten: „Hallo, Amber! Alles goed? Welkom!"

„Hoi!" groette ze schor terug. Het viel haar op dat Rory er niet bij was. De drie vreemden namen haar op in de dampige keuken, die heerlijk naar gebraden vlees en knoflook rook.

„Ik hoop maar dat je van pasta houdt," zei de jongen aan het fornuis met een grijns. Hij had donkerblond haar, was gedrongen en alledaags, maar zijn glimlach was warm.

„Ben ik dol op," antwoordde Amber.

„Gelukkig maar," lachte een van de meisjes, „want dat is het enige wat hij kan klaarmaken! Amber, dat daar is Ben, dat is Chrissie en ik ben Kaz. Nogmaals welkom."

Chrissie had in laagjes geknipt, blond haar en zag er sportief uit. Kaz was sensueel, met fonkelende, donkere ogen en vol, zwart, golvend haar, dat over haar schouders viel. Ze had een turquoise shirt aan en een wijde, witte broek; Amber vond dat ze er beeldschoon uitzag.

„We zijn zo blij dat je de kamer hebt genomen," zei Kaz hartelijk.

„Ja, anders zouden we verhongerd zijn," merkte Chrissie op. „Wij moesten de extra huur ophoesten."

„Dat is niet de enige reden dat we blij zijn!" riep Kaz. Lachend legde ze haar hand op Ambers arm, alsof mensen aanraken bij haar manier van communiceren hoorde.

Chrissie schonk een glas rode wijn in en drukte het in Ambers hand. „Wat vind je van het huis?"

„Geweldig," antwoordde Amber. „En mijn kamer is ook te gek. O, en bedankt voor de boterham, Kaz, dat was hartstikke aardig van je."

Kaz straalde, en Ben zei vanaf zijn plekje bij het fornuis: „Oké, het eten is klaar. Is de tafel gedekt?"

„Ja," knikte Kaz, ook al lag de kleine grenenhouten tafel in het midden van de keuken nog vol met kookgerei. Ze gaf Amber een mandje gesneden stokbrood aan, pakte de wijnfles en een stapel borden, en zei: „Volg mij maar."

In een stoet, ieder met iets in zijn handen, liepen ze met z'n vieren door de gang naar een grote, heel bijzondere kamer. Aan de wanden hingen rijk gekleurde doeken, op de houten vloer lagen tapijten en over de stoelen en bank waren de warm getinte stoffen gedrapeerd. Achter een beschilderd kamerscherm, aan het einde van de kamer, ging een breed bed schuil, bedekt met rode en zilveren, zijdeachtige lappen. Overal lagen kussens. Midden in de erker stond een enorme, oude mahoniehouten tafel, waarop een chagrijnige Rory lukraak bestek neerkwakte.

„Wat een prachtige kamer!" bracht Amber uit.

„Als je van Marokkaanse bordelen houdt," bromde Rory.

„In Marokko heb je geen bordelen," zei Kaz.

„Wedden van wel," wierp Rory tegen.

Amber stond nog steeds alles in zich op te nemen. Aan één kant van de erker stond een grote palm, aan de andere kant een witgeverfde, stakerige boomstam, behangen met glinsterende kettingen en armbanden. Op tafel fonkelden kaarsen, net als op de schoorsteenmantel en in de open haard. „Schitterend," zei ze. „Echt schitterend."

„Bedankt." Kaz glimlachte om de uitdrukking op Ambers gezicht. „Het is mijn kamer. We eten hier vaak."

„Vind je dat niet erg?" vroeg Amber.

„Erg?" snoof Rory. „Ze staat erop. Probeer maar eens in de keuken te eten."

„O, hou toch op!" zei Kaz opgewekt. „We eten hier omdat ik veruit de grootste kamer heb en…"

„…en omdat ze er amper extra voor betaalt," voerde Ben aan.

„…en omdat ik het léúk vind om hier met z'n allen te eten. We hebben hier ook waanzinnige feesten gehad. Hé, dat moeten we binnenkort maar weer eens doen, hè? Om te vieren dat Amber er is."

„O nee," kreunde Rory.

Kaz gaf Rory met een opscheplepel een mep op zijn schouder.

Ben griste de lepel uit haar hand, begon de pasta op te scheppen en zei: „Kom op, zitten allemaal."

Amber werkte de berg spaghetti Bolognese met smaak weg, verbaasd over hoeveel honger ze had.

„Laat je maar niet opjutten door Kaz," merkte Chrissie op. „We doen dit niet dagelijks, hoor. We zijn heus geen overgeorganiseerd, gelukkig gezinnetje."

„Dat had je mij anders zo kunnen wijsmaken," zei Rory.

„We koken af en toe, om de beurt, dat is alles. Of, als je Rory heet, háál je eten. Dus niet volgens een schema of zo, en Kaz kookt vaker dan wij allemaal bij elkaar, maar… nou ja. Het werkt."

„Klinkt goed," vond Amber. „Ik hou wel van koken." Thuis was het een manier geweest om te ontsnappen als er een nare sfeer hing, zonder dat ze haar moeder en zus ongerust maakte door de deur uit te gaan.

„Echt?" vroeg Kaz enthousiast. „Fantastisch! Het zou handig zijn als jij het woensdagavond kunt doen, en misschien ook op zondag… Je zegt gewoon dat je wilt koken en verdeelt het bedrag voor de boodschappen tussen degenen die mee willen eten."

„Twee pond tachtig voor vanavond, hè?" vroeg Ben.

„Chrissies vriend eet ook geregeld mee, dat is geen punt. We hebben geen rooster – dat hebben we blijkbaar niet nodig."

„Omdat jij zo'n bazige tante bent en ons wel laat weten wanneer we aan de beurt zijn," knikte Rory.

Kaz lachte en schoot een propje brood naar hem toe.

Zo te zien is ze smoorverliefd op hem, dacht Amber terwijl ze naar Kaz' gezicht keek. Ze was ondersteboven van de gedachte dat ze hier deel van ging uitmaken, van dit huis met zijn geklets en vriendschap, de gesprekken en intriges, van deze groep normále mensen… Ze was nog steeds nerveus, bang dat ze haar misschien niet zouden mogen, maar ze begon wat te ontspannen. Daarbij werd ze geholpen door de twee flessen goedkope wijn die circuleerden en die, volgens Ben, waren inbegrepen bij de prijs van de maaltijd. Tot haar opluchting hielden de anderen het gesprek gaande. Ze vertelden haar over hun universiteit, welke vakken ze volgden en hoe geweldig het leven in Cornwall was als je wist waar je zijn moest. Zij wisten precies waar de leuke dingen te doen waren, zeiden ze en ze beloofden haar alles te laten zien.

Net toen Rory op gang begon te komen met een beschrijving van een nieuwe club die hij had ontdekt, legde Amber plotseling haar mes en vork neer en mompelde: „O nee."

„Wat is er?" vroeg Kaz.

Amber keek onthutst. „Ik heb vergeten naar huis te bellen. Ze zijn vast doodongerust. O néé."

„Dan bel je toch alsnog." Rory haalde zijn schouders op.

„Is er… is hier een telefoon?"

Iedereen zat haar aan te kijken, want ze zag er zo verslagen uit.

„Nee," antwoordde Ben. „We hebben allemaal een mobieltje."

„Jij niet?" vroeg Chrissie.

„Mijn beltegoed is op," loog Amber. Ze had nooit een mobieltje gehad, dat was nooit nodig geweest. „Is er een telefooncel in de buurt?"

Kaz sprong overeind en pakte een zilverkleurig telefoontje van de schoorsteenmantel. „Neem de mijne maar even," zei ze. „Toe maar."

Amber dwong zichzelf dankbaar te glimlachen en trok zich terug op de gang. Ze wist niet precies hoe ze een mobieltje moest gebruiken, maar na een paar valse starten kreeg ze verbinding. Haar moeders stem klonk aan de andere kant van de lijn, schril en hysterisch.

„Hallo? Halló?"

„Mam? Met mij. Alles is prima, mam. Alles is in orde."

„Allemachtig! O, we hebben ons zo'n zorgen gemaakt! We hadden al uren geleden een telefoontje verwacht. Poppy is helemaal van de kaart…" Haar stem werd vager. „Ja ja, ze is het, schat. Het is Amber, alles is in orde, niets aan de hand…"

„Mam! Luister, ik heb iemands mobieltje geleend, ik kan niet lang praten."

„Maar Amber, wat is er gebeurd?"

„De trein had vertraging," verzon ze. „En ik kon het adres niet vinden en alle telefooncellen waren kapot, en hier in huis is geen telefoon. Het was een ramp, maar…"

„Geen telefoon in huis? Maar hoe kan ik je dan bereiken, hoe…"

„Mam, ik bel jou wel. Elke dag."

„Morgen? Beloofd?"

„Ja, ik zoek wel een cel. Ik moet gaan, mam."

„Goed, Amber. O, Poppy roept iets, ik versta het niet – ik kom eraan, schat! Tot morgen dan maar. Laat ons niet in de steek, hè?"

Amber verbrak de verbinding. Haar ademhaling ging zwaar. Onvoorstelbaar dat ik heb vergeten te bellen, dacht ze, en meteen erachteraan: mam heeft helemaal niet gevraagd hoe het hier is. Ze liep Kaz' kamer weer in.

„Gelukt?" vroeg Kaz.

„Ja, bedankt. Ik betaal je wel voor het telefoontje als…"

„Nee, dat doe je niet. Hoort bij het welkomstpakket. Trouwens, je was razendsnel. Alles in orde?"

„Ja, nou ja, mijn moeder was nogal over haar toeren…"

„Maak je niet druk. Je hebt haar nu toch gebeld?" vond Ben.

„Ik heb wel eens twee weken achter elkaar vergeten te bellen, toen ik op reis was," vertelde Rory.

Chrissie snoof. „Ja, maar jij bent dan ook harteloos."

„Ik kan er maar niet bij dat ik er niet meer aan gedacht heb," mompelde Amber terwijl ze weer ging zitten.

Over haar gebogen hoofd trokken Chrissie en Ben hun wenkbrauwen naar elkaar op, en Kaz stak haar hand uit en kneep in Ambers arm.

„Hé," zei ze, „maak het jezelf niet zo moeilijk. Neem nog wat wijn. Hier." Ze vulde Ambers glas bij. „Zeg, je zei dat je op zoek was naar een baantje. Wat voor soort werk zoek je?"

„Eh… iets in een kroeg of restaurant?"

Amber had tot nu toe maar één baantje gehad, 's zaterdags, in een schoenenwinkel. Zo'n beetje alles wat ze ermee had verdiend, had ze opgespaard voor haar vakantie naar de Seychellen – dat was mogelijk geweest omdat ze maar zelden uitging. Het was zo moeilijk om Poppy achter te laten – de tranen en smeekbeden van Poppy, haar moeder die het van haar kant probeerde te bekijken, maar altijd eindigde met: „Alleen voor deze keer, lieverd? Zo veel maakt het toch niet uit als Poppy met je meegaat…" Uiteindelijk was het altijd beter geweest om maar gewoon thuis te blijven, want het werd steevast een drama als ze Poppy mee moest zeulen.

„Heb je referenties?" vroeg Rory.

„Eh… eentje maar."

„Verzin er een paar bij. Ik wil ze wel voor je schrijven. Ach wat, ze nemen je sowieso met een proefperiode aan als je gezicht hun aanstaat, dus laat die referenties maar zitten. Er zijn zo veel mensen vertrokken nu de zomer erop zit…"

„Ik ga morgen het centrum in," zei Chrissie. „Loop je dan mee?"

„O, graag," knikte Amber. „Als dat goed is."

„Bij Tates zoeken ze iemand, daar kunnen we beginnen."

„Ja, bedankt. Zeg…" Amber kwam wat wankel overeind. „Kan ik vast beginnen met de afwas? Ik wil naar bed, ik was er vanochtend al om half vijf uit…"

„Ga maar lekker pitten," zei Kaz. „Afwassen hoeft niet. Ga maar."

„O, dank je wel. Het eten was heerlijk. Bedankt. Ik…" Amber haalde diep adem en dwong zichzelf het te zeggen. „Ik weet zeker dat ik het hier prima naar mijn zin krijg." Haar blik was op de tafel gefixeerd en daardoor zag ze niet dat ze naar haar glimlachten. „Eh… hoe laat wilde je morgen weg, Chrissie?"

Chrissie haalde haar schouders op. „Wanneer ik mijn bed uit ben. Rond tienen? Geen haast."

„Mooi. Welterusten." En ze liep een beetje zwalkend de kamer uit; ze was niet gewend aan alcohol. Amber trok de deur achter zich dicht en bleef even staan. Afluisteren was een overlevingstactiek die ze thuis had aangeleerd.

„Een watje, of niet?" hoorde ze Rory zeggen, gevolgd door een „Ssst!" van Kaz, en Ben die zei: „Geef haar een kans, ze is er net." Toen zei Chrissie iets over haar overdreven reactie omdat ze vergeten had haar moeder te bellen en Kaz mompelde dat ze er zo moe uitzag. Rory gromde: „Ze is zo neurotisch als wat," en Kaz zei weer: „Ssst," en dat het veel te vroeg was om haar al op de eerste avond te beoordelen.

Het deed Amber allemaal weinig, want ze hadden het over de oude Amber en ze wist dat ze ging veranderen. Bovendien was het haar verdiende loon, want ze had hen om de tuin geleid. Ze wist zeker dat als ze de waarheid over haar kenden en wisten waar ze vandaan kwam, ze haar nooit binnen hadden gelaten.

Stilletjes draaide ze zich om en liep naar boven.

Onderweg naar haar slaapkamer zorgde iets ervoor dat ze naar de zoldertrap keek. Ze merkte dat ze naar de vreemde, duistere stofvorm speurde. Maar er stroomde licht van de badkamer door het melkglazen ruitje op de overloop, en er leek helemaal niets te zijn.

2

Amber lag in haar nieuwe bed weg te dommelen en liet haar gedachten de vrije loop. Schuldbewust dacht ze aan Poppy, die thuis vast wakker lag in het kleine hokje naast Ambers kamer en ze hield zichzelf voor dat nu zij de deur uit was, Poppy in elk geval naar haar kamer kon verhuizen... Ze zweefde de surrealistische wereld tussen slapen en waken binnen, herinnerde zich Kaz' schitterende kamer en hoe ze had verteld dat ze er feesten hielden, dat ze er ook een voor haar moesten houden, en hoe geweldig het was dat ze dat had gezegd...

Ineens was ze weer op haar eerste grote verjaardagsfeest, toen ze tien werd, het enige feest dat er ooit voor haar was georganiseerd. Poppy was van streek. Een van haar vriendinnetjes had gemeen tegen haar gedaan en mam droeg haar de kamer uit terwijl ze snikte en schopte...

„Wat een aanstelster, hè?" merkte iemand op. „Alleen omdat Mary haar armbandje niet aan haar wilde geven..."

Toen klonk van boven Poppy's gekrijs. Kreten die door merg en been gingen, alsof er een beest werd afgemaakt. Alle meisjes vielen stil en keken naar Amber, bijna genietend van de verschrikking.

„Is je moeder haar aan het slaan?" vroeg Katy met grote ogen. „Omdat ze je feestje heeft verknald?"

Beschaamd had Amber haar hoofd geschud. „Ze slaat Poppy nooit," had ze gefluisterd, en iemand had kattig opgemerkt: „Misschien zou ze dat juist wel moeten doen."

Toen kwam mam naar beneden. Ze droeg Poppy op haar heup, hield haar dicht tegen zich aan en verkondigde op schelle, afgemeten toon dat het eten klaarstond in de keuken.

Iedereen liep met haar mee en mam zette Poppy in een stoel naast Amber neer. Amber had Poppy het liefst een keiharde mep verkocht omdat ze alles verpestte, maar ze hield zich in, gaf boterhammen aan haar door en bemoederde haar, terwijl de andere meisjes elkaar aanstootten en met hun ogen naar elkaar draaiden.

Opeens was Poppy boven op haar stoel gaan staan. Ze pakte een bord en smeet het zo hard ze kon naar Mary. Het raakte Mary tegen haar voorhoofd; Mary gilde en Poppy barstte weer in tranen uit. Mam kwam aangerend om haar op te pakken en toen Amber en de anderen haar probeerden te vertellen wat Poppy had gedaan, was het alsof ze hen niet hoorde. Ze klemde Poppy alleen tegen zich aan en droeg haar de kamer uit. Ze hoorden haar met Poppy naar boven gaan.

„Ze keek niet eens naar je gezicht!" zei iemand, en iemand anders zei: „Er zit een vuurrode plek, Mary, misschien moet je naar het ziekenhuis."

Mary snikte: „Ik ga mijn moeder bellen, ik wil naar huis!" Een ander meisje zei: „Ik blijf hier ook niet."

Plotseling schoof iedereen van tafel en Amber durfde hen geen van allen aan te kijken. Ze rende naar boven. Poppy en haar moeder zaten tegen elkaar aan gekropen in het grote bed. „Mam, kom naar beneden!" riep ze. „Iedereen gaat weg!"

„Laat ze maar!" siste haar moeder. „Het zijn gemene mormels!"

„Mam, niet waar, het was Poppy die…"

„O Amber, niet doen! Zeg dat niet! Kijk eens hoe ze over haar toeren is!"

„Kom alsjeblíéft naar beneden. Ze zijn allemaal hun moeder

aan het bellen!" zei Amber dringend.

„Ik wil ze niet meer zien. Zeg maar dat Poppy ziek is. Zeg maar dat ik heel erge hoofdpijn heb," kreunde haar moeder en ze trok het dekbed over haar hoofd en dat van Poppy heen.

Toen Amber weer beneden kwam, merkte ze dat haar vriendinnen zich van haar af hadden gekeerd. Josie stond Mary te troosten en de andere meisjes zaten met kille, afkeurende gezichten op een stoel te wachten tot ze werden opgehaald.

Katy was aan de telefoon. „Dat weet ik, maar het is nú al afgelopen," zei ze dramatisch. „En Ambers moeder is er niet!"

De moeders die kort daarop binnendruppelden, zeiden vage dingen terwijl Amber probeerde uit te leggen dat haar moeder ziek was, maar ze besteedden er niet echt aandacht aan, dus uiteindelijk gaf ze het op en was iedereen in een mum van tijd vertrokken.

In de verlaten flat stond Amber stilletjes om zich heen te kijken. De spelletjes die ze hadden gedaan, lagen nog op de vloer. De traktatiezakjes waar Amber om had gesmeekt en waar ze zo haar best op had gedaan – ze had snoepjes uitgezocht en voor iedereen een mooie haarspeld – lagen onaangeroerd op het dressoir. Ze liep de keuken in, zette een kop thee voor haar moeder en bracht die naar boven.

„Zijn ze weg?" vroeg haar moeder. Poppy lag opgekruld naast haar te slapen.

Amber knikte en gaf haar de kop thee.

„O Amber, wat zou ik zonder jou moeten beginnen?" fluisterde haar moeder en Amber liep over van liefde en trots. Ze nam zich voor om voor eeuwig voor haar moeder en Poppy te blijven zorgen. „Kom er lekker bij liggen, lieverd van me."

In bed was het warm en veilig, niemand die kritiek leverde of je uitlachte, en met z'n drieën hadden ze een hele tijd liggen slapen.

Toen ze wakker waren geworden, was het al donker geweest en mam had gezegd: „Kom op, we gaan een middernachtsbanket aanrichten!"

Ze waren naar de keuken gelopen en hadden alle saucijzenbroodjes en sandwiches opgegeten. Daarna had mam een prachtige gele taart met een zonnegezicht erop tevoorschijn gehaald, en ze hadden de tien kaarsjes aangestoken en *Er is er een jarig* gezongen.

„Allemaal voor ons," had haar moeder gezegd, „een hele taart met ons drietjes. Zo is het toch veel beter, hè?"

„Tates is best leuk," vertelde Chrissie, terwijl ze de volgende ochtend de steile heuvel naar het kleine kuststadje af liepen. „Heel chic, en de eigenaar is aardig, hij verdeelt altijd netjes de fooien..."

„Klinkt goed," zei Amber zo luchtig mogelijk, hoewel ze misselijk was van de zenuwen. Na gisteren was ze nog steeds gespannen en nu moest ze op banenjacht. Ze had slecht geslapen; ze had wakker gelegen, verscheurd door schuldgevoel omdat ze van huis was weggegaan en toen ze eindelijk in slaap was gevallen, had het raam geklapperd en was ze weer wakker geschrokken. Ze was opgestaan en had geprobeerd om het vast te zetten met een prop papier, maar dat had niet gewerkt – ze was nog twee keer opgeschrikt door het geluid.

Amber had echter de nodige ervaring in het verbergen van haar gevoelens. Ze liep verder naast Chrissie, opgewekt babbelend, tot ze voor Tates stonden.

Het was een glimmend en blinkend, minimalistisch ingericht restaurant, dat zich richtte op de rijke mensen die in de zomermaanden naar Cornwall kwamen.

De spontane sollicitatie verliep niet best. De eigenaar kon zijn teleurstelling niet verbergen toen het tot hem doordrong dat het Amber was in plaats van Chrissie die een baantje zocht, waardoor Amber onzeker werd en over haar woorden struikelde. Hij vertelde maar weinig over de zaak, vroeg haar alleen haar mobiele nummer achter te laten en bromde dat hij haar wel „iets zou laten weten". Natuurlijk kon ze geen nummer achterlaten, dus gaf Chrissie dat van haar maar op. Nu voelde Amber zich helemaal een mislukkeling.

„Dat was hopeloos," mompelde ze toen ze weer buiten stonden.

„Nou ja, je moet jezelf ook beter verkópen," barstte Chrissie uit. „Je deed veel te verlegen!"

„Ik merkte gelijk dat hij me niet wilde."

„Luister, met zo'n negatieve houding krijg je nergens werk. En wat was dat met dat mobieltje? Ik dacht dat je alleen geen beltegoed meer had?"

„Het is gestolen," zei Amber. „Ik had gewoon geen... ik had gisteravond geen zin om erop in te gaan."

„Wat valt erop in te gaan? Van iedereen wordt wel eens wat gejat."

Er viel een stilte. Chrissie liep verder en Amber volgde haar aarzelend.

Ze haat me, dacht ze, ze vindt me een enorme sukkel.

Chrissie draaide zich met een nors gezicht naar haar om. „Iets verderop zit een nieuwe kroeg, misschien hebben ze daar iemand nodig," kondigde ze aan en ze liep door voordat Amber kon reageren.

Het café zag er net zo uit als het restaurant – heel stijlvol, pretentieus. Amber begon al te beven terwijl ze voor de deur stond.

„Nou, ga je nog naar binnen?" vroeg Chrissie scherp.

„Eh... ja," antwoordde ze paniekerig, „maar ik moet eerst even naar de wc, ik sta op knappen."

„Er zijn openbare toiletten aan de boulevard. Een stukje verderop. Ik breng je er wel heen."

„Chrissie, je hebt al genoeg voor me gedaan. Ik wil niet je
hele ochtend in beslag nemen."

„Maakt niet uit."

„Echt. Ik denk dat het me beter afgaat als ik alleen ben. Het
punt is dat als ze jou zien, ze jou willen en niet mij."

Chrissie glimlachte om het verkapte compliment. „Onzin,"
vond ze, maar ze was een beetje ontdooid.

„De wc's zijn die kant op, hè?" ratelde Amber verder. „Ik zal
een poging wagen in het café en daarna nog beetje rondneuzen
hier in het centrum."

„Weet je hoe je weer thuis moet komen?"

„Ja. Gewoon de heuvel op, toch? Ik vind het wel."

„Oké, als je het zeker weet," reageerde Chrissie opgelucht.
„Tot straks dan maar." En ze liep weg.

In het afbladderende toilethokje probeerde Amber haar paniek
te bedwingen. Ze haalde diep en langzaam adem. Je moet
doorzetten, zei ze tegen zichzelf, je moet een baantje zien te
krijgen. Niet alleen vanwege het geld – al zou ze het met wat
ze had meegebracht amper tot november uithouden – ze had
ook werk nodig om regelmaat te krijgen in haar leven, stabili-
teit. Wortels – nieuwe wortels.

Alleen had ze zich er niet op voorbereid dat ze op banenjacht
zou moeten. Die eerste gigantische horde van ontsnappen, de
trein nemen, het huis vinden… dat was zo zwaar geweest, dat
ze niet verder had gedacht.

Ze zat op het deksel van het toilet heen en weer te wiegen.
Het was alsof ze op een tweesprong stond. De ene weg leidde
terug naar huis en de andere wees in de verte, naar het onbekende. Het was zo moeilijk om het pad naar het onbekende te

nemen, terwijl haar moeder en Poppy altijd riepen hoe akelig de buitenwereld was, hoe vreselijk het leven was, zich altijd in huis verstopten, haar probeerden binnen te houden...

Toen de meisjes negen en elf waren, hadden ze moeten verhuizen naar een kleinere, goedkopere flat, dertig kilometer verderop. Op de ochtend dat het nieuwe schooljaar begon, waren ze met z'n drieën tot aan de buitendeur van de flat gekomen. Toen was Poppy hysterisch geworden en had geweigerd nog één stap te zetten. Ze waren weer naar binnen gegaan. Haar moeder had gehuild. Ze had Poppy tegen zich aan geklemd en gezegd dat ze het morgen opnieuw zouden proberen. Amber had naar hen gekeken, hoe ze daar stonden, snikkend ineengestrengeld, en een angst die groter was dan haar angst voor de nieuwe school had zich van haar meester gemaakt. Ze was de deur uit gerend en er helemaal in haar eentje naartoe gegaan.

Bij die herinnering stond Amber op en ze schoof de grendel van de deur.

Dit is pas de tweede horde, hield ze zichzelf voor, terwijl ze de boulevard weer op liep. Hierna komt de derde horde: mam en Poppy vertellen dat je in Cornwall blijft. Dus je kunt maar beter opschieten.

Ze ging rechtstreeks terug naar het chique café en tuurde door het raam naar binnen. Op een tafel bij het raam stond een buisvormige glazen vaas vol lelies; een slank meisje in een wit schort stond achter de bar arrogant te kijken. Ontmoedigd draaide Amber zich weer om.

Er is vast nog wel iets anders te vinden, dacht ze.

Ze dwaalde door de smalle straatjes. Boven haar scheerden de zeemeeuwen krijsend over de daken. Haar oog viel op een tearoom en ze dwong zichzelf om naar binnen te gaan en te vragen of er vacatures waren.

„Ik zet altijd een kaartje voor het raam als ik iemand nodig heb en zoals je kunt zien, staat er geen kaartje," werd haar kort-af verteld.

Ze liep een bioscoop in, nog een tearoom, twee kroegen en een snackbar. De bioscoop en een van de kroegen noteerden haar naam, maar bij de rest werd haar verteld dat ze geen enkele kans maakte omdat het seizoen voorbij was. En dan te bedenken dat Rory haar had verzekerd dat ze zo een baantje zou kunnen krijgen omdat alle vakantiewerkers waren vertrokken. Amber vroeg zich af of hij zelf werk had. Waarschijnlijk niet. Hij leek te veel een levensgenieter om zijn tijd met werken te verdoen.

Ze begon via dezelfde route terug te lopen, langs dezelfde zaken, uitgeput door de spanning en de moeite die het kostte om zomaar binnen te stappen en om werk te bedelen. Ze hield zich voor dat ze naar Merral Road terug zou gaan en het mor-gen opnieuw zou proberen, maar bij de gedachte aan haar moeders woorden versnelde ze haar pas weer.

„Als er ergens een baantje vrij is, zal ik het vandaag nog vin-den," zei ze tegen zichzelf. Grimmig liep ze in de richting van de nieuwe kroeg, maar ze nam een verkeerde zijstraat en ein-digde weer op de boulevard. De tentjes erlangs waren allemaal al dicht of aan het sluiten voor de winter. Twee mannen ston-den stoelen op te stapelen en legden terrastafels aan kettingen; op een felgekleurd bordje voor een klein restaurant stond:

Tot in mei!

De moed begon Amber in de schoenen te zakken. Ze liep het strand op en slofte door het zand. De golven rolden op haar af en weer weg, troosteloos, grijs en koud. De zee leek zich tot in het oneindige uit te strekken, vervaagde aan de horizon.

Een paar meter voor haar waren houten planken neergelegd, een krakkemikkige promenade die naar het water leidde. Aan het begin stonden twee kiosken, voor ijs en strandspeeltjes, allebei met dichte luiken en gesloten voor de komende maanden. Verderop, dichter bij de zee, stond een laag gebouwtje van terracotta en blauw geschilderd hout.

Amber liep ernaartoe. *Albatross*, stond er op de zijkant. Op een ander bordje stond: *Ontbijt, Lunch, Koffie & Thee*. De ramen waren beslagen en de deur stond op een kier.

Met een diepe, beverige ademteug duwde Amber hem verder open.

Binnen was het warm en er hing een prachtig licht. De zaak bleek vanbinnen veel ruimer dan hij er vanbuiten uitzag. Twee grote ramen keken recht op de zee uit; ertussenin stond op een schoolbord het dagmenu geschreven. Op de houten wanden – twee blauwe, twee terracotta – hingen schilderijen in heldere kleuren, allemaal van dezelfde kunstenaar, met prijskaartjes eraan.

Er stonden een stuk of tien tafeltjes, van verschillende afmetingen maar van hetzelfde versleten hout, waaraan allerlei soorten mensen zaten. Een groep luidruchtige jongeren, waarschijnlijk studenten, zat in het midden bij een potkachel waarvan de schoorsteen door het dak stak. Twee groepen werklui zaten met geopende kranten voor zich en twee artistiek uitziende dames zaten geanimeerd te praten op een sofa voor de wand aan de andere kant. Er zat een verliefd stelletje, elkaars handen over de tafel vasthoudend, en er waren mensen alleen – een oudere man, een jonge vrouw, een man in een pak.

In de hoek verderop lag een stapel schitterend drijfhout, als een sculptuur. Op de lage tafel voor de bank waarop de artistieke dames zaten, lag een verzameling stenen en schelpen.

Amber besefte dat ze zich hier helemaal thuis voelde.

Aan de zijkant vlogen ineens twee klapdeuren open en een lange man met een verweerd gezicht kwam met twee mokken naar binnen. Hij had dik, grijzend haar en droeg een slagers-schort. „In je eentje, mop?" vroeg hij.

„Eh... ja," antwoordde Amber. „Eh... eerlijk gezegd – ik vroeg me af of jullie sluiten voor de winter."

„Ziet het daarnaar uit?" vroeg de man, terwijl hij de mokken neerzette op een van de tafeltjes met werklui. „Mijn vaste klanten zouden uithongeren!"

„In dat geval..." Ze deed een stap naar hem toe en vervolgde wat zachter: „Heeft u misschien personeel nodig?"

„Wat, een serveerster? Ik vrees van niet, mop."

„Ah," verzuchtte Amber. Toen ademde ze diep in en flapte eruit: „Maar u heeft het wel erg druk, hè?" Ze knikte naar de twee tafeltjes vlakbij, waar mensen zaten te wachten op hun bestelling.

De man fronste. „Dit is geen McDonald's," zei hij geïrriteerd. „Het eten wordt hier vers klaargemaakt. Trouwens, ik moet vlug terug voordat Marty die biefstukken laat aanbranden..." Hij stoof weer weg door de klapdeuren.

Een stemmetje in Ambers hoofd zei dat ze het op moest geven, dat ze terug moest gaan naar het kille, elegante café en daar om een baantje moest smeken, maar om de een of andere reden kwam ze niet in beweging.

De deuren zwaaiden weer open en een lange, breedgeschouderde jongen kwam binnenzeilen met een bord met biefstuk en patat; hij wierp haar een warme grijns toe, zette het bord neer voor de man in het pak en liep terug naar de keuken.

Amber bleef staan.

Toen de deuren voor de derde keer openzwaaiden, was het de man in het slagersschort weer. „Ben je er nou nog steeds?" bromde hij. „Ik zei toch dat we geen serveersters nodig hadden."

„Maken jullie hier echt alles zelf?" wilde Amber weten.

„Ja. Ik koop niks kant en klaar, maak alles vers. Je mag me gek noemen, maar zo doe ik het. Marty! Kijk even naar de soep!"

„Waarom neemt u niet iemand aan om in de keuken te helpen?" vroeg ze.

„In de keuken? Weet je wel hoeveel dat kost? Nou, ik moet verder, mop. Ik heb een kist vol heerlijke Bramleys staan, die wegrotten als ik er niet snel iets mee doe. Marty!"

Amber haalde diep adem. „Mijn appeltaart is zalig," zei ze.

De man in het schort keek haar onderzoekend aan. „Je bent een doorzettertje, dat moet ik je nageven."

„Ik heb werk nodig," verklaarde Amber. „En u heeft hulp nodig. Laat me een kruimeltaart voor u bakken – als proef, zeg maar." Ze kon amper geloven dat die woorden uit háár mond kwamen.

„Ik zeg toch dat ik me geen kokssalaris kan veroorloven."

„Betaal me dan een serveersterssalaris. Ik kan ook helpen met bedienen."

„Allemáchtig!" De man deed zijn handen omhoog alsof hij haar de deur uit wilde duwen. In plaats daarvan liet hij ze op zijn hoofd neerkomen en woelde door zijn haar. „Oké, waarom ook niet. Kom maar mee." Hij ging de klapdeuren door en Amber volgde hem de keuken in.

Het was er schoon maar chaotisch, met vuile borden opgestapeld naast de gootsteen en half afgemaakte gerechten op de werkbladen.

„Daar liggen de appels," wees hij. „Schillen maar."

„Nou, ik maak liever eerst het kruimeldeeg," zei Amber. „Anders worden de appels bruin."

„Je weet echt wat je doet, hè?" De man boog zich voorover en haalde een diepe metalen bakplaat uit een kastje. „Hier, vul deze maar. Alles wat je nodig hebt, staat in die hoge kast en in de koelkast. Je kunt die kleine oven daar gebruiken. Oké?"

„Heeft u een mengkom?"

„Hier." Er werd een grote plastic kom voor haar neergeplant. „En hou op met dat u. Ik heet Bert." De man liep naar het fornuis, griste de lepel uit Marty's hand en proefde van de soep, vloekte en voegde meer zout toe.

Amber wist dat ze niet nog meer vragen kon stellen of meer hulp kon verwachten.

Vol triomf en vastberadenheid zette ze de oven op z'n heetst, waste haar handen en pakte een grote zak bloem en suiker uit de hoge kast. Tot nu toe had ze alleen heel kleine appelkruimeltaartjes gebakken, net genoeg voor drie personen, maar voor kruimeldeeg gebruikte je simpelweg twee keer zo veel bloem als boter en suiker, dus het kon niet misgaan, toch?

Ze woog twee kilo bloem af op een oude, gehavende weegschaal; dat leek haar genoeg. Daarna pakte ze boter en margarine uit de koelkast en woog van elk een pond af. Het was een enorme hoeveelheid om te kneden, maar ze hakte de boter eerst goed fijn en liet toen haar vingers en duimen door het mengsel draaien.

Er daalde een merkwaardig vredig gevoel over haar neer, alsof ze in slowmotion werkte. Je mocht het niet haasten, je moest gestaag doorkneden. Bert stond achter elkaar biefstukken en patat te bakken en salades te mengen, terwijl Marty soep opschepte en stokbrood sneed. Ze stoven allebei heen en weer met volle en dan weer vuile borden. Amber keek niet naar hen. Ze bleef kneden tot haar handen stijf waren, woog toen een kilo suiker af en mengde dat door het deeg, tot het de structuur had van broodkruimels, precies zoals het hoorde.

De appels hadden hun beste tijd gehad, maar de smaak zou er niet minder om zijn. Amber schilde en sneed op topsnelheid. Toen schoot ze naar de kast. Deze taart moest heel bijzonder worden. Ze vond een zak rozijnen en tussen de bussen kruiden stonden kaneel en kruidnagel. Ze voegde een ruime hoeveelheid toe aan de appels, deed alles in het bakblik en verdeelde het kruimeldeeg eroverheen. Vervolgens trok ze de ovendeur open, schoof het bakblik erin en keek op haar horloge. Over ongeveer een uur zou de taart klaar moeten zijn.

Amber begon nu op stoom te komen, ze barstte van de energie. Ze liep naar de enorme gootsteen en waste alle pannen en bakplaten die erin stonden af. Een lampje op de grote afwasmachine ernaast knipperde – hij was klaar. Ze trok hem open en ruimde hem leeg. Op drie lange planken aan de wanden stonden stapels borden en schaaltjes; ze kon gemakkelijk herleiden waar alles hoorde. Toen vulde ze de afwasmachine met de bergen vuile borden en het bestek dat overal rondslingerde en zette hem weer aan.

De heerlijke geur van de appels en kruiden vulde de keuken, maar Bert zei er niets over, noch over hoe netjes de keuken was.

Amber pakte een doekje en schoonmaakspray en begon verwoed de werkbladen te boenen.

Toen ze weer op haar horloge keek, was het uur al voorbij. Ze pakte een vleespen, opende de oven en prikte in de taart. De appels waren zacht, precies goed; de bovenkant was mooi goudbruin. Met een paar ovenwanten haalde ze het bakblik eruit en bleef even zo staan, er gewoon naar kijkend. Ze was alleen in de keuken. Haar hart sloeg een slag over bij de gedachte die in haar opkwam. Toen droeg ze het blik door de klapdeuren het café in. Behalve de artistieke dames op de bank zaten er inmiddels allemaal andere mensen, maar nog steeds waren bijna alle tafeltjes bezet.

„Wil er misschien iemand taart?" riep ze. „Deze komt net uit de oven, en hij is heel goed gelukt, al zeg ik het zelf."

Er werd gelachen en een arbeider grijnsde naar haar. „Had ik er maar tijd voor," zei hij.

Een van de dames riep: „O, dat ruikt zálig!" De andere dame zei: „O Ida, zullen we het doen? Nog een kopje thee en een stukje daarvan?"

Een nors uitziende oude man bij het raam had zich omgedraaid. „Kost dat?"

„Drie pond vijftig," antwoordde Bert gladjes. „Met vanille-ijs erbij."

„Heb je geen custard?"

„Nee."

„Vooruit dan maar," bromde de oude man.

„Het ijs staat in de vriezer," liet Bert Amber weten.

„Wij ook graag, meisje," riep een van de vrouwen. „Twee bolletjes!"

Amber liep de keuken weer in, zette het blik neer, pakte drie bordjes en haalde het ijs tevoorschijn. Ze schatte in dat ze zo'n twintig porties appeltaart uit het blik kon halen. Ze sneed drie stukken af, deed er ijs bij en wilde alles net naar binnen brengen toen Marty stralend binnenkwam.

„Ik neem ze wel mee. Je hebt nog twee bestellingen!"

Toen Amber met de volgende bordjes de zaak in liep, was de lunchdrukte pas echt begonnen. Er zaten drie mensen op een tafeltje te wachten en de artistieke dames op de bank schoven wat op om ruimte te maken, terwijl ze riepen dat ze zo gezellig hadden zitten kletsen.

Iemand had *Kruidige appeltaart met vanille-ijs – £ 3,50* onder op het schoolbord geschreven, tussen de twee ramen die recht op zee uitkeken.

Het was tien voor vier en Ambers verhitte energie was bijna helemaal weggeëbd. Ze had ongeveer vier uur achter elkaar doorgewerkt, zonder te lunchen; ze had alleen een stukje stokbrood van de plank gegrist. De hele appelkruimeltaart was opgegaan. Ze had tosti's gemaakt voor laatkomers die de lunch hadden gemist, had talloze potten thee gezet, scones en plakken bananenbrood op bordjes gelegd, en opgeruimd en afgewassen. Er zaten nu nog maar drie mensen in het café.

Hij zegt vast „Bedankt, maar laat verder maar," zei ze tegen zichzelf, en dan schopt hij me zonder te betalen de deur uit. Wat ben ik stom geweest. Toch ging ze door met het afnemen van de werkbladen en het afwassen van de laatste pannen. Marty kwam de keuken in en ze vroeg: „Hoe laat gaan jullie dicht?"

„Gewoon, wanneer iedereen weg is," antwoordde hij schouderophalend.

Vanuit het café hoorde ze het geluid van ramen die werden gesloten en de grendel die voor de deur werd geschoven.

Marty haalde een grote bezem uit de hoek. „Kom je helpen opruimen?"

Ze liep met haar doekje achter hem aan en nam alle tafeltjes af. Eén keer maakte Marty oogcontact met haar en lachte; daarna durfde ze hem niet meer aan te kijken. Toen ze klaar waren, liepen ze terug naar de keuken.

Bert zat bij de deur de kassa op te maken. „Vierentachtig pond verdiend aan die appeltaart," zei hij. „Al is dat niet alleen maar winst, natuurlijk. De ingrediënten moeten er nog af, het ijs, en het gas... en ik moet jou ook nog betalen. Dan blijft er maar weinig over, hè?"

Amber had het gevoel dat ze zou ontploffen of in tranen uit zou barsten, of allebei. „Jawel!" riep ze. „Als je me zes pond per uur betaalt, heb je nog steeds een heleboel winst! En ik heb niet alleen taart gebakken! Ik heb afgewassen, de vaatwasser gevuld, schoongemaakt, tosti's gebakken en theegezet en..."

Ze stopte, omdat de man om haar zat te lachen.

„Bert, hou op," zei Marty, al lachte hij een beetje mee. „Anders gaat ze ervandoor en komt ze nooit meer terug."

„Hoe heet je eigenlijk?" vroeg Bert.

„Amber," antwoordde ze met bonzend hart.

„Nou Amber, je bent een heel bijzonder dametje. Je bent de eerste die ik tegenkom die onder de dertig is én fatsoenlijk kan koken."

„Maar ík kan toch koken?" wierp Marty tegen.

„Marty, jij wast het eten en hakt het in stukken. Onder mijn niet-aflatende supervisie, anders maak je zelfs daar nog een zooitje van. Waar heb je het geleerd, Amber?"

„Thuis. Ik kookte vaak voor mijn moeder, ze… ze had veel last van migraine en zo. Ik heb het altijd al leuk gevonden."

„Ooit wel eens iets met vis gedaan? Schoongemaakt, gefileerd?"

Marty kreunde.

„Nee," antwoordde Amber, „maar dat kan ik leren."

„Nou, je hebt een baan als je wilt…"

„O, te gek!" riep Amber.

„…hoewel het mij een raadsel is dat iemand hier wil werken terwijl er trendy tenten als Tates in de stad zitten."

„Tates? Dat vond ik een verschrikking," verklaarde Amber.

„Ze past hier wel," grijnsde Marty en voor het eerst keek Amber hem recht aan en lachte terug.

„Oké," knikte Bert. „Mijn zaak blijft het hele jaar door open omdat ik klanten heb die hier wonen, niet alleen die domme toeristen. Zes pond per uur, rond achten beginnen, rond vieren klaar. Op zondag en maandag zijn we dicht. Ik heb ook mijn rust nodig. Je eet gratis mee en krijgt een deel van de fooien. Oké?"

„Oké," zei Amber ademloos.

„Het is hard werken, maar dat heb je vandaag al gezien. En als het goed gaat, maken we het officieel, met een contract en verzekeringspremies, net als bij dit goudhaantje hier, maar voorlopig is het tijdelijk. Oké?"

„Oké."

„Mooi. Kun je morgen beginnen?"

„Bedankt. Ik… bedankt. Geweldig!"

„Zeg dat wel," grinnikte Marty. „Ik probeer die ouwe vrek al eeuwen zover te krijgen dat hij er iemand bij neemt, maar hij vertikte het aldoor."

„Omdat ik een kók nodig had en die kosten geld, maar die weigeren bij te springen, zoals Amber heeft gedaan. Zij doet gewoon wat gedaan moet worden. Je beseft wel dat ik je uitbuit, hè Amber, met maar zes pond per uur?"

„Vuile kapitalist!" schold Marty.

„Maakt me niet uit," zei Amber lachend. „Ik kook liever dan dat ik de hele tijd moet afwassen. Ik doe graag van alles wat."

„Prachtig," vond Bert. „Jij kunt maar beter oppassen, knul, anders ben je zo je baantje kwijt."

„Nee…" begon Amber.

Marty onderbrak haar. „Hij maakt een geintje. Hij kan niet zonder me. Hij heeft ons allebei nodig. Je hebt gezien hoe druk het vanmiddag was; deze zaak zit in de lift. En nu kun je eindelijk al die gerechten maken waar je het over had, Bert, je talenten ontplooien, iets anders serveren dan vis met patat, en biefstuk met patat en God weet wat met patat, hè?"

„We zien wel," bromde Bert, maar zijn gezicht stond opgetogen. „Oké, wat ligt er nog in de koelkast? Jullie sterven vast van de honger."

Een uur later huppelde Amber de steile heuvel naar Merral Road weer op. Haar buik was gevuld met de heerlijke Spaanse omelet die Bert voor hen had gemaakt, haar tas was zwaar van de grote bak vol zelfgemaakte koolsalade die volgens hem op moest, en haar portemonnee was ruim zevenentwintig pond dikker. Bert had haar voor vier uur betaald en haar de helft van de fooien van die middag gegeven. Want de fooien, had hij gezegd, waren alleen voor haar en Marty.

Halverwege de heuvel dwaalde ze af naar een groepje winkels. Ze kocht wat proviand – brood, melk, ham, appels – in een kleine supermarkt en keek in de etalage van een telefoonwinkel. Ze probeerde alvast te bepalen welk mobieltje ze zou kopen wanneer ze wat meer had verdiend. Daarna stapte ze impulsief een hip uitziende boetiek in en paste een schitterend lila topje, dat onder een waterval van exotische kralenkettingen in de etalage hing. Het zat strakker dan de kleren die ze normaal droeg en het stond haar geweldig. Het kostte dan ook bijna dertig pond.

„Die stof blijft zo mooi na het wassen," vertelde de verkoopster. „Ik heb er zelf ook eentje, in een heel mooie roze kleur. Het is voortreffelijke kwaliteit."

Dertig pond, dat is minder dan mijn dagloon, bedacht Amber.

Ze rekende het topje af en danste verder, intussen aan Marty denkend, aan de soepele manier waarop hij bewoog en aan hoe zijn lach zijn gezicht veranderde.

Hij heeft vast al een vriendin, dacht ze. Hij is zo leuk. Trouwens, het is niet handig om iets te beginnen met een collega. Toen lachte ze hardop. Het was fantastisch alleen al zulke gedachten te hebben.

Bij het zien van de rode telefooncel aan het eind van de rij winkels bleef ze abrupt stilstaan. Ze keek ernaar en de opwinding van het werk en Marty en het nieuwe topje verdampte. Ze moest naar huis bellen, dat had ze beloofd.

Ze stak haar hand in haar zak en speelde even met de muntjes die erin zaten. Ze zou vertellen dat de vakantie goed verliep en dan hun zorgen en klaagzangen aanhoren. Voor twee pond, niet langer.

3

„Hé, Amber!" riep Rory, terwijl hij soepel achteruitstapte van de koelkast. „We vroegen ons al af wat er met je was gebeurd."

„Je bent úren weg geweest," zei Chrissie verwijtend. „Als je een telefoon had gehad, had ik je gebeld."

„Sorry." Amber zette haar tassen op de keukentafel. „Ik ben..."

„Verdwaald, zeker?" onderbrak Rory haar. „Chrissie heeft je op je eerste dag hier in de steek gelaten en uiteraard – door haar misdádige nalatigheid – ben je verdwaald."

„Kop dicht, Rory," snauwde Chrissie.

Amber glimlachte. Ze knapte er van op om hier in deze keuken te staan. Het telefoongesprek met haar moeder en Poppy was zo deprimerend geweest. Ze waren somber en zorgelijk, en Poppy had gezegd hoe bang ze was om naar de bovenbouw te gaan. Ze had eindeloos gesnotterd. Amber was overmand geraakt door schuldgevoel en walging, en verwarrende, verstikkende woede.

Maar nu ebden die gevoelens weg. „Nee, ik ben niet verdwaald," vertelde ze. „Ik heb gewerkt. Ik heb een baantje!"

„O ja? Gefeliciteerd!" riep Rory.

„Waar?" wilde Chrissie weten.

„In de Albatross."

„O nee, die strandtent? Ik dacht niet dat je het dáár zou proberen."

„Waarom niet?" vroeg Amber, als gestoken.

44

„Het zal nogal saai zijn in de winter, of niet? Heb je het ook in dat nieuwe café gevraagd?"

„Ja," loog Amber. „Geen succes."

„Ik ken de Albatross niet," merkte Rory op.

„Jawel," zei Chrissie. „We zijn er een paar maanden geleden een keer geweest. Blauw en oranje geverfd, nogal sjofel…"

„O ja, met die lekkere patat."

„En heerlijke vis, zo uit de zee. Maar het is niet bepaald een zakelijke onderneming. Het is van een of andere oude hippie."

„Bert. Dat is mijn nieuwe baas. Ik vind hem heel aardig. Wil iemand wat koolsalade?" vroeg Amber.

Twee uur later zat Amber met haar nieuwe lila topje aan op een bankje naast Rory en een vriend van hem, Max, in een van de kroegen in het centrum. Chrissie en haar vriend Ellis zaten tegenover hen, met een ander stel van de universiteit waaraan ze allemaal studeerden. Het gesprek was luidruchtig en ontspannen.

Amber dronk ijskoude witte wijn en probeerde te verbergen hoe spannend ze het vond om alleen al hier te zitten. Rory besteedde vooral aandacht aan Max, maar dat kon haar niet schelen. Ze deed mee met het gesprek en ze vond het prettig dat hij soms even naar haar toe leunde. Ze bleef tersluiks naar zijn modelachtige profiel kijken. Meisjes die de zaak binnenkwamen, vergaapten zich aan hem, namen aan dat zij bij hem hoorde en wierpen haar jaloerse blikken toe. Er was nog nooit iemand jaloers geweest op Amber. Het was onterecht, maar het voelde heerlijk.

„Zo, een nieuwe baan!" zei Rory plotseling, alsof hij zich schuldig voelde dat hij haar had genegeerd.

„Ja?"

„Lijkt het je niet saai? Alleen maar hakken en mengen en

koken en zo?" Rory keek haar vragend aan.

Amber glimlachte. „Ik vind koken niet saai."

„Ja, maar de héle dag?"

„Misschien. Maar ik heb de afgelopen maanden zo zitten blokken voor mijn examen, dat ik graag eens wat... nou ja, wat met mijn hánden wil doen."

„Je zou op wereldreis moeten gaan," vond Max. „Dat is te gek. India was gewoon... verpletterend."

„Dat zou ik best willen," knikte Amber, en ineens leek het ook mogelijk.

„Ik heb zes maanden gewerkt," ging Max verder. „Zo veel mogelijk gespaard, en heb toen een half jaar rondgetrokken. Fantastisch."

„Hier kun je weinig sparen, hè?" merkte Rory op. „Met de huur en alles."

„Nee, misschien niet."

„Dus waarom ben je niet thuisgebleven, dan had je wel kunnen sparen."

„Rory, laat die meid met rust!" riep Max op verwijfde toon. „Ze heeft duistere geheimen die ze niet wil onthullen."

„O ja," herinnerde Rory zich plotseling. „Was je niet op de vlucht voor iemand... een of ander psychotisch bezitterig vriendje?"

Ze moesten allebei lachen en Amber stond wat verlegen op van tafel. „Mijn rondje, hè?" vroeg ze, net toen Kaz op hun tafeltje af kwam en een prachtige turquoise tas van boterzacht leer erop neerplantte.

„Mama Kaz," zei Rory zangerig. „Je hebt mijn leerboeken weten te bemachtigen!"

„Jep."

„En je hebt het gehaald. Net op tijd voor Ambers rondje."

„Amber, ga zitten. Jij hoeft niet te trakteren op je tweede

avond hier. Het is míjn rondje. Haal jij maar, Max, jij weet wat iedereen wil." Kaz rommelde in de zachte leren tas, haalde er een briefje van twintig uit en stak het hem toe. Gehoorzaam liep Max naar de bar en Kaz plofte naast Rory neer. Ze boog voor hem langs naar Amber toe en zei: „Wat een mooi topje. Die kleur staat je goed."

„Bedankt!" lachte Amber.

„En wat een goed nieuws dat je werk hebt. Chrissie heeft het me verteld. Betaalt het een beetje?"

„Ja, redelijk. En volgens mij komt er aardig wat fooi bij."

„Wat zijn je werktijden?"

„Van acht tot vier."

„Vanaf ácht uur?" Rory hapte naar adem. „Dat betekent dat je om zeven uur je nest uit moet! Niemand staat zo vroeg op!"

„Jawel, Rors," zei Kaz. „En zelfs jij moet dat misschien op een dag. Maar je zult 's avonds wel kapot zijn, Amber." Ze pakte haar tas van tafel, haalde er een lippenstift uit en stiftte zonder spiegeltje haar lippen. „Ik weet het al, je moet een siësta houden! Een uurtje maar, wanneer je thuiskomt uit je werk. Dan ben je 's avonds weer opgeladen. Je moet in topvorm zijn om met ons uit te gaan!"

Amber glimlachte naar haar. Ze bewonderde Kaz' zelfvertrouwen en haar kordate, hartelijke houding – de manier waarop ze haar in hun kringetje opnam. „Hm, een siësta is geen slecht idee."

„Het is een briljánt idee," meende Kaz. „Spanjaarden zweren erbij – het is alsof je twee dagen in een hebt. Hé, dan moeten we binnenkort maar eens met z'n allen naar de Albatross, hè Rors? Ambers kookkunsten proeven."

„Jemig Kaz, hou toch eens op met al dat georganiseer," kreunde Rory. Toen sloeg hij zijn arm om haar schouders en kneep erin.

„Ja, jullie moeten echt een keer komen," knikte Amber. „De mensen daar, de gasten, zijn geweldig, eerlijk waar. Vooral vaste bewoners, zei Bert, en heel interessante types."

„Amber – vaste bewoners en interessant, dat spreekt elkaar tegen. Daar kom je nog wel achter," merkte Rory op.

Iedereen schoot in de lach.

Dankzij de drie glazen wijn die ze op had, sliep Amber die nacht als een roos. Ze schoot één keer wakker van het klapperende raam, maar toen ze opstond om te proberen of ze het vast kon zetten, hield het plotseling op. Ze tuurde de donkere tuin in; de bomen bewogen niet. Ze hield zich voor dat de wind was gaan liggen, dat dat alles was, maar het had toch iets griezeligs.

Ze kroop weer in bed en trok het dekbed tot over haar oren. Uiteindelijk viel ze opnieuw in slaap en ze werd pas weer wakker toen haar wekker om kwart voor zeven afging.

Ze nam een douche en trok een simpele jeans en een wit T-shirt aan.

Op weg naar beneden draaide ze een halve slag om zichzelf in de gigantische barokke spiegel te bestuderen. Ze bekeek zichzelf van de zijkant, van de achterkant… Ze was nooit mager geweest. „Stevige botten," noemde haar moeder het, maar ze wist dat ze mooie vormen had en er gezond uitzag. Maar er was iets met deze spiegel. Terwijl ze van links naar rechts draaide, zag ze er ineens, een seconde hooguit, grotesk uit… afstotelijk. Toen was ze weer gewoon zichzelf: weinig opvallend. Niet opvallend genoeg om Marty's interesse te wekken, in elk geval.

Amber ging zonder ontbijt de deur uit. Ze deed zachtjes de voordeur achter zich dicht, want er was nog geen teken van leven in het huis. Tijdens de vlugge wandeling heuvelafwaarts fleurde ze op; de zeelucht blies haar hoofd schoon en vulde haar longen, voedde haar. Ze hield bij hoe lang ze erover deed, zodat ze morgen precies zou weten wanneer ze weg moest – het duurde nog geen half uur.

Bij haar aankomst bleek de Albatross uitgestorven. De deur was nog dicht en de luiken waren gesloten.

Amber zette haar kraag op en ging op de houten loopplanken zitten wachten. De zee zag er minder woest uit vandaag, met de vroege ochtendzon die erin weerkaatste. Er zweefden krijsende meeuwen door de lucht. Ze had niets te doen, staarde alleen maar naar de golven die het strand op rolden en zich weer terugtrokken. Haar gedachten werden helder terwijl ze naar het water staarde.

Om kwart over acht kwam er eindelijk een blauw bestelwagentje over het zand aanhobbelen, dat voor haar tot stilstand kwam.

„Hoe lang zit je hier al?" riep Bert vanachter het stuur.

„Pas net," riep ze terug, hoewel ze al minstens een half uur zat te wachten.

„Nou, sorry meid…" Hij stapte uit en begon een grote kist courgettes, eentje met aubergines en meerdere dozen eieren uit de laadruimte te sjouwen. Amber haastte zich naar hem toe om te helpen. „Het punt is dat als ik acht uur zeg tegen Márty, hij denkt dat ik half negen bedoel."

„Het geeft niet," zei ze. „Ik zou eeuwen naar die zee kunnen kijken."

„Ik ook." Bert stootte een lachje uit. „Waarom denk je dat ik deze zaak heb gehuurd? Kom op, dan gaan we koffiezetten."

Bert bakte spek en zette verse koffie. Hij stond net in te schenken toen Marty arriveerde. „Ik zweer je dat hij het ruikt," bromde Bert.

Ze hadden alle drie nauwelijks hun broodje spek op of de eerste gasten arriveerden en ze moesten aan de slag.

Het was zwaar werk, maar de dag had een prettig ritme. Als de ontbijtdrukte afnam, begonnen ze aan de voorbereidingen voor de lunch. Zij aan zij hakten Marty en Amber uien, courgettes, aubergines en tomaten om ratatouille te maken voor bij de kabeljauw.

Ambers blik werd voortdurend naar Marty toe getrokken. Hij zei niet veel, bleef maar op zijn mobieltje kijken en sms'jes versturen. Hij reageerde vaag toen Amber hem vroeg hoe lang hij al bij de Albatross werkte en hoe lang hij in Cornwall woonde. Toen ze vroeg hoe laat ze lunchpauze hadden, lachte hij.

„Niet. Althans, er staat geen vaste tijd voor. Je neemt pauze wanneer het kan, en als het niet te druk is, zeg je gewoon tegen Bert dat je een frisse neus gaat halen."

„Echt? Geweldig."

„Ja, zo werkt het hier. Geen regels, geen roosters. De lunch is klaar als hij klaar is – als je te vroeg komt, kun je ontbijt bestellen. Het is… levendig, zeg maar. Daarom heb ik het hier zo naar mijn zin. Wil je nog koffie?"

„Lekker."

Marty liep naar het fornuis en zette de ketel op. „Trouwens, als Bert zegt dat je gratis te eten krijgt, meent hij dat. Ik neem hier mijn ontbijt, lunch en vieruurtje. Ik hoef haast nooit iets te kopen."

„Maar thuis dan?"

„Nou, ik leef op de restjes die Bert me meegeeft. En dat levert me weer een mooi ruilhandeltje op met mijn huisgenoten. Je moest eens weten hoeveel iemand met een vreetaanval bereid is neer te tellen voor een punt appeltaart."

Amber lachte. „Je verkoopt het echt?"

„Nou ja, alleen als ik heel erg blut ben. Maar het is een mooie handel, geloof me. Mijn kamer wordt schoongemaakt, ik hoef nooit af te wassen en ik kan zo veel blowen als ik wil."

Amber had hem graag gevraagd naar het huis waar hij woonde, maar hij trok zijn mobieltje weer uit zijn zak, dus ze liet het erbij zitten.

Toen Bert om tien voor vier de deur na de laatste klant op slot deed, was Amber uitgeput. Het was een prettig soort vermoeidheid, puur lichamelijk, niet de nerveuze, gespannen uitputting die ze thuis altijd voelde. Ze wist dat de zaken vandaag beter waren gelopen dankzij haar hulp; niemand had te lang op zijn eten moeten wachten en in de keuken was het niet meer zo'n chaos geworden als gisteren. Ze had op haar eigen manier ratatouille gemaakt. Om de smaak te versterken had ze het vocht afgegoten en de rest wat laten indikken. Bert had haar er meerdere complimentjes voor gegeven.

Nu kwam hij stralend de keuken binnen. „Oké jongens, tijd om te vangen," kondigde hij aan. „En Amber – welkom aan boord. We hebben zo'n twaalf extra gasten gehad vandaag, alleen maar omdat het eten sneller kon worden uitgeserveerd. Wat uiteraard betekent dat er ook meer fooi is opgehaald, voor het geval Marty gaat sputteren over delen."

Amber nam het geld aan, samen met een in folie verpakt broodje ham dat Bert haar opdrong, ook al zei ze dat ze nog vol zat van haar late lunch, en vertrok.

De steile kasseienweg voor haar zag er ontmoedigend uit. 's Ochtends naar beneden wandelen was nog tot daaraan toe, maar aan het eind van een zware dag weer omhoog sjouwen, was een ander verhaal. Toch ging Amber vastberaden op pad en terwijl ze klom, begon haar hart flink te pompen. De vermoeidheid van de dag verdween langzamerhand en ze raakte in een soort overwinningsroes. Het was net als het gevoel dat ze had gehad toen ze voor het eerst op Merral Road 17 naar binnen stapte, maar dan beter, intenser, want dit was gebaseerd op haar nieuwe leven dat vorm aan begon te nemen – haar nieuwe leven dat stándhield. Een bedwelmende sensatie van vrijheid stroomde door haar heen. Het feit dat ze alle touwtjes in handen had, zelfstandig beslissingen nam, begon tot haar door te dringen.

Ik ga aan mijn conditie werken, nam ze zich voor. Om te beginnen loop ik elke dag deze heuvel op en neer – en ik ga niet eens navragen of er een bus gaat. Thuis had ze geprobeerd te sporten, maar ze wist nooit de regelmaat erin te houden. Er was altijd wel een crisis of probleem dat ervoor zorgde dat ze de deur niet uit kon, of Poppy wilde ook mee en bedierf het voor haar. Het was eenvoudiger geweest om zich gewoon in haar kamer te verstoppen. En éten – eten was één bron van ellende geweest. Mam en Poppy waren geobsedeerd door diëten en de slanke lijn. Met z'n drieën hadden ze geleefd op een neurotische mengeling van caloriearme salades en junkfood-vreetaanvallen. Amber had zich voortdurend moe en slap gevoeld.

Maar nu, hield ze zichzelf voor, nu was alles anders. Ze kon goed en gezond eten in de Albatross (wat haar ook een fortuin zou besparen) en ze kon elke dag deze heuvel op klimmen. Wanneer ze eenmaal wat uithoudingsvermogen had opgebouwd, kon ze misschien gaan zwemmen of dansles nemen...

De toekomst, voorheen zo benauwend en zorgwekkend, lag vol mogelijkheden voor haar open. Zelfs Marty was een mogelijkheid, ondanks al zijn ge-sms. In elk geval als vriend. En wanneer ze straks thuiskwam, zou ze kijken wat haar huisgenoten vanavond van plan waren en zou ze misschien met hen uitgaan... Ze versnelde haar pas.

De wandeling duurde veertig minuten; hijgend maar triomfantelijk stapte Amber Merral Road op.

Uit de bosjes aan het eind van de straat kwam een oude vrouw tevoorschijn. Ze had een lange, vormeloze, flessengroene jas aan en droeg een mandje aan haar arm. De heksachtige manier waarop ze tussen de bomen vandaan kwam, bezorgde Amber de rillingen. Ze versnelde haar pas, dan kon ze bij het huis zijn voor ze elkaar tegenkwamen, maar de oude vrouw begon ook sneller te lopen en ondanks haar gebogen rug was ze vlug. Vlak voor nummer 17 bleef ze voor Amber stilstaan.

„Hallo, kindje," zei ze. „Jij bent hier net komen wonen, hè?" De oude vrouw was vel over been en haar gezicht stond vol diepe rimpels. Ze glimlachte vriendelijk, maar intussen nam ze Ambers gezicht grondig in zich op.

„Ja," antwoordde Amber stug. „Een paar dagen geleden."

„Wat leuk. Een heel huis vol jongelui. Ze zijn hier nu ongeveer een jaar, nietwaar?"

„Ik geloof het wel, ja."

„Het stond leeg, de ramen waren zelfs dichtgetimmerd, moet je weten. Ze leken het maar niet kwijt te kunnen raken. De Wilsons – die woonden hier in de jaren vijftig. Daarna de Marshalls in de jaren zeventig... Niemand bleef hier lang. Op een dag kocht iemand het om aan studenten te verhuren. Toen dat gebeurde zei ik tegen mezelf: misschien is dat de oplossing, misschien..." Haar stem vervaagde. Toen zei ze: „Ik woon iets verderop, op nummer 11. Mijn hele leven al."

„Echt?" Amber voelde zich verplicht om het te vragen.

„Ja, kindje. Ik ben nooit getrouwd. Mijn vader is overleden toen hij pas 63 was en ik heb mijn moeder gezelschap gehouden, voor haar gezorgd toen ze ouder werd. Ze heeft mij het huis nagelaten..."

„Dan heeft u hier vast heel wat veranderingen meegemaakt."

„Niet echt, niet in deze straat. De bomen aan het eind zijn natuurlijk groter geworden en sommige huizen zijn nu opgedeeld in flatjes, maar..." Ineens zette ze een stap naar Amber toe en siste: „Bevalt het huis je?"

Onwillekeurig deinsde Amber achteruit. „Eh... ja. Het is best leuk."

„Welke kamer heb jij? Eentje op de bovenste verdieping?"

„Nee, de zolder wordt niet gebruikt, omdat..."

„O, ik heb het niet over de zólder!" zei de oude vrouw en ze giechelde vreemd. „Ik bedoel de verdieping ónder de zolder."

Amber keek naar haar schoenen en dacht: ze heeft ze niet allemaal meer op een rijtje. „Ja, ik zit op de bovenste verdieping."

„O o, dat dacht ik wel."

„Nou, ik ga maar eens naar binnen, ik heb een hoop te doen."

„Natuurlijk, kindje. Je bent je nog aan het installeren, hè? Heb je trek in een braam?" Ze stak het mandje naar Amber toe, die naar de donkere, vochtige vruchtjes keek en 'nee' wilde zeggen, maar er toch eentje pakte en opat.

„Bedankt," mompelde ze.

„Zijn ze niet heerlijk zoet? Ze hebben de hele zomer gehad om rijp te worden. Ik heb net de allerlaatste geplukt, achter in het bos. Er is daar een heerlijk zonnig plekje. Je moet er eens naartoe gaan."

Er viel een stilte.

Amber schuifelde heen en weer tot de oude vrouw zei: „Goed, ik zal je niet langer ophouden. Weet je waarom dat vorige meisje is vertrokken?"

„Welk meisje?"

„Degene voor jou."

„Geen idee. Gewoon iets anders gevonden, denk ik. Ik moet nu echt gaan."

„Natuurlijk. Blijf het zonnig inzien, kindje. Blijf positief, dan komt het allemaal wel in orde…"

Halvegare, dacht Amber terwijl ze geforceerd glimlachte. „Dag!" Het prikkelde in haar nek terwijl ze zich het pad naar het huis op haastte. Zonder zich om te draaien wist ze dat de vrouw er nog stond en haar nakeek tot ze naar binnen verdween en de deur achter zich dichtdeed.

Amber liep meteen door naar de keuken in de hoop daar iemand aan te treffen, maar er was niemand. Ze zette de waterkoker aan en haalde Berts broodje uit haar tas. Ze was van plan het op te eten en dan naar boven te gaan voor een siësta, zoals Kaz had voorgesteld, maar ze voelde zich veel te wakker. Ze wilde het niet toegeven, maar de magere oude vrouw had haar bang gemaakt. Ze wilde het aan iemand vertellen, horen dat ze erom lachten en zeiden: „Wat, dat oudje van nummer 11? Een beetje opdringerig, maar ze doet geen vlieg kwaad." Ze wilde ook weten waarom het meisje vóór haar was vertrokken.

Ze liep de gang weer op. „Hallo? Is er iemand thuis?" Ze hoopte dat Kaz' deur open zou gaan en ze naar buiten zou komen voor een kopje thee. Maar het bleef stil, het soort stilte waaraan je hoort dat er niemand is behalve jij.

Amber sjokte de keuken weer in, dronk een kop thee, at haar broodje op en liep naar boven. Met tegenzin deed ze de deur van haar kamer open. Het voelde nog steeds niet aan als thuis.

Dit is belachelijk, dacht ze. Ik ga niet liggen slapen.

Ze zette haar tas neer en liep terug naar de overloop. De late middagzon stroomde door het dakraam boven aan de zoldertrap, wierp er een verleidelijk licht op. Even dacht Amber dat ze de lange, smalle stofvorm weer zag; toen loste hij op in het licht. Ze begon de trap op te lopen.

De trap kwam uit op een smalle gang met drie deuren. De

twee vlakbij stonden open en de derde – de deur naar de kamer boven de hare – was dicht. Ze liep de eerste deur door. Het was een knus hokje met een schuin plafond, een dakraam en een minuscule ijzeren haard, maar het was volgestouwd met rommel. Ze stond tussen de kapotte stoelen en stroken vloerbedekking, en stelde zich voor hoe het geweest moest zijn om hier als dienstmeisje te wonen, in 1887, het jaar waarin het huis was gebouwd.

Het moet een miserabel bestaan zijn geweest, dacht ze. Heel vroeg op, uitgeput naar bed, bijna geen vrije tijd… Mijn dienst van acht tot vier is er een makkie bij.

Ze liep door naar de volgende kamer. Iemand had er wat lange planken neergelegd, waardoor de deur niet meer dicht kon, en ook hier stond het vol met troep, maar deze spullen zagen er ouder en interessanter uit. Er stonden een doos gehavend speelgoed, wat tuingereedschap, een aantal glazen lampenkappen en twee bakelieten radio's, allemaal lukraak op elkaar gestapeld. Amber nam zich voor om hier eens rond te neuzen en te kijken of er iets bij zat om haar kamer wat meer mee aan te kleden. Een van die lampenkappen bijvoorbeeld, of dat oosters uitziende tapijt…

Maar eerst wilde ze in de derde kamer kijken. Ze liep verder over de smalle gang. De zon van het dakraam boven aan de trap kon hier niet komen, en het was heel schimmig. Op de tabaksbruine wanden kon ze nog net drie vale rechthoekige vormen onderscheiden, waar waarschijnlijk schilderijtjes hadden gehangen. Ze bereikte de derde deur en pakte de deurknop vast. Terwijl ze hem omlaagdrukte, voelde ze haar nekharen overeind komen, net zoals toen dat maffe oude mens haar zo-even had nagekeken.

Doe niet zo stom, hield ze zichzelf voor en ze duwde de deur open.

Dit was de grootste en zonder meer de mooiste kamer. Het dakraam was breder, het schuine plafond minder benauwend. Overal lag troep natuurlijk, maar dit was zo te zien het oudst en interessantst. Er stonden twee ouderwetse telefoons met draaischijven, dozen vol oude borden en troep, stapels boeken en lijsten die tegen de wand leunden. Het ijzeren ledikant met koperbeslag, aan de andere kant van de kamer, ging schuil onder een berg vale boodschappentassen vol oude kleren. Er stond ook een oude schommelstoel en Amber ontdekte een ladekast, half verborgen onder nog meer rommel.

Op het moment dat ze op de boodschappentassen af wilde lopen, gebeurde er iets.

Vorige winter was het haar gelukt naar een feestje van een vriendin te gaan zonder Poppy mee te zeulen en ze was van plan geweest zich helemaal uit te leven. Ze had aardig wat gedronken en toen iedereen aan het eind van de avond op de grond was gaan zitten en de joints werden doorgegeven, had ze een paar trekjes genomen. De drug had zijn effect niet gemist. Mensen zaten te giechelen, merkten op dat het zulk sterk spul was. Amber had zich raar gevoeld en was de tuin in gestommeld voor wat frisse lucht. Toen ze omhoog had gekeken, naar de boomkruinen, waren ze plotseling in enorme aartsengelen veranderd. Ze had haar ogen dichtgeknepen en haar hoofd geschud, en het waren weer gewoon bomen geworden, om daarna opnieuw in aartsengelen te veranderen, met lange, zwiepende armen van takken, vleugels van bladeren. De engelen hadden net zo echt geleken als de bomen, hadden elkaar overlapt, maar op de een of andere manier ook los van elkaar bestaan.

Zo was het nu ook.

Er viel geen licht meer door het dakraam; de lucht leek paars, alsof er buiten een storm woedde.

In de schemering vervaagden de tassen, trokken zich terug in de schaduw, maar het bed kwam scherp afgetekend naar voren, met zwarte buizen en vier glanzende koperen knoppen.

Amber schudde haar hoofd en kneep haar ogen dicht. Toen ze opnieuw keek, was alles weer normaal. Maar meteen daarop loste de rommel op de vloer half op, kwamen de kale planken tevoorschijn, een doorschijnend tapijt erop... De contouren van de ladekast waren duidelijk zichtbaar onder de troep die erop lag, en de schommelstoel... De schommelstoel...

Amber sloeg haar handen voor haar gezicht en ademde diep in en uit. Toch hoorde ze de stoel nog zacht wiegen op de houten vloer. Ze werd overvallen door een akelig gevoel, half angst, half verdriet. Ze wreef verwoed in haar ogen en dwong zichzelf opnieuw te kijken. De stoel stond stil, was weer bezaaid met rommel, het gebogen onderstel geblokkeerd door stapels boeken – het ding kon simpelweg onmogelijk bewegen. Ze staarde naar het ledikant – de tassen waren terug, vol kleren. Maar terwijl ze bleef kijken, leken ze even te sidderen, te vervagen en het bed schemerde er doorheen. De spullen die tegen de wand aan stonden, leken op te stijgen, te trillen, als een fata morgana, onwerkelijk...

Amber stapte achteruit naar de deur. Ze vluchtte de gang op, stoof in één keer de twee trappen af, terug naar de veilige keuken.

4

Amber zat met haar tweede kop thee aan de keukentafel. Ze hield zichzelf voor dat ze nog steeds gespannen was door de stress van de afgelopen dagen. Ze was veel te snel de heuvel op geklommen, ze was moe en had zich dingen verbeeld. Maar het idee dat haar hoofd zulke enge spelletjes met haar kon spelen, maakte haar stemming er niet beter op.

De voordeur werd met een klap dichtgegooid. Ben kwam opgewekt de keuken binnen en gooide een stapel mappen en boeken op tafel.

„Ik ben klaar voor vandaag," zei hij. „Drie uur in de bibliotheek, een college én een werkgroep... Wat een bikkel ben ik toch! Weet jij of er vanavond iemand kookt?"

„Nee, ik weet niet," mompelde ze.

„Hé, wat is er met jou?"

„Niks. Gewoon doodop."

„Hij beult je af, hè, die nieuwe baas van je. Ik zal nog wat thee zetten."

Terwijl Ben met zijn rug naar haar toe de waterkoker stond te vullen, vroeg ze: „Wie woonde er voor mij op mijn kamer?"

„Katie Robinson. Ze deed sociologie."

„Waarom is ze weggegaan?"

Ben haalde zijn schouders op. „Wilde weer eens iets anders, denk ik."

Amber meende dat zijn stem was veranderd, dat hij zich min of meer afsloot, maar ze wist het niet zeker.

„We hebben geen ruzie gehad of zoiets," vervolgde hij. „Als je je daar soms zorgen over maakt. De sfeer hier in huis is prima en we kunnen het allemaal goed met elkaar vinden." Hij rommelde luidruchtig in een kast. Toen kwam hij met twee mokken naar Amber toe en ging tegenover haar zitten.

„Ben?" flapte ze eruit. „Denk jij dat oude huizen een... ik weet niet, een bepaalde uitstraling kunnen hebben? Iets wat je instinctief aanvoelt?"

„Wat, zoals oude ruïnes en kerken en zo? Zeker. Hoezo?"

„O, gewoon, iets wat ik zat te lezen."

„Nou, ik voel het in elk geval aan. Zeker als er ergens iets akeligs is gebeurd. Toen ik een jaar of dertien was, hadden we een keer een schoolreisje naar een kasteel en we kwamen in een kerker waar een heel griezelig sfeertje hing, echt om de rillingen van te krijgen. Lopen we een hoek om, en wat hangt daar? Allemaal oude martelwerktuigen..."

„Jakkes, wat eng."

„In de zestiende eeuw hadden ze er rooms-katholieken uitgehoord. In verband met die complotten om een katholiek op de troon te krijgen, je weet wel, zoals Guy Fawkes..."

„Maar je voelde die sfeer al voordat je die martelwerktuigen zag?"

„Ja, precies. We hadden een toneellerares bij ons en die had het er maar over hoe de muren al het kwaad uit het verleden hadden geabsorbeerd en het er steeds weer uit persten... Ze liet ons er een opstel over schrijven toen we terug waren."

„Maar niemand had echt iets... gezien."

„Wat, zoals een geest van iemand op de pijnbank? Eh... nee. Maar we hebben wat afgegriezeld, het was te gek."

Terwijl Ben van onderwerp veranderde en vertelde over zijn zware dag op de universiteit, dronk Amber haar thee op. Ze besloot om voor zich te houden wat ze op zolder had meegemaakt, niet verder te vragen waarom Katie Robinson was vertrokken en het niet over die vreemde, oude buurvrouw te hebben. Ze mochten niet denken dat ze nog gekker was dan ze nu al dachten.

Die avond ging ze vroeg naar bed onder het mom dat ze nog moest wennen aan het nieuwe ritme en doodop was. In bed besefte ze met een steek van schuld dat ze er weer niet aan had gedacht om naar huis te bellen. Kreunend begroef ze zich onder het dekbed. Poppy en haar moeder zouden ongerust zijn, beledigd, willen weten hoe ze hén kon vergeten terwijl zij de hele tijd aan háár dachten…

Langzaam doemde de zolderkamer voor haar op. Opnieuw zag ze hoe de oorspronkelijke kamer door de troep en rommel heen leek te schemeren. Alsof hoe het vroeger geweest was door alles heen brak, dwars door alle tijd die was verstreken, en alle veranderingen die sindsdien hadden plaatsgevonden.

Doe niet zo maf, dacht ze. Het lijkt wel alsof er een steekje bij je los is.

Ze draaide zich om, wilde wanhopig graag slapen, maar nu zag ze weer het gezicht van de oude vrouw voor zich, het netwerk van rimpels op haar wangen, de samengeknepen ogen waarmee ze Amber doordringend opnam, haar gelaat afzocht…

Uiteindelijk dommelde ze in, maar het was een rusteloze, oppervlakkige slaap. Midden in de nacht schoot ze angstig wakker, met het gevoel dat er iemand voor haar deur stond.

„Kaz?" riep ze. „Kaz, ben jij dat?" Buiten startte een auto, en vermengd met het geronk van de motor dacht ze gemompel te horen, en toen het geluid van een sleutel in een slot. Met bonzend hart hield ze zichzelf voor dat er niets aan de hand was. Een paar minuten lang bleef ze als bevroren liggen.

Aarzelend sloop ze vervolgens vanuit haar bed naar de deur.

Zoals ze al had geweten, zat hij niet op slot; de sleutel zat aan de binnenkant, en de overloop was leeg toen ze naar buiten tuurde.

„Doe toch eens normaal," zei ze hardop tegen zichzelf. „Haal je niet van alles in je hoofd."

Terug in bed viel ze eindelijk diep in slaap en ze droomde een van haar schulddromen. Die had ze vaak; ze kwamen er allemaal op neer dat ze wegliep bij Poppy, haar ergens achterliet waarvandaan ze de weg naar huis niet wist, en gewoon rende, rende, doof voor haar gekrijs. Soms waren de dromen gewelddadig, wanhopig. Dan duwde ze Poppy van een steile trap af, of over een reling de diepte in. Ze eindigden altijd hetzelfde, met haar moeders droevige, lieve gezicht vol tranen. De volgende dag was ze steevast misselijk van schuldgevoel en verwarring.

Vlak voordat de wekker afging, werd Amber wakker. Ze stapte meteen uit bed, nam een douche en vloog naar beneden. Ze wist dat ze veel te vroeg bij het café zou aankomen, maar ze verlangde ernaar hier weg te gaan, naar de zee toe. Ze pakte haar jas en trok de voordeur open.

En schoot meteen weer achteruit. Een soort oerinstinct in haar reageerde vol angst, nog voordat haar hersenen registreerden dat er iets op de stoep was neergezet.

Ze probeerde rustig te ademen. Het zag er onheilspellend uit, achtergelaten om kwaad aan te richten, een vloek uit te spreken: een klein, grijs kartonnen doosje. Aan één kant was het opengescheurd en er lekte iets uit, waardoor de zijkant en bodem zwartrood waren geworden.

Wie had het hier neergezet?

Amber deed een stap naar voren en dwong zichzelf om erin te kijken.

En schoot bijna hardop in de lach. Ze had zich afgehakte vingers voorgesteld, een lever, een dode, verminkte rat... maar het waren bramen. Rijpe, vochtige bramen, waarvan het sap het karton had doordrenkt. Die vreemde, oude buurvrouw had haar er gisteren eentje aangeboden. Ze moesten van haar zijn.

Woest werd ze, zo was ze geschrokken. Wat dacht die oude heks nou, om ze zo op de stoep achter te laten. Ze schopte het doosje onder de wilde struiken naast het pad.

Laat ze maar wegrotten, dacht ze.

Toen Bert bij de Albatross aankwam, deed Amber alsof ze pas een paar minuten zat te wachten, hoewel ze al ruim een kwartier over het strand liep te ijsberen. Onder de weidse hemel, uitkijkend over de eindeloos golvende zee, was ze zich langzaam beter gaan voelen.

Tijdens het ontbijt was het heel druk, daarna werd het wat rustiger voordat de lunch begon.

Amber en Marty stonden zij aan zij de ingrediënten voor de soep voor te bereiden. Amber probeerde nergens anders aan te denken dan aan de groenten voor haar, en Marty naast haar. Ze besloot plechtig om vanavond naar huis te bellen en verbande toen haar moeder uit haar gedachten, samen met de oude vrouw, haar angstaanval op zolder en de beklemmende nacht.

Marty leek anders vandaag, vrolijker, openhartiger; hij maakte grapjes en lachte om die van haar, en zijn mobieltje bleef in zijn zak. De samenwerking verliep soepel; ze deelden de karweitjes en de ruimte in de keuken. Amber besefte dat ze hem steeds leuker begon te vinden. Ze vrolijkte er van op dat ze gewoon naast hem kon staan, terwijl hij ontspannen in de keuken rommelde. Ze kon haar ogen niet van hem af houden.

Om een uur of drie kwam Bert de keuken in zeilen. Hij zag hoe netjes alles was en zei: „Wat moesten we zonder jou beginnen, Amber? Ga het café nu maar in. Laat je toverstaf daar maar eens wapperen."

Glunderend om het compliment liep Amber de zaal in en ruimde op. Ze genoot van de grote, lichte ruimte met zijn brede ramen en ingelijste afbeeldingen. De gasten kletsten met haar, bestelden extra koppen thee of toast met ei, een oude man die ze van gisteren herkende, gaf haar een flinke fooi en zei dat ze die niet met Marty mocht delen. Toen Bert de luiken begon dicht te doen en de laatste overgebleven klanten vroeg of ze niet eens naar huis moesten, leek het bijna jammer dat de dag erop zat.

Zoals ze zich had voorgenomen, liep Amber zo snel ze kon de steile heuvel op, maar haar voeten werden zwaarder naarmate ze de top naderde, en dat had niets met vermoeidheid te maken. Ze was bang om de oude vrouw weer tegen te komen en iets raars te horen dat zich in haar hoofd zou nestelen, en ze vreesde dat het huis leeg zou zijn.

Maar tot haar opluchting liep er niemand op Merral Road en op nummer 17 was de keuken overvol. Kaz en Ben zaten aan tafel met twee van Bens vrienden en een meisje dat Rachel heette, met lang, kastanjebruin haar en een heerlijke, galmende lach. Amber werd betrokken in het gesprek, dat ging over een band die over twee weken een concert zou geven in een nabijgelegen stadje.

„De kaartjes zijn onbetaalbaar," merkte Kaz op. „Minstens twintig, misschien wel vijfentwintig pond."

„Ik weet het, maar Alec, Sam en ik gaan er absoluut heen," knikte Ben. „Ik haal de kaartjes wel. Misschien krijg ik groepskorting, als jullie tenminste ophouden met zeuren en besluiten of je wel of niet mee wilt."

„Ik wil wel mee," zei Amber. „Als ze echt zo goed zijn."

„Mooi! Kaz?"

„Ik weet het nog niet, hoor."

„Rachel?"

„Ja, zet mij er maar bij. Ik schraap het geld wel bij elkaar, al moet ik een week op alleen brood en patat leven."

„Slim. Dat is sowieso het enige wat ik eet. Niemand lijkt hier ooit nog te koken."

„O Ben, alsjeblieft!" riep Kaz uit. „Dat is niet waar. Alleen omdat jij de laatste keer hebt gekookt. Ik heb het daarvoor twéé keer gedaan!"

„Ik wil ook wel een keertje koken," hoorde Amber zichzelf zeggen. „Wat is een geschikte avond?"

Kaz draaide zich naar haar toe. „Jij staat in het café al de hele dag te koken," zei ze lachend. „Dan heb je 's avonds toch geen puf meer?"

„Het maakt niet uit, eerlijk. Misschien kan ik wat meenemen van mijn werk. Kliekjes."

„Amber, dat zou te gek zijn," vond Ben. „En elke avond is geschikt. Laat maar weten wat jou het beste uitkomt, oké?"

„Weet iemand of Rory meegaat naar het concert?" vroeg Kaz. „Misschien stuur ik hem even een sms'je."

Even later ging Amber naar haar kamer. Ze haalde haar notitieblokje en calculator tevoorschijn en nestelde zich op haar bed. Het was allemaal leuk en aardig om te zeggen dat ze meeging naar het concert, dat ze mooie lila topjes kocht, maar ze moest hoognodig eens bekijken hoeveel ze zich eigenlijk per week kon veroorloven. Ze rekende uit dat ze 240 pond per week verdiende, en nog zo'n 25 aan fooien. Daar moest 62 voor de huur vanaf, en de overige rekeningen en eerste levensbehoeften, had Kaz gezegd, kwamen op zo'n tientje extra. Ze toetste de bedragen in. Er bleef 193 pond over. Als ze 's ochtends en 's middags in het café at, zou ze het geld dat ze zo uitspaarde, allemaal aan andere dingen kunnen uitgeven.

Ze glimlachte. Wat een berg geld. Voor kleding, concerten, een mobieltje, de kroeg – het was een kapitaal. Ze zou misschien zelfs wat proberen te sparen, om later op reis te kunnen.

Ik ben onafhankelijk, dacht ze. Ik kan mezelf bedruipen; het gaat prima met me. Ze glom van trots.

Opgetogen rende ze weer naar beneden, de keuken in. Er waren nog twee mensen bij gekomen, onder wie een knappe Aziatische jongen.

Marty is niet de enige man op aarde, dacht Amber en ze voelde weer hoe de toekomst haar toelachte. Ze besefte dat ze in staat was zich te handhaven tussen al deze nieuwe mensen. Een van Bens vrienden stond geld in te zamelen om bier en patat te gaan halen en ze gaf hem vijf pond. Rory kwam kort daarop binnen en flirtte met Kaz, en met z'n negenen hadden ze een heerlijke avond in de luidruchtige, warme, propvolle keuken.

Het was al half twaalf toen het Amber te binnen schoot dat ze er weer niet aan had gedacht om naar huis te bellen.

De volgende dag wachtte Amber tot de ontbijtdrukte voorbij was, voordat ze tegen Bert zei dat ze een halfuurtje weg moest.

Over een berg inktvistentakels heen glimlachte hij naar haar. „Geen probleem."

Ze vloog over de boulevard naar de telefooncel bij de openbare toiletten. Haar hart hamerde terwijl ze het nummer van haar moeder intoetste, doodsbang voor wat haar te wachten stond.

Mevrouw Thornley was opgelucht, op het hysterische af, toen ze haar dochters stem hoorde. Ze riep tegen Amber dat ze gisteravond de politie in Cornwall had gebeld om te vragen of ze langs Merral Road wilden rijden om te controleren of ze nog leefde. „Ze deden zó grof," zei ze met verstikte stem. „Gewoon afschuwelijk… Ze lachten me uit – zeiden dat twee dagen niets van je laten horen heel normaal was voor een jong meisje dat op vakantie was. Bedenk eens hoe ik me vóélde toen ze begonnen te lachen."

„Sorry, mam. Ik was van plan om te bellen, maar het was al zo laat dat ik…"

„Ik was ervan overtuigd dat je iets vreselijks was overkomen, want Poppy is woensdag op school begonnen. We hadden erop gerekend dat je zou bellen om haar succes te wensen."

„Dat was ik ook van plan, mam. Het spijt me…"

„Poppy is zo dapper geweest. Ze is toch gegaan, ook al was ze misselijk van de zorgen om jou… Maar ze heeft het er vreselijk. Iedereen doet zó akelig tegen haar…"

„Dat kan niet, mam. Toen ik erop zat, waren ze ook heel aardig."

„…en vandaag heeft ze het niet kunnen opbrengen om weer te gaan. Ze is nog niet eens uit bed, het arme kind, ze zit zó diep in de put…"

„O, wat erg…"

Toen Amber eindelijk in staat was om het gesprek te beëindigen, nadat ze had beloofd dat ze morgen weer zou bellen, had ze zo vaak sorry gezegd dat het woord elke betekenis had verloren.

Die zaterdagavond luidde het begin in van Ambers eerste twee vrije dagen. Ze zag op tegen de leegte die voor haar lag en – ook al wilde ze dat liever niet toegeven – tegen het alleen thuis zijn.

Met een stuk of tien mensen gingen ze naar de nieuwe club die Rory had ontdekt. Amber dronk flink en leefde zich uit op de dansvloer. Uitgeput en zielsgelukkig liet ze zich diep in de nacht in haar bed vallen. Op zondag had iedereen een kater en kwamen ze uiteindelijk in de kroeg terecht voor een lunch met wat andere vrienden. Daarna hingen ze rond in Kaz' kamer, gezellig kletsend, terwijl Kaz en Ben beweerden dat ze aan het werk waren, tot het donker werd en Ben een rokerig vuur in de open haard aanstak. Amber sliep die avond vast, amper gestoord door dromen.

Toen brak de maandag aan. Amber vond dat ze het verdiende om eens lekker uit te slapen, maar ze lag klaarwakker in bed te luisteren terwijl de een na de ander naar college vertrok. Zodra de voordeur voor de vierde keer was dichtgeslagen, leek het huis op haar af te komen, hol en bedreigend. Ze verstijfde toen het raam klapperde.

„Ik moet me niet zo aanstellen. Ik moet me er nou echt eens overheen zetten." Amber sprong uit bed en stak nog een opgevouwen strook papier in de sponning. Vervolgens nam ze een douche en kleedde zich aan, bracht haar vuile was naar de keuken en stopte alles in de wasmachine. Ze at wat muesli, liep weer naar haar kamer en begon het meubilair te verschuiven.

Ze sleepte haar bed vanuit het midden naar het raam en trok de ladekast met de oude kapspiegel erop naar de wand ertegenover, naast de kledingkast. De kamer zag er meteen veel groter uit en Amber begon er plezier in te krijgen. Ze was vastberaden de ruimte een eigen sfeer te geven.

Ze vloog de overloop op en sprintte de smalle zoldertrap op. Ze rommelde rond in de middelste kamer en sjorde het oosters uitziende tapijt dat ze had ontdekt, onder een berg rommel vandaan. Ook vond ze een oranje glazen lampenkamp, een enorme witte vaas en een bakelieten radio.

„Ik kom zo terug," zei ze hardop. „Zodra ik dit allemaal beneden heb neergezet, haal ik die laatste kamer overhoop."

Het exotische tapijt was groot genoeg om haar groezelige

vloerbedekking aan het oog te onttrekken en paste goed bij het palmbladerenmotief van de gordijnen. Het schelle, ongezellige peertje zag er compleet anders uit met de warmgekleurde glazen kap. De vaas was een pronkstuk in de hoek van de kamer en ze had alleen nog wat lange grashalmen nodig om erin te zetten. Maar het mooiste van alles was dat de radio, boven op haar ladekast, niet alleen werkte maar ook nog een heel helder geluid gaf. Terwijl Amber hem op de scherpst doorkomende lokale zender afstelde, realiseerde ze zich dat hij geluidsgolven oppikte die driekwart eeuw jonger waren dan het apparaat zelf.

Tevreden keek ze om zich heen. Het was veel beter zo. Toch was er nog iets wat niet helemaal klopte, al kon ze niet zeggen wat het nou precies was. Misschien moest ze hier gewoon eerst nog wat langer wonen. Ze haalde haar schouders op en liep naar beneden om koffie te zetten. De wasmachine was inmiddels klaar; de zon was tevoorschijn gekomen. Ze hing haar was op in de tuin, maakte twee boterhammen met kaas en stapte naar buiten om een strandwandeling te maken.

5

Amber nestelde zich dieper tussen het hoge helmgras en keek uit over de koude, beukende zee. Ze was helemaal naar de top van de klif aan het einde van de baai geklommen. De zon scheen nog steeds, maar de wind was in kracht toegenomen. Ze trok het zakje brood uit haar jaszak, samen met het pakje appelsap dat ze onderweg in het centrum had gekocht, en besefte dat ze volmaakt gelukkig was.

Het is eigenlijk zo… zo simpel, dacht ze. Het is simpel om voor jezelf te zorgen en het is simpel om gelukkig te zijn. Gewoon hier, in het warme gras, schuilend voor de koude wind, starend naar de zee, genietend van dit lekkere bruine brood met kaas. Haar moeder kocht altijd het ene boek na het andere met tips om je leven en jezelf op orde te krijgen, maar daardoor werd ze steevast nog zorgelijker en gedeprimeerder dan ervoor. Het lukt haar nooit de adviezen op te volgen, omdat ze niet in staat was het gewoon… simpel te houden.

Vergeet het grote masterplan, de oplossing waardoor alles goed zal komen, het 'op een dag zullen we gelukkig zijn…' Want het ging om het nú. Het gebeurde nú.

Amber staarde naar de horizon. Haar hart bonsde en ze wist dat ze nooit meer terug kon naar huis, terug naar haar oude, bekrompen, angstige leventje. Toch joeg de gedachte aan een volledige breuk met haar moeder en zus haar angst aan. Zou ze het wel redden in haar eentje?

Bewaar dat maar voor later, dacht ze. Daar hoef je nu niet

over te piekeren.

Pas toen ze op Merral Road haar sleutel weer in het slot stak, met een vuistvol prachtig helmgras voor in de grote vaas, dat ze onder aan de klif had geplukt, bedacht Amber dat ze er nog niet aan toe was gekomen om de laatste zolderkamer te plunderen. Maar er kwam lawaai en gelach uit de keuken – het was er nu te laat voor.

In de daaropvolgende week wende Amber zich aan om na haar werk naar de telefooncel op de boulevard te lopen. Ze sloot zich erin op, haalde een paar keer diep adem om zich schrap te zetten en belde naar huis. Doordat ze die regelmaat aanhield leek het een op zichzelf staand iets te worden, zodat ze de rest van de tijd niet aan thuis hoefde te denken. Zodra ze uit de cel stapte en de heuvel op liep, viel de beklemming van het telefoontje van haar af.

Het lopen ging steeds sneller; Amber merkte dat ze fitter werd. Iets weerhield haar ervan om zichzelf te bekijken in de enorme spiegel boven aan de trap, maar als ze op de rand van het bad leunde, kon ze zichzelf bijna helemaal zien in de spiegel boven de wastafel en zag ze dat haar taille, armen en benen slanker werden en meer vorm kregen.

Elke ochtend ging ze vroeg van huis om nog voor haar werk een strandwandeling te maken. Ze had nog nooit zo veel energie gehad. Het stroomde krachtig door haar hele lijf. In het café was ze als een tornado; Marty bleef maar zeggen dat ze het rustig aan moest doen, omdat hij zo'n luiwammes leek, vergeleken met haar. Ze wierp zich met overgave in het leven in het huis, deed overal aan mee. Ze zag de oude buurvrouw nog een paar keer, op Merral Road, maar stak gewoon kort haar hand op en liep dan vlug verder. En 's nachts sliep ze als een blok; er kwamen geen dromen meer en ze schrok niet meer wakker van een klapperend raam.

Ben tikte goedkoop een zilverblauw mobieltje voor haar op de kop – een van zijn vrienden wilde een nieuwer model. Amber was er meteen verliefd op en zette alle nummers van haar huisgenoten erin.

Het leven nam nog een sprong voorwaarts toen ze sms'jes begon te krijgen; of ze naar de kroeg wilde komen, of zin had om naar een film of een club te gaan. Ook Marty's nummer sloeg ze op. Hij had nog steeds een grillige relatie met zijn mobieltje. Hij sms'te onophoudelijk en zette het dan weer helemaal uit. Wanneer z'n mobiel uit stond, praatte hij meer met haar; ze konden het dan samen prima vinden. Er hing een heerlijk soort spanning tussen hen in, alsof er elk moment iets kon gebeuren.

Om naar huis te bellen bleef Amber de telefooncel op de boulevard gebruiken. Deels omdat ze door de waarschuwingspiepjes als het geld opraakte het gesprek kort kon houden, maar vooral omdat het alles zou verpesten als Poppy en mam erachter kwamen dat ze een mobieltje had, en ze dus op elk willekeurig moment contact met haar konden opnemen. Dan zou het gedaan zijn met haar vrijheid.

Ze opende een bankrekening zodat ze haar budget kon beheren en ervoor kon zorgen dat wekelijks het geld van de huur en andere rekeningen werd overgemaakt. Ze liet haar saaie haar knippen in een prachtig laagjeskapsel, dat haar hele gezicht ophaalde.

Kaz stond versteld van de metamorfose en bood aan om Ambers wenkbrauwen te epileren.

Dat was zo geslaagd dat ze daarna een dikke laag bronskleurige oogschaduw aanbracht.

Ze lagen allebei slap van het lachen om het Cleopatra-effect.

Amber kocht zelf ook een pincet, en mascara, een oogpotlood

en felle lipgloss. Ze zocht nog een nieuw topje uit en vond in een tweedehandszaakje een zijdeachtige, zeegroene rok, waarbij ze een riem droeg die ze van Kaz had geleend.

Toen Bert aan Marty vroeg wat er met Amber was gebeurd, en zei dat ze er ineens zo knap uitzag, was Marty het volledig met hem eens, maar ook hij kon niet zeggen waar het aan lag. „Misschien komt het gewoon doordat ze hier werkt," veronderstelde Bert. „Kikkert ze daar helemaal van op." Ze lachten en zeiden hoe fijn het was haar erbij te hebben.

Amber deed alles waar ze zin in had. Ze had lol en genoot met volle teugen van haar leven. Doordat ze het zo druk had, stond ze er niet bij stil dat het einde van haar zogenaamde vakantie steeds dichterbij kwam en ze nog altijd niet aan haar moeder en Poppy had verteld dat ze niet meer naar huis zou komen.

Het was alsof ze in de tekenfilm zat waar ze naar had gekeken toen ze klein was, die waarin Wily Coyote van een klif af rende en in de lucht bleef doorlopen, tot hij uiteindelijk omlaag keek en neerstortte.

„Ik kan amper wachten tot je terugkomt, lieverd," zei haar moeder telkens. „Ik tel de uren af."

Poppy had het vreselijk zwaar op school. Tot nu toe had ze maar twee dagen de lessen gevolgd, en ze was aldoor huilerig en somber. Ze verlangde ook heel erg naar Ambers thuiskomst.

Het ging goed zolang je bleef rennen. Het ging goed zolang je niet omlaag keek.

Aan het eind van Ambers tweede week in Cornwall kwam Bert het café in met een grote kist zalmforel die hij voor 'een schijntje' had bemachtigd. Hij liet Amber zien hoe je de vis moest schoonmaken. Daarna maakten ze samen een heerlijke vulling van rijst, sinaasappel, pijnboompitten en koriander.

De zaken liepen goed en de forel vond veel aftrek, maar toch waren er aan het eind van de dag nog een paar over.

„Ik wist wel dat ik ze niet allemaal kwijt zou raken," zei Bert. „Ik neem er twee mee naar huis, een voor mij en een voor de kat. De rest gooi ik wel op het strand voor de meeuwen."

„O, mag ik ze dan hebben?" vroeg Amber.

„Natuurlijk. Marty, jij ook?"

„Wat, rauwe vis?" antwoordde Marty met een grimas. „Nee, dank je."

„Nou, dan is alles voor jou, Amber."

„Echt? Te gek." Amber liep naar de doos en begon te tellen. „Er zijn er... negen over, na die twee van jou. Mag ik het restje vulling ook meenemen?"

„Ga je gang," knikte Bert schouderophalend. „Wat ben je van plan? Geef je een etentje?"

„Zoiets, ja. Ik ga voor mijn huisgenoten koken. Dat heb ik al eeuwen geleden beloofd."

„Nou, die boffen maar met zoiets," vond Marty. „Die vulling van jullie is super."

Amber draaide zich half om en flapte eruit: „Jij mag ook wel komen als je wilt. Er is zat."

„Echt?"

„Tuurlijk. Kom maar langs. We eten om een uur of acht."

Marty glimlachte naar haar. „Gezellig. Bedankt."

Er viel een stilte.

Amber hield haar adem in, terwijl ze wachtte tot hij zou vragen of hij zijn vriendinnetje ook mee mocht brengen. Hij had de hele dag weer driftig lopen sms'en.

Maar hij zei alleen maar: „Zal ik wat slobberwijn meenemen?"

„Nee," lachte Amber, „geen slobberwijn, iets lekkers!" Ze gaf hem het adres.

Die avond trakteerde Amber zichzelf op een taxi naar huis. Behalve de vis en de vulling had ze een extra zak rijst en uien gebietst, plus wat sperziebonen en rode paprika's waarvan ze tegen Bert had gezegd dat ze hun beste tijd hadden gehad. Over de paprika's was hij het niet met haar eens geweest, maar hij had ze haar toch laten meenemen.

Ze had haar huisgenoten een sms'je gestuurd en iedereen behalve Ben had de uitnodiging dankbaar aanvaard.

Ben had een voetbalwedstrijd en ging daarna de kroeg in. Hij vroeg wel of er misschien een portie voor hem kon worden achtergehouden, om na afloop in de magnetron op te warmen. Chrissies vriend Ellis kwam ook en toen Rory vroeg of zijn vriend Max mee mocht eten als hij genoeg drank meebracht, zei Amber: „Ja."

Kaz beloofde dat ze op tijd terug zou zijn om de tafel in haar kamer leeg te ruimen en extra stoelen aan te slepen. Het begon haast een feest te worden.

Doorrennen. Niet omlaag kijken.

In de keuken op Merral Road werkte Amber zich een slag in de rondte. Nu kon het haar niets schelen dat ze alleen in huis was. Ze had het te druk met uitdokteren hoe ze de negen vissen in de verschillende schalen en bakblikken kon krijgen die ze in de keukenkastjes vond, en vervolgens hoe ze die allemaal in de oven moest proppen. Er was te weinig vulling voor alle vissen, maar de grote pan rijst met paprika en ui zou dat compenseren. Het zou een fantastisch etentje worden – een door haar georganiseerd feestje. Vanavond zou ze het einde van haar nepvakantie vieren – het moment markeren waarop ze écht in het huis kwam wonen.

Alles was klaar. De keuken vulde zich met geurige dampen. Ze had nog minstens een half uur voordat ze de rijst op moest zetten. Amber ademde diep in, rende de keuken uit en stapte naar buiten. Met een klap trok ze de deur achter zich dicht.

„Mam?"

„Amber! O lieverd, ik begon me al af te vragen of je ons weer was vergeten! Het is al zo laat en…"

„Het is nog geen zeven uur."

„Nee, maar meestal bel je voor vijven. En ik wilde zo graag met je praten."

„Nou, hier ben ik dan."

„Ja, en je komt binnenkort naar huis, hè? Nog maar twee daagjes. Gelukkig, dan is het afgelopen!"

In de ranzig ruikende telefooncel halverwege de heuvel trok Amber een gezicht. „Ik ben op vakantie, mam! Waarom zou ik willen dat het afgelopen was?"

„O, je weet wel wat ik bedoel. We missen je."

„Nou mam, eerlijk gezegd… daar bel ik over."

„Als je aankomt op het station, neem dan een taxi, Amber. Ik betaal wel."

„Mam…"

„Poppy maakt iets lekkers voor je klaar. Ze heeft het er de hele tijd over. Ik was zo blij toen ze het voorstelde. Ze is de laatste tijd zo uit haar doen, dat ze…"

„Mam!"

„Amber? Wat is er?"

„Ik probeer je iets te vertellen! Ik… Ze hebben gevraagd of ik nog wat langer blijf."

„O nee! Hoe lang? Wíl je dat wel?"

„Ik…" Het was zo moeilijk om ja te zeggen, zo moeilijk om te zeggen dat ze alles liever wilde dan naar huis komen.

„Dit komt heel vervelend uit, Amber. En hoe zit het dan met je kaartje, dat kun je toch niet ruilen, of wel?" vroeg mevrouw Thornley op verontwaardigde toon. „Hoeveel dagen willen ze dat je nog blijft?"

Niet terugkrabbelen, zei Amber fel tegen zichzelf. Ze voelde zich slap worden en leunde tegen de koude metalen wand van de telefooncel, slap en leeg. „Het gaat niet om een paar dagen…" bracht ze uit.

„Maar je moet je voorbereiden op je studie!" riep haar moeder met overslaande stem. „Het wordt wel erg krap als je daar nog langer blijft…"

„Mam, ik heb eens heel goed nagedacht sinds ik hier ben. Ik wil er echt een jaar tussenuit."

„O Amber, hier hebben we het al zo vaak over gehad! Alleen al bij het idee dat jij naar een of ander vreemd land gaat, krijg ik het benauwd. Het…"

„Niet naar een vreemd land. Ik wil hier blijven, hier in Cornwall. Er is me een baantje aangeboden. En ik kan hier in huis blijven wonen. Ik kan het heel goed vinden met de rest."

„Wat? Ik snap het niet. Ik snap niet wat je wilt zeggen."

„Wat ik wil zeggen…" Amber ademde diep in. „Ik wil hier blijven, mam. Hier een tussenjaar houden."

„Maar het is vast te laat om je inschrijving op te schuiven." Haar moeders stem klonk opeens ijskoud. Dat betekende dat ze gekwetst was, zo gekwetst dat ze zich terugtrok, niet meer bereikbaar was. Als klein meisje had Amber alles gedaan, alles gezegd om het ijs in die stem te laten smelten, weer tot haar moeder door te dringen.

„Nee, het is niet te laat. Ik heb contact opgenomen met het bureau. Het is geen punt."

„Juist. Dus je hebt het al gedaan."

„Ja, ik heb het uitgesteld. En ik ben begonnen met werken. Ik blijf hier, mam."

Er klonk een beklemmende stilte aan de andere kant van de lijn. Amber had het gevoel dat ze eindelijk was gestopt met rennen en omlaag had gekeken, en net als Wily Coyote begon ze te vallen, te vallen…

„Dus je doet zoiets… Je hebt dit besloten… zonder met ons te overleggen?" zei mevrouw Thornley uiteindelijk.

Amber was weer acht jaar oud en perste de woorden eruit. „Luister, ik wist wat je zou zeggen. Ik wist dat je ertegen zou zijn."

„Je wéét wat Poppy doormaakt op school. Ze gaat eraan onderdoor daar! Ze kan met niemand opschieten, en ze mist je zo…" Een pauze. Amber wist dat haar moeder haar best deed om niet in huilen uit te barsten. „Je laat ons gewoon stíkken," snikte ze. „Je geeft alleen maar om jezelf…"

„Mam, het is míjn leven!"

Klik. Ambers moeder had de verbinding verbroken.

Amber stapte de telefooncel uit. Ze voelde zich eenzamer dan ooit. Ze was misselijk van angst, misselijk van de behoefte om haar moeder terug te bellen en het goed te maken. Maar dat nare gevoel werd overschreeuwd door blijdschap en opwinding. Ze liet de deur van de cel dichtvallen en liep terug naar Merral Road.

„Hé, Amber. Mmm, dat ruikt zalig." Kaz, die bezig was een fles witte wijn in de overvolle koelkast te proppen, ging overeind staan. „Gaat het wel? Je ziet er een beetje raar uit."

„O, gewoon bonje gehad. Met mijn moeder, aan de telefoon."

„O, dát." Kaz keek minachtend en begripvol tegelijk. Ze gebaarde met de fles wijn naar Amber. „Zullen we deze maar vast opentrekken? Hij is voldoende afgekoeld."

„Heerlijk."

Kaz haalde twee glazen uit een kast en begon in de bestek-lade naar de kurkentrekker te zoeken. „Waar ging het over, die ruzie?"

„O, mijn moeder wil dat ik naar huis kom."

„Als je het maar uit je hoofd laat!"

„Maak je geen zorgen, ik vind het hier veel te leuk," flapte Amber eruit en ze glimlachten bijna verlegen naar elkaar.

Kaz rommelde verder in de lade. „Waarom wil ze dat je terugkomt?"

„Mijn zusje… nou ja, halfzusje… ze heeft het zwaar op school en mam denkt dat ik haar kan helpen…" Het was alsof ze het in een vreemde taal uit probeerde te leggen, een taal die Kaz zou begrijpen. Het klonk allemaal zo normaal, het leek zo weinig voor te stellen, zoals ze er nu over praatte.

„Ouders," kreunde Kaz terwijl ze de fles openmaakte. „Ik heb twee jongere broertjes, en mijn ouders zitten me constant op mijn nek dat ik ze in het weekend moet laten komen logeren of zoiets, zodat zijzelf wat vrijheid hebben voor ze te oud worden. Hier." Ze gaf Amber een groot glas wijn aan. „Ik zou zeggen: doe zo weinig mogelijk zonder dat er een regelrechte oorlog uitbreekt. Ik bedoel, waarom zouden wij onze ouders moeten helpen? Dat is de omgekeerde wereld." Ze tikte haar glas tegen dat van Amber, alsof ze een afspraak wilde bezegelen.

Amber nam een slok. Ze hunkerde ernaar om er dieper op in te gaan, haar hart uit te storten bij Kaz. Door te vertellen waar ze vandaan kwam, wie ze wás, zou er een loden last van haar schouders vallen. Maar door eerdere ervaringen was ze voorzichtig geworden.

Voordat ze haar vakantie naar de Seychellen had moeten afzeggen vanwege Poppy, had ze enthousiast tegen haar nieuwe vriendinnen geroepen dat het zo'n beetje de eerste echte vakantie zou worden die ze ooit had gehad. Toen ze vol ongeloof hadden gevraagd hoe dat kwam, had ze hun over mam en Poppy verteld: hoe snel ze nerveus werden, hoe moeilijk ze alles maakten.

„Dus het is een stelletje neuroten," had een van de meisjes smalend gezegd. „Daar hoef jíj je toch niet door tegen te laten houden?"

„Zo eenvoudig is het niet," had Amber gemompeld. „Poppy raakt zo van streek, dat…"

„O, Poppy, Poppy, Poppy," had een van de andere meisjes gesnauwd. „Jémig, als ik zo'n zus had die alles altijd voor me verziekte, had ik haar allang de nek omgedraaid."

Amber had gezwegen. Het hele bestaan thuis was doordrenkt van angst, het was onmogelijk om er niet verzwakt door te raken, maar ze kon de woorden niet vinden om dat aan hen uit te leggen.

„Gaat het wel?" vroeg Kaz. Net op dat moment vloog de deur open en kwamen Rory en Max luidruchtig de keuken in, met nog twee flessen wijn en zes blikjes bier.

„Stelletje alcoholisten!" riep Rory. „Kijk nou: ze zijn al begonnen met zuipen!"

„Dat," zei Kaz, „is het voorrecht van de kok. Nou, opdonderen hier, zodat Amber verder kan. Jullie mogen me helpen met het leegruimen van mijn tafel."

Ze verlieten de keuken en Amber concentreerde zich op het koken. Ze zette de rijst op, bakte de uien en paprika's, en sprenkelde wat olie over de vis, die al van de graat los begon te komen.

Om klokslag acht uur arriveerde Marty. Kaz duwde hem vrolijk de keuken in. Hij leek zich volledig op z'n gemak te voelen in de vreemde omgeving, met mensen die hij nog nooit had gezien. Hij ging aan de slag alsof hij in het café was, goot de bonen af, droeg borden en schalen naar Kaz' kamer, proefde de vis en zei tegen Amber dat ze een natuurtalent was.

Het diner was een groot succes. De gevulde vis was heerlijk en iedereen had het erover hoe fantastisch het was om een professionele kok in huis te hebben.

Kaz nam zoals gebruikelijk de leiding in het gesprek; Rory en Max waren rumoerig en geestig; Marty paste er prima tussen.

Maar tegen de tijd dat de schalen leeg begonnen te raken, keek Amber door het flakkerende kaarslicht om zich heen en probeerde ze tevergeefs zich gelukkig te voelen. Ze kreeg het eten op haar bord niet meer door haar keel. In haar hoofd weergalmden haar moeders woorden; ze bleef die laatste klik horen, van de verbinding die werd verbroken. Haar keel voelde droog aan, haar hoofd gonsde. Ik word misselijk, dacht ze. O nee, laat me alsjeblieft niet misselijk worden. Ze stond op en liep naar de keuken om een glas water te halen.

Verstard stond ze over de gootsteen gebogen. Zelfs het glas naar haar mond brengen leek te veel moeite te kosten. Ze staarde in het donkere raam naar haar gezicht, en het keek naar haar terug, ingevallen en grauw.

Ineens werd er een arm om haar schouders gelegd, voorzichtig en warm. „Amber? Is er iets? Voel je je niet lekker?" vroeg Marty.

„Nee," fluisterde ze.

„Te veel gedronken, hè? Hier, neem wat water."

Amber nam een slokje en kreunde: „Mijn keel doet zo'n zeer."

„Koutje onder de leden?"

„Misschien."

Marty liet zijn arm van haar schouder vallen, maar bleef vlak bij haar staan.

„Ik heb iets vreselijks gedaan," flapte Amber eruit.

„Wat dan?"

Amber voelde die innerlijke rem weer, die rem die haar ervan had weerhouden om haar hart te luchten bij Kaz. Maar deze keer was haar behoefte om te praten zo sterk, dat ze diep inademde en zei: „Ik heb mijn moeder in de steek gelaten, en mijn zusje, terwijl ze me keihard nodig hebben."

„Waar hebben ze je voor nodig?"

„Gewoon, je weet wel. Als steun. Mijn zusje… nou ja, half-zusje eigenlijk, ze is… ze heeft een zware tijd achter de rug."

„Hoezo?"

„Haar vader – Tony – is weggelopen toen ze vier was, en er waren allerlei problemen. Mam en hij hadden ruzie over de voogdij en het bezoekrecht… Het was verschrikkelijk allemaal. Ze heeft er een flinke klap van gekregen." Zo naast Marty, pratend tegen haar eigen gezicht in het raam, rolden de woorden moeiteloos uit haar mond. „Ze kon nooit wennen in de peuter-klas, of later op school, kon geen vriendjes maken… Ze is zó nerveus, zo overgevoelig. Ze heeft me nodig."

„Ze heeft je toch nog. Je houdt toch wel contact?"

„Ja, maar dat is anders dan er echt zijn."

„Hoe oud is ze?"

„Zestien."

„Zéstien? Jezus, Amber, zoals jij over haar praat… Ik dacht dat ze een jaar of zes was! Als ze zestien is, wordt het tijd dat ze zich er eens overheen zet, haar leven zelf inhoud geeft, niet dan?"

„Dat probeert ze ook, maar ze kan het niet. De laatste school waar ze naartoe is geweest, was afschuwelijk. Ze werd gepest – ze heeft zo veel lessen verzuimd. Uiteindelijk is ze toch nog naar de bovenbouw doorgestroomd, maar het gaat niet goed, ze is niet bestand tegen de druk. Mijn moeder zei gisteravond aan de telefoon weer, én de avond daarvoor ook, hoe erg het was, en vanavond heb ik… vanavond heb ik…"

Marty sloeg zijn arm weer om haar schouders. Het voelde warm en troostend. „Hé, rustig maar," zei hij. „Stil maar."

Amber huilde. Ze had geprobeerd om haar tranen weg te

slikken, maar ze kon ze niet tegenhouden, ze kwamen toch. Het was zo fijn om ze eens te laten stromen. „O, het spijt me," bracht ze uit. „Sorry!"

„Het geeft niet, jank maar raak. Hier, neem mijn snotlap. Vorige week nog verschoond." Marty gaf haar zijn rood gestippelde zakdoek en ze snoot haar neus. Toen vroeg hij: „Oké, wat heb je vanavond gedaan?"

„Gezegd dat ik hier blijf. Ik heb gezegd dat ik een tussenjaar neem en hier blijf om te werken. Ze dachten dat het alleen maar een korte vakantie was."

Er viel een lange stilte. Toen zei Marty: „Maar voor jou is het dat nooit geweest, hè? Ik bedoel, dat je in een studentenhuis bent ingetrokken en alles."

„Nee. Ik had het mijn moeder zo voorgespiegeld, zodat ik weg kon. Maar vanaf het begin was ik al van plan om te blijven." Het was voor het eerst dat ze iemand de waarheid had verteld en het voelde als een bevrijding. „Niets tegen de anderen zeggen, hè?" drong ze aan. „Kaz en zo. Ze mogen niet denken dat ik een mafketel ben. Ik bedoel, wat stelt het nou voor? Naar Cornwall komen voor een baantje – waarom zou ik daarover moeten liegen?"

„Ik vertel ze niks, natuurlijk niet. Maar je hoeft je geen zorgen te maken. Er zijn zo veel mensen die gestoorde ouders hebben, tegen wie ze liegen. Mijn vader drinkt, en ik doe net alsof het me iets kan schelen wat er met hem gebeurt."

Amber stootte een lachje uit. „Maar ik voel me zó schuldig. Ik dacht dat ik het kon, maar ik kan het niet… Ik zal terug moeten. Ik móét terug."

„Heb je er met je moeder over gepraat? Misschien wil ze niet eens dat je terugkomt."

„Wát?" Zijn woorden klonken Amber onzinnig in de oren. „Natuurlijk wel. Het is veel gemakkelijker als ik er ben."

„Ja, maar als je zus zo afhankelijk van je is, wil je moeder misschien juist dat je wegblijft, zodat ze kan leren om op eigen benen te staan…"

„Zo denkt ze niet," mompelde Amber, en eindelijk draaide ze zich van het donkere raam af en keek hem aan. „Wil je koffie?" vroeg ze zacht. „Het spijt me dat ik zo… instort bij je…"

„Ssst, het geeft niet. Ik zet wel water op."

Terwijl Marty de ketel vulde en zij de mokken pakte, zei hij: „Vertel eens over je vader."

„Wat?"

„Je váder. Je hebt toch wel een vader?"

„Ja, natuurlijk. Maar ik kan me hem niet herinneren. Ze waren al uit elkaar voordat ik werd geboren en mam raakte altijd zo overstuur als ik naar hem vroeg, dat ik het uiteindelijk maar heb opgegeven."

„Ben je nooit nieuwsgierig geweest? Heb je hem nooit willen opzoeken?"

„Niet echt. Dat kon ik mijn moeder niet aandoen. Ze moet hem zo haten… Ze heeft me zelfs nog nooit een foto van hem laten zien."

Ze zetten koffie en leunden met hun bekers tegen het aanrecht aan, want alle stoelen waren naar Kaz' kamer gebracht.

„Even samenvatten," begon Marty. „Je hebt Poppy, vier jaar oud, die het verschrikkelijk zwaar heeft omdat haar vader en moeder uit elkaar gaan. En hoe oud is Amber dan – zes?"

„Ja."

„Hoe voelt zij zich?"

„Hoe bedoel je?"

„Nou ja, behandelde die Tony jou als zijn eigen dochter?"

Amber haalde haar schouders op. „Dat weet ik niet meer. Ik denk het wel. Ik mocht hem graag. Hij was vrolijk, het was een ramp toen hij wegging…"

„Dus jij was ook van streek. En die ruzies en zo, dat moet jou toch ook geraakt hebben?"

„Ik weet het niet meer. Ik herinner me alleen Poppy nog maar. Krijsend, gillend – vreselijk. We deden alles om haar op te laten houden. En dat mijn moeder altijd zei dat ik bofte, omdat ik de sterkste was."

Marty schudde zijn hoofd. „Volgens mij heb je helemaal niet zo geboft."

Kaz en Rory kwamen lachend de keuken binnen met stapels vuile vaat. Ze maakten grapjes over wat Marty en Amber allemaal uitspookten hier samen.

„Wat was dit geslaagd!" zei Kaz stralend. „Ik heb heerlijk gegeten. Wat krijg je van ons, Amber?"

„Niets. Eerlijk. Het waren allemaal restjes uit de Albatross."

„O, te gek. Ik had het gevoel dat we een beetje afgleden met het samen koken, maar door die heerlijke visschotel van jou ben ik weer helemaal geïnspireerd!"

„O nee," kreunde Rory.

„Kop dicht, Rors! Het zou eens tijd worden dat jíj kookte! Hoe dan ook, volgende week kook ik."

„Als het maar niet weer die gore kippenstoofpot is," bromde Rory.

„Schat, je bent dól op mijn kippenstoofpot."

Rory grijnsde, sloeg zijn ogen neer en draaide zich weg.

Amber keek naar hen en had met Kaz te doen. Ze wist waar Kaz mee bezig was door zo snel nog een etentje te plannen. Ze richtte al haar pijlen op Rory. Ze was door hem geobsedeerd, dat was overduidelijk. Rory wist het en speelde het spelletje mee, buitte het uit. Het lag in zijn karakter om het feit dat Kaz verliefd op hem was te gebruiken, zoals hij alles en iedereen zou gebruiken.

En Poppy, dacht ze – was haar gedrag ook een kwestie van karakter?

Ben kwam terug uit de kroeg en vroeg meteen of zijn portie in de magnetron kon. Max liep de keuken in met lege flessen. In de drukte draaide Marty zich naar Amber toe en zei dat hij maar eens naar huis moest.

Ze bracht hem naar de deur en het was bijna alsof er niets tussen hen was gebeurd; ze waren gewoon weer collega's. Hij bedankte haar nog een keer en zei dat hij haar morgen wel weer zou zien. Toen stapte hij naar buiten en trok de voordeur achter zich dicht.

Amber bleef even in de donkere hal staan, met een vermoeid, leeg gevoel. Haar keel bonsde van de pijn; ze kon het niet aan om de volle keuken weer in te gaan. Ze snappen het wel, zei ze tegen zichzelf. Ze verwachten heus niet dat ik afwas als ik heb gekookt.

Ze liep de brede trap op. De treden leken veel steiler dan anders en het glas in de enorme spiegel bovenaan was hol, zwart, reflecteerde niets. Ze zag zichzelf pas op het moment dat ze er vlak voor stond en toen zag ze er sprietig uit, vaag, half aanwezig. Haar hoofd tolde, het was alsof ze verdronk.

Op de overloop was het pikkedonker. Amber kon haar blik niet scherpstellen, het duister leek te stollen, zich te verdikken, en terwijl ze naar de streep maanlicht op de zoldertrap staarde, verdween het schijnsel ineens.

„Niet ziek worden," jammerde ze, terwijl ze de badkamer in strompelde. „Alsjeblieft niet ziek worden. Niet nu."

Vlug waste ze haar gezicht en poetste haar tanden. Ze durfde haar mond niet wijd open te doen om in de spiegel naar haar keel te kijken; ze was doodsbang om de onheilspellende witte puntjes te zien die betekenden dat haar amandelen ontstoken waren. Al van kinds af aan kreeg ze een of twee keer per jaar keelontsteking. Haar moeder had haar nooit meegenomen naar de huisarts, want dokters hadden toch nergens verstand van, vond ze.

Niet aan toegeven, dacht Amber, dan gaat het vanzelf over. Ze pakte het flesje desinfecterend spoelmiddel dat ze had meegebracht. Ze deed een scheutje in een mok met water en gorgelde er vastberaden mee.

Toen ze de klink van de badkamerdeur vastpakte, zag ze een dunne vorm achter het melkglas langsgaan. Amber wachtte even omdat ze niet tegen Chrissie op wilde botsen. Het kon alleen maar Chrissie zijn, zo dun. Ze verlangde naar haar bed om de ontsteking die haar probeerde binnen te dringen, eruit te slapen. Het duister op de overloop omringde haar terwijl ze naar haar kamer liep.

In bed werd Amber overmand door de gruwelijkheid van wat ze had gedaan. Ze bleef maar horen dat haar moeder snikkend zei dat ze hen in de steek liet en hoorde keer op keer de klik van de telefoon. De angst en eenzaamheid knaagden aan haar en ze herinnerde zich de fijne tijd die ze thuis hadden gehad. Momenten die nooit meer terug zouden komen, zoals toen ze ziek was geweest en haar moeder haar had verzorgd, met z'n drietjes veilig in de flat…

Ze viel in slaap, maar werd belaagd door vreemde dromen. Half ingedommeld dacht ze dat ze iemand hoorde praten, die zei: „Jouw schuld, jouw schuld." Twee keer werd ze wakker van het raam dat bij haar hoofd klapperde; de extra prop papier had niet geholpen. Toen, net voor het licht werd, schoot ze in paniek overeind met het idee dat ze stikte, dat er iets boven op haar zat, iets dat haar middenrif omlaag drukte. Haar keel voelde dichtgeknepen en branderig aan.

Amber stond op, liep naar de badkamer en gorgelde nog

eens met het spoelmiddel. Daarna nam ze een glas water mee naar haar kamer.

Het lukte haar niet meer om in slaap te vallen en ze lag te luisteren naar de vogels die buiten in de bomen begonnen te zingen. Ze zag het licht op haar muren feller worden, terwijl ze steeds het gesprek in de telefooncel herhaalde en zichzelf voorhield dat ze niet ziek mocht worden.

6

„Hallo, jongedame," zei Bert. „Laten we koffie zetten."

„Dat doe ik wel," zei Amber schor. Ze had paracetamol ingenomen om naar haar werk te kunnen, want haar keel voelde aan als schuurpapier.

„Ik twijfel tussen een pasta met paddenstoelen en room of eentje met tomaten en paprika, met kip erbij... of misschien kunnen we het allebei klaarmaken?"

Terwijl Bert doorratelde, keek Amber naar de deur. Kwam Marty maar. Als ze met hem kon praten, net als gisteravond, zou ze misschien de kracht krijgen om hier te blijven, haar moeder terug te bellen en haar poot stijf te houden...

De deur vloog open. Marty kwam binnen, met een strak gezicht van woede. Hij knikte kort naar hen, schonk een grote beker koffie in en ging in z'n eentje bij het keukenraam zitten, zijn mobieltje al in zijn hand.

„Man, ik wou dat hij de knoop eens doorhakte en haar het lazarus liet krijgen," mompelde Bert.

„Haar?" herhaalde Amber met bonzend hart.

„Nou ja, ik neem aan dat het die griet is met wie hij de hele zomer is omgegaan. Leuk ding om te zien, hoor, maar nogal een kreng als je het mij vraagt. Ze heeft hem in elk geval flink door de wringer gehaald."

„Is ze hier nog?"

„Nee, ze is naar huis. Volgens mij is dat het punt. Hij blijft maar proberen haar over te halen om hier in de weekends naartoe te komen. Het ene moment zegt ze ja, het volgende nee. Ik weet het niet, hoor."

Amber drukte haar teleurstelling de kop in. Diep vanbinnen had ze geweten dat het een meisje was, naar wie Marty zo fanatiek had zitten sms'en. Ze had alleen gehoopt dat zíj hém lastigviel in plaats van andersom.

„Vrouwen," verzuchtte Bert. „Goed, laten we het ontbijt maar gaan voorbereiden. Ik dacht voor de verandering eens aan roerei…"

Amber begroef zich die dag in haar werk. Ze dreef zichzelf voort, negeerde haar pijnlijke keel, zodat ze niet zeker wist of het beter ging of dat ze er gewoon aan gewend begon te raken. Bij Marty kwam er amper een woord uit. Het was nog drukker in het café dan normaal en ze werkten in stilte gestaag door. Geen van beiden namen ze pauze. Bert kon de zaak pas tegen vijven sluiten en hij was in zijn nopjes met de omzet. Hij gaf hun elk tien pond extra, boven op de fooien.

Op weg naar buiten leek Marty haar voor het eerst echt te zien. „Gaat het wel?" vroeg hij.

„Ja hoor," antwoordde Amber. Ze sloot zich voor hem af. „Prima." Het was een vergissing geweest, dacht ze, om hem gisteravond al die dingen te vertellen.

„Heb je je moeder al teruggebeld?"

„Nee."

„Ze draait wel bij. Eerst doen ze moeilijk, maar dan draaien ze bij."

Amber glimlachte stijfjes. Ze kon zich niet voorstellen dat haar moeder ooit zou 'bijdraaien'. Niet hierover, niet over de manier waarop ze hen in de steek had gelaten.

„Beetje te veel gedronken gisteravond, hè?"

„Ja," zei ze mat. „Dat moet het zijn."

Ze dwong zichzelf om lopend naar huis te gaan, al schreeuwde haar lijf dat ze een taxi moest nemen. De teleurstelling over Marty bleef haar plagen en ze wilde bewegen om er niet bij stil te hoeven staan. Haar keel brandde ook weer en ze had het idee dat als ze bleef doorjakkeren, ze de pijn als het ware kon dwingen om uit haar lichaam te verdwijnen... Ze nam zich voor om meteen naar bed te gaan als ze terug was. Ze hoopte snel uitgeput in slaap te vallen zodat haar gedachten geen kans zouden krijgen om haar te kwellen. Ze voelde zich slap en duizelig toen ze aankwam en om de ene of andere reden verbaasde het haar niet de magere, oude buurvrouw te zien. De vrouw stond bij het hekje dat toegang gaf tot de tuin, alsof ze op haar had staan wachten.

„Dag, kindje!"

„Hallo."

„Ik kwam hier gisteravond langs, kindje, en jullie leken allemaal zo'n plezier te hebben in de voorkamer."

„We hadden een etentje."

„O, wat gezellig. Allemaal samen om tafel... dat is wat dat huis nodig heeft: vrolijke, lachende mensen..."

Amber glimlachte moeizaam en legde haar hand op het hekje om het open te duwen, maar de oude vrouw stak haar knokige klauw naar haar uit en hield haar tegen. „Je ziet nogal pips, kindje. In de lappenmand?"

„Een beetje zere keel."

De oude vrouw keek merkwaardig geschrokken. „Misschien heb je meer frisse lucht nodig, kindje. Waarom ga je niet even naar het strand om..."

„Ik duik mijn bed in," onderbrak Amber haar.

„Soms is dat niet verstandig, soms..."

„Ik moet slapen," hield Amber vol, ze wurmde zich langs de vrouw en liep naar de voordeur.

Ben stond in de keuken een boterham te smeren.

„Kun je zo even naar mijn raam kijken?" vroeg Amber vinnig. „Ik heb geprobeerd om het vast te zetten, maar het blijft klapperen. Ik word er gestoord van."

„Ja hoor," antwoordde hij zonder zich om te draaien. „En jij ook goedemiddag!"

„Sorry. Hallo."

„Zware dag gehad?"

„Ja. Hoor eens, als het jou niet lukt, bel ik de huisbaas wel," zei ze scherp en ze liep naar boven.

Ze gorgelde opnieuw met het desinfecterende spoelmiddel, kleedde zich tot op haar ondergoed uit, liet zich opgelucht op haar bed neerzakken en viel vrijwel direct in slaap.

Tegen de tijd dat Amber wakker werd, was het al donker. Op haar reiswekkertje zag ze dat het tien over tien was. Ze was zo'n vier uur onder zeil geweest. Uitgestrekt onder het dekbed voelden haar benen zo zwaar als lood, alsof ze ze nooit meer in beweging zou kunnen krijgen. Haar keel leek iets minder zeer te doen, maar ze wilde het niet op de proef stellen door op te staan – dat had nu trouwens toch geen zin. Ze maakte haar beha los en liet hem op de vloer vallen, nam een slokje water en ging weer liggen. Ze ging lekker tot aan de ochtend verder slapen.

Maar dit keer gleed ze in en uit een wazige slaap. Het raam klapperde weer en haar dromen gingen alleen maar over Poppy. Poppy die wegliep, verdwaalde, bang was, en zij rende haar achterna, zocht haar, vol verdriet en angst, en riep: „Sorry, sorry, het spijt me zo."

In die halfwakende toestand was Amber er ineens zeker van dat Poppy in haar kamer stond. Ze voelde een druk op haar voeteneinde, alsof Poppy daar zat, net zoals ze deed wanneer ze 's avonds Ambers kamer in kwam als ze ergens bang voor was.

Amber tuurde het duister in en zag een vorm, een smalle vorm. Er liep een rilling over haar rug. „Poppy?" fluisterde ze. „Poppy? Wat doe jij hier?" Er kwam geen antwoord. Ze keek wat beter; de vorm was verdwenen. Haar keel klopte nu van de pijn, haar hoofd duizelde. Ze ging weer liggen en viel in slaap… Ze hoorde een stem, ver weg, schel, klagend, klagend… Het bezorgde haar een schuldgevoel, net als haar moeder en Poppy altijd deden, maar zij waren het niet, het was een andere stem…

Ineens was ze klaarwakker. Ze hoorde een sleutel in een slot draaien, zo dichtbij dat het haar eigen deur moest zijn, ook al zat haar sleutel aan de binnenkant. Stilte, toen iemand die mompelde: „Jouw schuld, jouw schuld…" En vervolgens, vlak boven haar hoofd, geknars en gebonk, ritmisch, regelmatig, van hout op hout.

De schommelstoel.

Amber bleef wakker liggen tot de dag aanbrak. Boven haar hoofd vervaagde het geluid en ten slotte verdween het. Langzaam hield haar hart op met hameren. Ze moest naar het toilet, maar ze durfde haar bed niet uit te komen, niet voordat het helemaal licht was.

Ik sliep gewoon, zei ze in zichzelf, terwijl ze in de badkamer verwoed stond te gorgelen. Het was een droom, net als het idee dat Poppy bij me zat. Het leek echt omdat ik koorts heb door die stomme keelontsteking.

Ze rende heuvelafwaarts naar de Albatross, maar haar maag bleef in een knoop zitten. Ze stond stijf van de angst, over wat er zou gebeuren als ze echt ziek werd, over de breuk met haar moeder, over de griezelige sfeer in het huis… Over dat ze misschien gek aan het worden was.

In het café beulde Amber zichzelf af. Ze hakte en kookte, grijnsde naar de vaste klanten en babbelde met ze, maar ze kon de angst niet uitbannen. Haar keel brandde onheilspellend. Ze zag als een berg op tegen de komende nacht.

Zorg nou maar gewoon dat je het tot zondag haalt, zei ze tegen zichzelf. Verder niet bij stilstaan, gewoon doorgaan tot zondag. Dan kun je uitslapen en uitdokteren wat je moet doen...

Rond vier uur kreeg Amber een sms'je van Kaz.

Zal ik vanavond koken?

Ze stuurde een berichtje terug. *Ja graag!* Die arme Kaz. Ze maakte geen schijn van kans bij Rory, net zomin als zij bij Marty. Ze zou een hoop drinken bij het eten, besloot ze. Ze zou een goedkope fles wijn halen en hem helemaal zelf opdrinken, dan zou ze die nacht overal doorheen slapen, haar gekte wegslapen. Haar waanbeelden, paniek en schuldgevoel; ze zou het allemaal wegslapen.

Ben kwam de gang in toen ze het huis binnenkwam. „Ik heb naar je raam gekeken," zei hij.

„O, bedankt. Heb je het gemaakt?"

„Nou, ik heb die proppen papier die je erin had gestoken, vervangen door een stukje hout, maar ik denk niet dat dat veel uitmaakt. Het zat muurvast. Ik snap niet hoe het kon klapperen. Weet je zeker dat het geen verbeelding was?" Ben keek haar onderzoekend aan.

Amber wierp hem een flauwe glimlach toe en liep naar boven. Haar spiegelbeeld flakkerde in de enorme spiegel boven aan de trap. De stofvorm was weer zichtbaar op de zoldertrap; flets, net te onderscheiden, maar ze wist dat hij er was, in het echt, of alleen in haar hoofd.

Even na zevenen verzamelde iedereen zich in Kaz' kamer. Ze had zoals beloofd kippenstoofpot gemaakt. Het was geen groot succes, niet zoals Ambers visschotel. Ze leken allemaal wat gespannen, alsof ze het eten zo snel mogelijk achter de rug wilden hebben om aan de echte vrijdagavond te beginnen.

Zodra hij zijn bord leeg had, schoof Rory zijn stoel naar achteren, kwam overeind en liep op z'n gemak naar de gang.

„Hé, waar gaat dat heen?" riep Kaz verontwaardigd.

„Dat heb ik toch gezégd, schat, ik heb met wat vrienden afgesproken. Ik ben al laat."

„Bel ze dan even. Zeg dat het eten uitloopt en dat jij niet zo'n eikel bent die zomaar van tafel opstaat en het opruimen aan de anderen overlaat!"

„Maar zo'n eikel ben ik wel, hè? Kom op, Kaz, doe niet zo moeilijk. Ik moet ervandoor."

Kaz rukte het kussen waarop ze zat onder zich vandaan en smeet het naar Rory's hoofd. In één soepele beweging ving hij het op en gooide het terug. Het raakte haar op haar borst.

„Zak uien die je bent!" Kaz vloog met het kussen in haar hand op hem af en begon hem ermee te slaan. Rory lachte en hield zijn armen beschermend om zijn hoofd, terwijl hij tegelijkertijd het kussen uit haar handen probeerde te graaien. Iedereen wachtte op het moment dat hij deed waar Kaz op uit was: dat hij haar zou vastgrijpen om haar te laten ophouden. Maar hij kreeg het kussen eerder te pakken.

Er volgde een soort touwtrekwedstrijd, toen klonk er een scheurend geluid en Kaz riep: „Jak! O, God! Bah!" en ze gooide het kussen op de vloer. Met een strak gezicht bleef ze staan. Alle pret, de gespeelde woede en het verlangen stroomden ineens uit haar weg.

„Wat is dit nou?" mompelde Rory terwijl hij naar het kussen staarde. Toen veranderde er ook iets bij hem. Hij stapte achteruit. „Jemig, wat ís dat? Getver, wat goor."

De drie die nog aan tafel zaten, kwamen vlug overeind, liepen naar het kussen en keken er met grote ogen naar. De glanzende groen met goud gestreepte hoes was wijd opengescheurd. Eronder vandaan kwam een veel oudere hoes, van dof rood brokaat, waar ook een scheur in zat. Op de vloer lag een bergje grijswitte veren.

Er staken drie voorwerpen uit, zo groot als vingers.

„Wat ís dat?" vroeg Chrissie beverig.

Ben veegde met zijn voet wat veren weg. De vingers hadden iets onbeschrijflijk kwaadaardigs. Niemand durfde ze op te rapen.

„Gatver, het is háár," zei Rory terwijl hij vooroverboog. „Doe het licht eens aan, het grote licht… Ja, het is haar."

„Wat is dat rode dan?" vroeg Kaz ademloos.

„Een soort draad, het zit om het haar gebonden… Wacht, er zit nog iets anders in…"

Er viel een stilte.

Kaz haalde haar grote schaar van haar bureau, en gebruikte die als pincet om een van de vingervormen op te pakken. Ze legde het ding op tafel, precies onder de lamp, waar het er nog enger uitzag.

„Knip eens," zei Chrissie. „Om te kijken wat erin zit."

Kaz bleef roerloos staan. „Dat durf ik niet."

„Wat," spotte Rory, „denk je dat er een vloek op rust of zo?"

„Nou, waar vind jij het op lijken?"

„Ik weet niet. Gewoon, bij elkaar gebonden haar. Met… is dat ijzer?"

„Kinderhaar. Moet je zien hoe zacht het is."

„Oké, kinderhaar. Vroeger bewaarden mensen altijd haar lokjes van hun kinderen, toch? Of van geliefden, in medaillons…"

„Of plukjes haar van overledenen in rouwringen," voegde Amber eraan toe.

„Dat is smerig," vond Ben. „Rouwringen met haar. Jakkes."

„O, alsjeblieft," bromde Rory en hij pakte de schaar van Kaz af, stak hem in de vingervorm en knipte het rode draad door.

Het pakketje opende zich als een kwijnende bloem.

„Wat zijn dat... náálden?" bracht Chrissie uit.

Tussen alle plukken haar, omwikkeld met rood draad, zaten dunne staafjes metaal, op sommige plekken zwart geworden en verwrongen.

„Het is in brand gestoken," zei Kaz. „Kijk, dat haar... dat is ook verbrand en de naalden zijn ermee samengesmolten."

„Waarom zou iemand zoiets in godsnaam doen?" kreunde Ben. „Het is smerig."

„Heksje spelen." Rory porde in de laatste streng en sprong achteruit.

Kaz gilde.

Midden in het bundeltje zaten drie piepkleine melktandjes, vergeeld van ouderdom.

„Hé, rustig nou, oké?" zei Ben boven de kreten van angst en afschuw uit. „Het kan je niets doen, het heeft geen mácht... het is gewoon een ziek geintje van iemand."

„Een héél ziek geintje, ja!" riep Kaz. „Dit is geen kinderspelletje geweest, dit is door volwassenen gedaan. Het is zo netjes, helemaal in elkaar geweven, en de naalden zijn in een vuur krom gemaakt... en ze hebben het kussen weer netjes dichtgenaaid..."

„Oké, een ziek geintje van een volwassene."

„Die hier in huis heeft gewoond!"

„O, Káz! Ik dacht dat je daar onderhand wel overheen was!"

„Waar overheen?" vroeg Amber haast geluidloos.

Er viel een stilte. Haar vier huisgenoten draaiden zich met

zorgelijke blikken naar haar toe, alsof ze zich ineens ergens aan bezeerd had en ze keken of het wel goed met haar ging.

Toen zuchtte Ben even en begon te vertellen. „Kaz doet alsof ze deze kamer heeft omdat ze het niet erg vindt dat het ook gelijk de eetkamer is. Nou, dat is maar half waar. Vorig jaar woonde ze nog in mijn kamer, maar…"

„Maar wat?" fluisterde Amber, hoewel ze ergens het antwoord al wist.

„Ik werd schrikachtig," mompelde Kaz. „Ik dacht dat ik geluiden hoorde. Op zolder."

„Ze dacht dat het hier spóókte," zei Ben neerbuigend.

„Waarom ben je dan gebleven?" bracht Amber uit.

„Waarom is ze dan gebleven?! Omdat het hier helemaal niet spookt, daarom, en omdat het een fantastisch huis is, en Kaz gewoon te veel fantasie heeft!"

Kaz keerde zich naar Amber toe en glimlachte verontschuldigend. „Het is waar, ik ben gewoon gestoord. Ik dacht steeds dat ik iets zag, een of andere dunne vorm, op de trap naar zolder."

Amber voelde zich ineens slap worden. Het was alsof de stemmen om haar heen van heel ver weg kwamen, alsof er in haar hoofd op een trommel werd geroffeld.

„Gaat het wel?" vroeg Chrissie. „Je ziet lijkwit." Ze legde een arm om Ambers schouders en hielp haar naar een stoel.

„Sorry," zei Amber. „Ik voel me de hele dag al gammel…"

„Het komt toch niet door dat stomme kussen, hè?"

„Het is mijn keel… Ik heb last van keelontsteking…"

Chrissie legde haar hand op Ambers voorhoofd. „Ze is gloeiend heet. Je hebt het flink te pakken, meid."

Kaz kwam naast Amber staan en nam haar bezorgd op. „Jij hoort in bed te liggen. Kom op, dan brengen we je naar boven. Ik zal wat paracetamol voor je pakken en een kop thee…"

„Het gaat wel," zei Amber. „Ik wil niet... ik wil niet naar boven!"

„Ja hoor, nu zul je het hebben," bromde Rory.

Kaz trok een stoel naar haar toe en ging naast haar zitten. Ze pakte Ambers hand vast en zei: „Luister Amber, laat je nou alsjeblieft niet gek maken door mij. Ik heb een tijdje niet zo lekker in mijn vel gezeten toen we hier net kwamen wonen, dat is alles. Het was net uit met mijn vriend, ik was nogal prikkelbaar en ik kwam een oude vrouw hier op straat tegen die allerlei rare dingen zei."

„Die van nummer 11?" fluisterde Amber.

Er werd wat heen en weer geschuifeld.

„Ja," antwoordde Kaz toen vlak. „Ken je haar ook?"

„Niet echt. Alleen... wat voor rare dingen?"

„O, ze zei dat ze blij was dat er hier eindelijk levendige jonge mensen kwamen wonen en dat het huis behoefte had aan vrolijkheid."

„Zoiets zei ze tegen mij ook," hijgde Amber. „En ze vroeg naar het meisje dat eerst op mijn kamer heeft gewoond. Ze wilde weten waarom zij weg was gegaan."

„O, wat nou?" riep Rory geërgerd. „Ze is gewoon wéggegaan, dat is alles!"

„Ja, er was niets aan de hand," beaamde Ben. „Het was eeuwen nadat mevróuw hier het in haar hoofd haalde dat hier een moord was gepleegd of zoiets en zichzelf begon op te fokken over geluiden op zolder."

„Het was zo stom," nam Kaz het gesprek over. „Later begrepen we ineens waardoor het kwam. Het huis had zo lang leeg gestaan, en toen we de boel begonnen te verwarmen, zette het hout uit, en dat kraakte…"

„En er moet een keer een vogel de zolder op gevlogen zijn," vulde Chrissie aan. „Die wat dingen heeft omgegooid."

99

„Hebben jullie die vogel gevonden?" wilde Amber weten.

„Hij moet weer ontsnapt zijn."

„Echt Amber," ging Kaz verder, „ik stelde me gewoon aan. In een oud huis hoor je altijd geluiden, of niet soms?"

Amber wilde vragen waarom ze dan toch naar beneden was verhuisd, maar er zat geen beweging in haar mond.

En toen stootte Ben een lachje uit. „Kaz heeft me zelfs boeken onder de schommelstoel laten proppen. Ze dacht dat hij 's nachts bewoog."

Amber wilde gillen en roepen dat ze dat ook had gehoord, maar alles in haar hoofd begon te golven en te kolken en te kantelen, en ineens werd het zwart om haar heen.

7

In een poel van scherp, wit licht kwam Amber bij. Haar eerste gedachte was dat ze dood was, dat haar keel was doorgesneden. De pijn gierde door haar heen. Het was een pijn zo sterk en brandend, dat hij op zichzelf bestond en geen deel leek uit te maken van haar lichaam. Ze was doodsbang. Ze probeerde niet te bewegen of haar ogen te openen. Er was iets kwaadaardigs vlak bij haar, dat voelde ze, iets bloeddorstigs en duivels... Het haatte haar, het wilde haar nog erger verwonden, hing pal boven haar...

Terwijl ze teruggleed in het duister, begonnen de stemmen. „Breng haar maar bij. Het is belangrijk dat ze nu bijkomt... Morbide angst voor ziekenhuizen... Kennelijk heeft de moeder geweigerd... Morbide angst... morbide angst..."

„Lieverd! Lieverd, wakker worden!" Amber zweefde het bewustzijn binnen. Haar moeders gezicht was boven haar, haar ogen groot van schrik en haar mond een zorgelijk streepje. „Wakker worden! Wakker worden!"

Ik heb een nachtmerrie gehad, dacht Amber. Ik heb gegild en nu is Poppy wakker geworden... O nee, Poppy zal zich wel doodgeschrokken zijn. Mam moet naar haar toe...

Ze probeerde sorry te zeggen, maar haar lippen waren van rubber, taai en stijf als rubber...

Het was zo heerlijk om weer weg te glijden, weer af te dalen in de donkere stilte...

Later kwam ze opnieuw bij. Ze wilde onder de oppervlakte blijven, maar dat lukte niet. Ze tuurde over de witte lakens naar haar hand, die in de lucht stak. De pols werd vastgehouden door een stevige verpleegster die op haar horloge stond te kijken.

„Vertel mij wat, wat een stelletje. Het duurde tíén minuten voor ze besloten of ze wel of niet een kop koffie konden gaan halen. Ik had die moeder wel een mep willen verkopen, eerlijk gezegd, zoals ze tekeerging toen ze aankwam."

„Weet je dat de huisarts er al op heeft aangedrongen om haar amandelen te knippen toen ze twaalf was?" zei een andere stem.

„Nee, dat meen je niet!"

„Jawel. En bij elke volgende keer dat ze keelontsteking kreeg. Het staat allemaal in haar dossier."

„Hé!" klonk het opeens harder. „Zijn we eindelijk wakker?" Het vriendelijke, ronde gezicht boog zich naar Amber toe, ademde een pepermuntgeur over haar heen. „Amber? Amber? Gaat het wel, liefje?"

Amber probeerde iets te zeggen, maar haar keel voelde verschroeid aan, zat vol scheermesjes. Ze snakte naar een slok water, al was alleen de gedachte om te moeten slikken al vreselijk.

Alsof ze het begreep, tilde de verpleegkundige haar hoofd omhoog en zette een glas aan haar lippen. „Alleen je lippen natmaken, liefje, goed zo. Hoe is het met de pijn?"

Amber fronste en twee tranen persten zich vanuit haar ooghoeken naar buiten. De zuster verstelde voorzichtig iets bij haar arm en Amber voelde zich weer wegdrijven, ontsnappen, het was zo heerlijk om weg te glijden…

„Hé, toe nou, niet weer in slaap vallen," zei de zuster opgewekt. „Wil je niet weten hoe je hier terecht bent gekomen?

102

Je hebt ons flink laten schrikken, hoor. Een geluk dat je zulke aardige vrienden hebt, dametje. Ze hebben een ambulance gebeld en zijn met je meegekomen. Je was er behoorlijk slecht aan toe. Acute tonsillitis, dat had je. Je ijlde van de koorts, zei de raarste dingen! De dokters opereren liever niet als de amandelen ontstoken zijn, maar die van jou hebben ze er meteen uit gehaald – het waren gífbommen!" Ze lachte en kneep tijdens het praten in Ambers hand om haar wakker te houden. „En ik heb goed nieuws voor je: je moeder is er! En je zusje ook. Ze zijn even weg om koffie te halen. Ik weet niet waar ze blijven, maar ze komen er zo aan. Hé, kom op… Amber? Wakker blijven, dan kun je hallo zeggen tegen je moeder."

Je moeder is er… Je moeder is er… en je zusje ook…

En je zusje ook…

„O Amber, je bent wakker! Poppy, ze is wakker! O Amber, godzijdank ben je weer bij!"

Amber keek van haar moeders betraande, glimlachende gezicht naar dat van Poppy. Ze stonden over haar heen gebogen, de spanning knetterde als statische elektriciteit van hen af. „We zijn er, lieverd, we zijn er. Het komt wel goed… Wil je iets hebben? Water?"

Amber knikte even. Ze werd overspoeld door opluchting. Bij de aanblik van haar moeders gezicht kreeg ze een brok in haar keel.

„Hier Poppy, hou het glas even vast… zo ja… Laat ik er nog wat bij schenken… Zo lieverd, goed zo, hou het maar tegen haar mond."

Met trillende hand drukte Poppy het glas tegen Ambers mond en er stroomde een golf water over haar kin. Toen Amber haar lippen vochtig voelde worden, duwde ze het glas weg en richtte haar blik op haar moeder. Geluidloos vormde ze het woord „sorry".

„Het geeft niet, het geeft niet, lieverd. Het ergste is achter de rug. Je mag hier binnenkort weer weg, en dan zullen Poppy en ik voor je zorgen. O, wat ben ík blij dat je je ogen weer open hebt, dat is een pak van mijn hart. Het was afschuwelijk, Amber! Ze waren je al aan het opereren toen we aankwamen. Niemand wilde ons iets vertellen, we mochten niet naar je toe…"

„We hebben de hele nacht opgezeten." Poppy's stem klonk nog hoger dan normaal. „Gewoon in de gang, op stoeltjes."

„Poppy heeft haar hoofd op mijn schoot gelegd en een beetje geslapen…"

„Niet waar. Ik deed maar alsof."

„En toen mochten we eindelijk bij je, vanochtend vroeg. Maar je was buiten kennis, bewusteloos, het was vréselijk…"

„Het leek wel alsof je dood was."

„O, dat moet je niet zeggen, Poppy! Maar je zag er afschuwelijk uit, Amber, het was zo eng… Het is allemaal zo'n beproeving!" Mevrouw Thornleys stem brak en ze stak haar knokkels in haar mond. „Vanaf het moment dat je vriendin ons belde – Kaz, heet ze toch? – en zei dat je was opgenomen, zijn we in shock geweest, hè Poppy? We wisten niet wat we moesten beginnen, het was al zo laat toen ze belde. We dachten niet dat we nog de deur uit konden, dus zijn we de volgende ochtend vroeg vertrokken, gisteren… Gisteren pas! Het lijkt al dágen geleden, hè Poppy?"

„Weken."

„En toen zijn we hierheen gekomen… Wát een reis!"

„Het was een verschrikking," mompelde Poppy. „We waren zo bang onderweg."

„En we maakten ons zo'n zorgen om jou, lieverd. Maar nu gaat het wel weer, toch? O, ik kan niet wachten tot we je uit dit afgrijselijke ziekenhuis weg kunnen halen…"

Amber kneep haar ogen dicht. Ze wilde haar moeder vragen om stil te zijn, gewoon haar hand vast te houden en stil te zijn… Hun angst was als een moeras dat haar dreigde op te slokken, ze verdronk in angst en schuldgevoel. Schuldgevoel omdat zij helemaal hierheen hadden moeten komen, dat ze hun dit allemaal had aangedaan.

Haar moeders stem klonk weer. „Amber, luister eens. Kun je me horen, lieverd?"

Met tegenzin deed Amber haar ogen open.

„Je hoeft je geen zorgen te maken. Over wat je over de telefoon tegen me zei. Dat je niet meer naar huis kwam. Ik weet dat je… dat je niet zo had gedaan als je niet ziek was geweest. We praten er wel over als je weer beter bent, goed? En we zijn bij je. We zijn hier om voor je te zorgen."

Er viel een lange stilte.

Amber kneep haar ogen weer dicht. De tranen stroomden onder haar gesloten oogleden vandaan en ze voelde haar moeders en haar zusjes blik branden… branden…

„De lunch!" zong de stevige zuster. Ze kwam binnen met een dienblad dat ze op Ambers benen plantte. „Ik wéét dat je geen trek hebt, maar probeer het voor mij, oké?"

„O nee!" riep mevrouw Thornley uit. „U kunt toch niet verwachten dat ze nu éét…"

„O, dat doen we wel degelijk. Hè, Amber? Gewoon wat lekkere soep en zacht brood om mee te beginnen en dan gaan we door met de cornflakes. Die keel schoonschrapen zodat hij mooi kan genezen." Ze trok Amber overeind, klopte de kussens achter haar rug op en ging op de rand van het bed zitten. „Nou," zei ze, „moet ik je soms voeren?"

Amber schudde glimlachend haar hoofd en pakte de lepel op. Ze zoog wat van de dikke, lauwe soep naar binnen, drukte het vocht met haar tong tegen haar verhemelte en slikte het met grote moeite door.

„Zo!" zei de zuster. „Dat valt best mee, hè?"

„Ja," antwoordde Amber hees, al had ze het gevoel dat ze haar halve keel samen met de hap soep had doorgeslikt. Het was het eerste woord dat ze sprak sinds de avond dat ze was ingestort.

„Kom op, nog een lepeltje."

„Je moet niet overdrijven, hoor Amber," jammerde mevrouw Thornley.

„Ze overdrijft niet," merkte de zuster op. „Ze werkt aan haar herstel!"

Amber nam nog een lepel soep en slikte.

„Ik denk dat we beter kunnen gaan," zei mevrouw Thornley zachtjes. Ze was intens beledigd door de zuster, dat zag Amber. „Ik probeer morgenochtend vroeg weer te komen, liever. Maar om eerlijk te zijn, denk ik dat ik straks thuis in coma raak, nu ik weet dat het weer goed met je gaat."

Toen Amber de volgende ochtend wakker werd, voelde ze zich zo'n stuk beter dat het bijna onwerkelijk was. Ze vertelde het aan de zuster die haar ontbijt bracht en de vrouw zei stralend: „Zo mogen we het graag horen! De verdoving is inmiddels uit je lichaam en je bent die vieze amandelen kwijt, dus je zou je inderdaad stukken beter moeten voelen. Nog even en je kunt stoppen met de pijnstillers. Jullie jongelui genezen zo snel." Ze liet het dienblad zakken en voegde eraan toe: „Wil je niet weten wanneer je naar huis mag? Dat vragen patiënten meestal."

„O... ja," mompelde Amber. „Wanneer mag ik weg?"

„Over een paar daagjes. Mits je goed eet en we tevreden zijn over je herstel. Dus kom op, val maar aan!"

Amber begon met het gekookte ei. Ze sabbelde lang op het brood voor ze het doorslikte en dronk er veel zoete, lauwwarme thee bij. Elke hap stak als prikkeldraad in haar keel, maar ze had honger en het was fijn om iets in haar maag te hebben.

Na het eten ging ze weer liggen. Ze zag er als een berg tegenop om uit het ziekenhuis weg te moeten. Het was natuurlijk idioot in een ziekenhuis te willen blijven liggen, maar waar kon ze anders heen? Haar moeder was van plan om haar mee naar huis te nemen. Ze wilde alles wat Amber over in Cornwall blijven had gezegd terzijde schuiven en haar meenemen, zodat alles weer kon doorgaan als vroeger. De opluchting dat haar moeder en Poppy haar vergeven leken te hebben, vermengde zich met de angst dat ze terug zou moeten naar haar oude leventje.

Maar ook bij de gedachte om naar Merral Road terug te gaan, brak het koude zweet haar uit.

De laatste minuten voordat ze was flauwgevallen, flitsten aan haar voorbij.

Ik was aan het ijlen, zei Amber sussend tegen zichzelf. Ik had me gek laten maken door dat verhaal van Kaz en door wat Rory zei... Maar ze wist dat het gescheurde kussen met de veren geen koortsdroom was geweest, net zomin als die walgelijke vingerachtige... dingen.

Niet aan denken, niet aan denken. Amber keek naar de deur van de zaal. Er begon bezoek binnen te druppelen, stoelen werden aan bedden geschoven, het rumoer van gesprekken werd luider. Ze zocht naar haar moeder, half vrezend haar te zien, maar er eigenlijk ook naar verlangend dat ze binnenkwam en voor haar zou zorgen zoals ze had gedaan toen ze nog heel klein was.

De zaal liep vol. Behalve Amber had maar één andere patiënt geen bezoek.

Amber probeerde niet naar de openstaande deuren te staren, maar ze kon het niet laten. En ineens kwam Kaz binnenwandelen. Kaz, in een felblauwe trui met haar zwarte haar half naar achteren gebonden. Ze had een bos madeliefjes in de ene hand en zwaaide enthousiast met de andere. Ze liep snel naar Ambers bed.

„Meid, hoe is het? Ik mocht niet eerder bij je. Maar toen ik vanochtend belde, zeiden ze ineens dat het veel beter ging. Je ziet er in elk geval veel beter uit!"

„Ik voel me ook stukken beter. O Kaz, wat leuk om je te zien!" Kaz boog zich voorover om haar vast te pakken en Amber snikte „dank je wel" in haar haar, dat naar passievruchten rook. „Kaz, ik heb gehoord wat je hebt gedaan en ik weet niet hoe ik je moet bedanken, ik…"

„O, alsof dat zo veel voorstelde. We hebben gewoon een ambulance gebeld en gedaan wat nodig was."

„Toch heb je het maar gedaan!"

„Wat dacht jij dan? Dat we je gewoon zouden laten kreperen? Jemig Amber, ik ben zo blij dat het weer goed gaat met je. We dachten dat je het loodje zou leggen, echt waar!" Kaz gaf haar nog een kus en zette toen de bloemen in het water. Daarna vertelde ze Amber over de ambulancerit naar het ziekenhuis.

Amber legde uit hoe het was geweest om uit de narcose bij te komen. Ze waren allebei enorm opgelucht dat het allemaal achter de rug was.

Na een poosje boog Kaz zich naar voren; haar hand met de drie zilveren ringen zag er bruin en levendig uit tegen de witte lakens. „De dokter vroeg ons wat je gedaan had," fluisterde ze. „Net voordat je flauwviel. Of er iets… bijzonders was gebeurd. Of je ergens van geschrokken was."

„O." Er voer een huivering door Amber heen. „Wat heb je gezegd?"

„We hebben gewoon… We hebben gezegd dat er niets was gebeurd. Ik weet niet waarom, het leek allemaal zo raar ineens, en kinderachtig ook. We wilden het geen van allen uitleggen. Rory zei dat we gewoon hadden zitten eten, en niemand sprak hem tegen. Hopelijk hebben we er niets verkeerds mee gedaan."

„Nee, dat is prima. Ik bedoel, het gaat nu goed met me, dus vergeet het maar."

Kaz leunde nog wat verder voorover. „Ik weet wat we hebben gezégd, maar… Luister, ik ga niet net doen alsof het niet gebeurd is. Dat kussen… die díngen – die waren echt."

„Ja," bracht Amber uit. „Wat hebben jullie ermee gedaan?"

„Ben heeft alles weggegooid. Op de vuilstort. Het is weg."

Er viel een stilte.

„Kaz," mompelde Amber toen, „ik weet niet of ik het aankan om terug te komen."

Kaz zat over het laken te strijken alsof ze het wilde troosten. „Oké," zei ze uiteindelijk. „Misschien is er vroeger echt iets engs gebeurd in het huis. Bij degene die die griezelige voodoo-dingen heeft gemaakt, zat in elk geval een steekje los. Maar, ik weet het niet, en ik wíl het ook niet weten. Ik durf te wedden dat er in heel wat oude huizen allerlei enge dingen zijn gebeurd. Mijn oma woonde ergens waar een dienstmeid zich-zelf aan de balken boven de trap had opgehangen. Oma kwam erachter toen ze er al tien jaar woonde en pas toen zweerde ze dat ze een ijzige tocht in de gang voelde!"

„Ja, maar… dat is het nou juist, toch? Pas toen je oma het wíst van die dienstmeid voelde ze iets. Jij weet helemaal níks en toch heb je die geluiden gehoord en die vorm op de trap gezien…"

Kaz liet haar adem ontsnappen. „Gewoon een schaduw."

„Ik heb het ook gezien," bekende Amber na een korte

aarzeling. „Het is… het is geen schaduw."

Kaz ging achterover zitten. „O, toe nou, Amber," zei ze spottend. „Het licht van het dakraam op zolder zorgt voor die vorm, dat is alles."

Amber zweeg. Ze overwoog om te zeggen dat ze het zelfs in het donker had gezien en dat de vorm zwarter was dan het duister zelf. Dat ze de achterste zolderkamer had zien veranderen in hoe hij er misschien tachtig jaar geleden uit had gezien. Dat ook zij de schommelstoel had gehoord, boven haar hoofd, maar ze wist dat Kaz er niets van zou willen weten. „Ik… ik… er hangt soms zo'n rare sfeer in huis. Griezelig."

„Ik weet het," zei Kaz warm. „Ik weet het, schat. Ik voelde het ook toen ik er pas was komen wonen." Ze boog weer naar voren en sprak op vertrouwelijke toon verder: „Luister, misschien pikken wij inderdaad iets op. Eerst ik, nu jij. Misschien hangen er wel vreemde vibraties. En jij en ik… we zijn gewoon gevoeliger dan de anderen, hè? Emotioneler."

„Misschien," fluisterde Amber.

„Dat idee had ik meteen toen ik jou voor het eerst zag, dat we op elkaar lijken."

Amber glimlachte. Het betekende zo veel voor haar dat Kaz dat zei.

„Ik was totaal van slag toen ik net in het huis trok," vervolgde Kaz. „Je weet wel, ik was gedumpt en alles… Ik was echt helemaal doorgedraaid. En jij… Jij leek eerst wat gespannen, en – nou ja, zeg het maar als ik me er niet mee moet bemoeien – maar uit bepaalde dingen die je moeder heeft gezegd… Ze wilde niet dat je hierheen kwam, hè? Wilde niet dat je een tussenjaar nam."

Amber schudde haar hoofd.

„Dus we waren geen van beiden honderd procent toen we in het huis kwamen wonen, een rottig vriendje, familieruzie… en we pikten allebei dingen op. Maar niemand anders heeft ook maar íéts gezien of gehoord, en ik ook alweer maanden niet. Ik was het zelfs helemaal vergeten, totdat Rory dat stomme kussen openscheurde, echt waar. Dus misschien is het gewoon iets wat mensen zoals jij en ik, emotionele types die onder spanning staan... oppikken als we voor het eerst ergens komen. Toch?"

Amber knikte hulpeloos. Ze wilde Kaz zo graag geloven.

„Daarom heb ik me voorgenomen," ging Kaz verder, „dat ik niet alles laat verknallen door die vibraties. Misschien is er wel ooit iemand heel ziek geweest in dat huis, maar nu is het er fantastisch, vol leuke mensen. En ik laat niet alles verpesten door een of ander stom gevoel dat ik niet eens meer heb, oké?"

„Oké," zei Amber schor. Kaz pakte haar hand en kneep erin, en Amber dacht: de belangrijkste reden dat ze wil blijven, is Rory. Hij moet wel gek zijn. Ik snap niet waarom hij niet voor Kaz valt. Ze bruist, als een vuur, nee, niet zo woest als vuur, maar als een fornuis. Een glimmend gepoetst, snorrend fornuis waar je tegenaan kunt kruipen om je op te warmen, waar je kracht uit kunt putten, en ze beseft niet eens hoeveel ze voor anderen betekent...

„O, trouwens," merkte Kaz luchtig op. „Je zusje trekt in op de achterste zolderkamer. Ze is hem nu aan het leegruimen. Daar zullen die eventuele spoken wel voor op de vlucht slaan, hè?"

Amber voelde zich misselijk worden. Ze was verbijsterd, alsof ze een trap in haar maag had gekregen.

Er kwam een zuster naar het bed. „Ik hoop dat je niet te veel kletst, jongedame. Je mag jezelf niet uitputten."

„O, ze laat het praten aan mij over, hoor," zei Kaz stralend.

De zuster glimlachte terug. „Goed, vijf minuutjes nog. Dan moet ze gaan slapen."

„Hoe bedoel je?" vroeg Amber zodra de zuster weg was.

111

„Dat mijn zus op zólder intrekt?"

„Nou ja, het was nogal behelpen, zij en je moeder vannacht samen in jouw bed. Ik zeg vannacht, maar ze zijn gaan liggen zodra ze terug waren, rond drie uur 's middags.... Ze zullen wel doodmoe geweest zijn."

„Dus... ze logeren bij ons? Op Merral Road?"

„Ja, hebben ze dat niet gezegd? Ik heb het voorgesteld; ze hadden natuurlijk weinig zin om geld neer te tellen voor een pension."

„Nee," mompelde Amber. De gedachte dat haar moeder en Poppy bij haar in huis waren, in háár huis... Het was een ramp!

„Hoe dan ook, zoals ik al zei, het was erg krap allemaal, en ze hadden vanochtend ruzie... ik weet niet, door de spanning denk ik. Ik hoorde ze allebei huilen. Toen is Poppy gewoon naar de zolder gegaan. Ik heb thee voor ze gezet; je moeder lag nog in bed. Ze ging maar door over het raam dat klapperde en zei dat ze nauwelijks een oog had dichtgedaan. Daarna heb ik een kop thee naar Poppy gebracht. Ze lag met een oud dekbed om zich heen in dat antieke ijzeren ledikant."

Amber rilde.

„Zíj lijkt die vibraties in elk geval niet te voelen!" lachte Kaz. „En die spinnen doen haar ook niks."

„Het spijt me," zei Amber zacht. „Het spijt me dat ze zo... je weet wel, zo lastig zijn..."

„Hé, kom op! Logisch toch dat ze wat uit hun doen zijn nu jij hier ligt? Trouwens, Poppy vroeg of het goed was als ze vanavond weer op zolder sliep, en ik heb ja gezegd. Ik hoorde haar wat spullen verschuiven terwijl ik net de deur uit ging."

„Maar... wat heeft het voor zin om al die moeite te doen?"

Kaz haalde haar schouders op. „Om iets om handen te hebben, denk ik."

Ambers keel klopte van de pijn. Ze wist dat ze beter kon ophouden met praten, maar ze moest erachter komen wat er allemaal gebeurde. „Over een paar dagen mag ik hier weg en dan gaan ze wel weer naar huis…"

„Nog niet, heeft je moeder gezegd. Je zult nog een beetje moeten aansterken, verzorging nodig hebben."

„Zei ze dat?"

„Ja. Amber, jullie hebben misschien bonje gehad, maar ze blijft je moeder!"

Amber staarde naar haar handen, die op het witte laken lagen. „Heeft ze nog gezegd dat ze me mee wil nemen?" fluisterde ze.

„Nee, niks," antwoordde Kaz. „Hé, kijk niet zo somber! Ze gaat het wel begrijpen, dat doen ouders op den duur altijd. Ze wacht tot je beter bent en dan gaat ze terug. Ze krijgt mijn bed als jij uit het ziekenhuis komt."

„O Kaz, je mag je bed niet opgeven!"

„Het is geen punt. Ik slaap wel op de bank. Het is maar voor een paar nachtjes, tot ze merkt dat je fit genoeg bent om alles weer zelf te doen." Ze pauzeerde.

Amber trilde, zo veel tegenstrijdige emoties gingen er door haar heen. Dus haar moeder was van plan om te blijven, alleen om voor haar te zorgen… voor háár, niet voor Poppy…

Kaz schraapte haar keel. „Je bent niet helemaal eerlijk tegen haar geweest, hè?"

„Wat?"

„Ze dacht eerst dat je gewoon op vakantie ging, toch?"

„O nee, heb jij haar de waarheid verteld?"

„Nee, ik heb eromheen gedraaid. Ze vroeg of ik de vriendin was die je had gevraagd om te komen logeren en of ik degene was die je had overgehaald om na de 'vakantie' nog wat langer te blijven. Ze was behoorlijk pissig op me."

113

„O nee, sorry... wat heb je gezegd?"

„Ik heb gewoon de feiten omzeild en wat lopen zwammen over dat het jouw eigen keuze was, dat niemand je kon dwingen iets te doen wat je niet wilde, bla bla bla. Laat mij maar kletsen."

„En de anderen?"

„Ik heb gezegd dat ze hun mond moeten houden. Maak je niet druk, Amber, ze heeft het geslikt."

De verpleegkundige hield hen vanaf de andere kant van de zaal in de gaten en begon doelbewust op hen af te lopen, terwijl ze op haar horloge tikte.

„Poppy is knap, hè?" zei Kaz en ze kwam met tegenzin overeind. „En slank! Rory zat zich gisteravond gewoon aan haar op te geilen, die smeerlap. Ik zei nog tegen hem: 'Ze is pas zéstien! Een kleuter nog!' "

Pas die avond kwamen Ambers moeder en Poppy weer op bezoek, maar ze glimlachten lief terwijl ze op het bed af liepen en putten zich uit in verontschuldigingen dat ze er nu pas waren. Mevrouw Thornley had bonbons voor haar meegebracht, Poppy een netje mandarijnen. Ze richtten al hun aandacht op haar, waren warm en zorgzaam, vroegen hoe het ging en vertelden hoe fijn het was om te zien dat ze zo opknapte.

Amber schoot haast vol.

„Die Kaz is een heel aardig meisje, hè?" merkte haar moeder op. „En zó attent. Ze is naar het café gegaan waar jij werkt, Amber, om te vertellen wat er is gebeurd."

Amber hield haar adem in. Ze verwachtte een of ander verwijt omdat ze überhaupt een baan had, maar dat bleef uit, dus ze vroeg: „Wat zeiden ze?"

„Dat het geen probleem was, geloof ik. Je kunt terugkomen zodra je ertoe in staat bent."

„O, dat… dat is te gek."

Er viel een stilte.

Amber wachtte nog steeds tot ze haar van verraad zouden beschuldigen, haar voor de voeten zouden werpen dat ze hen in de steek had gelaten, dat ze zouden eisen dat ze mee terug naar huis ging. In plaats daarvan zei Ambers moeder zangerig: „Ben is ook heel vriendelijk, die blonde jongen, een beetje rossig? Hij kookt vanavond voor ons, hè Poppy? Zo lief van hem."

Ergens diep vanbinnen stond het Amber vreselijk tegen dat haar moeder en halfzusje in het huis logeerden en met haar nieuwe vrienden omgingen, maar ze wilde het niet erkennen. Ze verdrong het en hield zichzelf voor dat ze niet zo kleingeestig moest doen, juist nu zij zo lief voor haar waren. „Ben maakt heerlijke pasta," vertelde ze moeizaam. „Maar volgens mij is dat zo'n beetje het enige wat hij kan."

„Ik vind hem leuk," zei Poppy. „Grappig. En Rory ook, die vind ik ook leuk."

„Ze zijn allemaal zo gastvrij," knikte mevrouw Thornley met een brede lach.

Op dat moment besefte Amber dat er geen woord gezegd zou worden over wat er was gebeurd. Dat dat de manier was waarop zij drieën met elkaar omgingen. Als de waarheid te pijnlijk was, kwamen ze stilzwijgend overeen die te negeren. Nou ja, misschien deed het er ook niet toe. Misschien zou het vanzelf wel goed komen. Misschien kon ze in Cornwall blijven, zouden ze het uiteindelijk begrijpen en haar steunen, haar er uiteindelijk toch niet om haten.

Haar moeder vond dat Ambers stem veel helderder klonk, dat ze bijna niet meer schor was, en ze vroeg of ze al minder pijnstillers nam. Ze leek zo zorgzaam, zo vol líéfde.

Misschien zou het toch nog allemaal goed komen, dacht Amber.

Er gingen nog twee dagen voorbij. Iedereen uit het huis, zelfs Rory, kwam minstens één keer op bezoek. Kaz gaf door dat Bert haar beterschap wenste en het baantje in de Albatross voor haar openhield. Op zondag, toen het café dicht was, kwamen Bert en Marty samen langs.

Ambers hart sprong op toen ze Marty door de deuren zag komen. Hij gaf haar een bos prachtige roestrode chrysanten en ze bedankte hem, maar durfde hem nauwelijks aan te kijken. Ze brandde van nieuwsgierigheid naar hoe het ervoor stond met het meisje dat was vertrokken, het meisje dat hij maar bleef sms'en, maar ze had uiteraard niet het lef om hem ernaar te vragen.

Bert doorbrak de ongemakkelijke stilte door Amber wat zelf-gemaakte toffees te geven, die hij extra zacht had gemaakt zodat ze zo naar binnen zouden glijden en wilde weten wanneer ze weer terugkwam.

„Kaz zei dat je mijn baantje openhield," glimlachte Amber. „Dat is hartstikke aardig van je."

„Aárdig van me?" herhaalde Bert. „Natuurlijk houden we hem open. De vaste klanten missen je vreselijk. Vooral de oude meneer Peters. 'Waar is Amber met haar zonnige snoet?' vraagt hij telkens. Volgens mij is hij een beetje verliefd op je, die ouwe sok."

„Ik dacht dat je misschien iemand anders aan zou nemen," zei Amber voorzichtig.

„Natuurlijk niet! Waarom zou ik dat willen? We redden het met ons tweeën voordat jij kwam en nu redden we het ook. Het is alleen wat harder werken, en de omzet is gedaald. Maar ja, omdat ik jou nu niet hoef te betalen is dat ook weer niet zo'n ramp."

„Wat weet je het weer charmant te brengen, Bert," lachte Marty. „Hij kan niet wachten tot je terugkomt, hoor Amber."

Hij pauzeerde even en zei toen: „En ik ook niet."

„Zodra je beter bent, meid," zei Bert en hij klopte op haar voet onder de stugge ziekenhuissprei. „Begin maar met halve dagen, als je dat wilt."

De dag daarna kreeg Amber te horen dat ze naar huis mocht.

8

„Lieverd, ik heb je lakens gewassen," zei mevrouw Thornley, terwijl ze samen in de deuropening van Ambers kamer stonden. „En een beetje opgeruimd..."

„O mam, wat fijn! Bedankt!"

Haar kamer glom en blonk, en er stonden verse bloemen in een kan op de oude ladekast.

„Wil je meteen gaan liggen?"

„Nee mam, het gaat prima."

„Niet overdrijven, hoor."

„Doe ik niet. Ik ga vanavond vroeg naar bed."

„Nou, Poppy is voor ons aan het koken, lieverd. Ze doet echt heel erg haar best, Amber. Ze heeft zelfs in haar eentje boodschappen gedaan." Haar moeder keek haar smachtend aan, smeekte om goedkeuring voor Ambers zusje.

„Wat knap," mompelde Amber. „Zullen we maar naar beneden gaan?"

Het eten stelde weinig voor: gehaktbrood met tot pap gekookte worteltjes. Ze zaten met z'n allen in de keuken om de kleine tafel geperst. Ben en Kaz waren er ook. Ze maakten grapjes en gaven Poppy complimenten voor haar kookkunsten.

Mevrouw Thornley bleef maar zeggen wat een leuke huisgenoten Amber had gevonden en ze bedankte Kaz voor het afstaan van haar bed. Al met al hing er een gezellige sfeer.

Rory kwam binnen toen ze al bijna klaar waren en wilde per

se de gehaktschaal leegschrapen. Poppy giechelde om zijn luidruchtige, waarderende gesmak. Niemand wilde dat Amber hielp met afruimen.

Amber keek toe terwijl haar moeder en halfzusje met haar vrienden in het keukentje in de weer waren, de vaatwasser vulden, koffie zetten. Haar weerzin tegen hun aanwezigheid was verdwenen. Ze hield zichzelf voor dat het een wonder was dat die twee compleet gescheiden delen van haar leven door haar ziekte waren samengekomen en er kalmte was in plaats van een bloederige confrontatie.

„Je ziet er moe uit, lieverd." Mevrouw Thornley streek door Ambers haar. „Kom, dan breng ik je naar bed."

Het was alsof ze weer een kind was, jong en geborgen. Haar moeder stond erop met Amber mee te gaan om haar in te stoppen. Even later deed ze het licht uit. „Welterusten, lieverd. Gauw weer helemaal beter worden, hè?"

Amber viel diep in slaap. Een ongestoorde slaap. Geen angst, geen geluiden, geen verontrustende dromen. Toen ze de volgende ochtend wakker werd, was het al half elf en de scherpe winterzon scheen haar kamer in. Ze liep naar de keuken, waar Kaz geroosterd brood zat te eten.

„Hé," groette Kaz. „Ook wat?"

„Lekker," antwoordde Amber. „Mijn keel voelt weer helemaal normaal. Nee, beter; beter dan eerst. Heb je wel goed geslapen op de bank?"

„Ja hoor, hij ligt heel lekker. Je moeder is zo aardig, Amber. Ze is zo bezorgd. We hebben het nog een hele poos over je gehad voordat we naar bed gingen."

„O nee… sorry."

„Doe niet zo raar. Ze is gewoon opgelucht dat het weer goed gaat na de operatie… én blij dat je je draai hebt gevonden. Hier in huis, en in het café en alles."

„Echt? Zei ze dat?"

„Ja. Ze had het er maar over dat ze naar de Albatross wil om te zien waar je werkt."

Glimlachend schudde Amber haar hoofd. „Weet je, ik kan het amper geloven. Zoals ze is bijgedraaid. Ik dacht dat ze me zou haten, omdat ik hen in de steek had gelaten."

„Nou, dat doet ze dus niet. Soms moet je iets drastisch doen om je ouders te laten merken dat je volwassen bent geworden."

Amber lachte en verwonderde zich er voor de zoveelste keer over hoe ongecompliceerd de wereld was voor iemand als Kaz. Nou ja, misschien had ze gelijk.

„Je moeder is boodschappen aan het doen, spullen halen die op zijn. En daarvoor heeft ze de héle keuken uitgemest."

„Ik vond het er al zo schoon uitzien."

„Je kunt van de vloer eten! Nou ja, dat is misschien overdreven, maar als je nu iets laat vallen, is het niet meteen levensgevaarlijk besmet zodat je het weg moet gooien."

Ze lachten en Kaz voegde eraan toe: „We beginnen er al aan gewend te raken, Amber. We zullen haar nog missen als ze weg is."

„Nou, veel langer hoeft ze niet te blijven, want ik voel me stukken beter."

„Je ziet er ook beter uit. En dat zonder make-up! Wil jij de laatste geroosterde boterham?"

„Ja, graag. Ik ga Bert vandaag bellen. Misschien begin ik dinsdag met een halve dag werken."

„Mooi. Je kunt het vast wel aan, als ik zie hoe je dat brood wegwerkt. Oké, ik moet ervandoor. Ik ben al laat voor mijn werkgroep." Kaz haastte zich de gang op.

In haar eentje dronk Amber haar koffie op en mijmerde over hoe Kaz de hele situatie met haar moeder en Poppy had opgevangen. Het was typisch voor Kaz; het lag in haar aard om behulpzaam te zijn. En ze peinsde over hoe anders haar moeder en Poppy zich gedroegen nu ze hier waren; sterker, minder nerveus, normáler; althans, nu ze over het trauma van haar spoedopname heen waren. Poppy had zich van haar beste kant laten zien. Ze had gekookt en helemaal niet moeilijk gedaan over het op zolder slapen...

Plotseling voelde Amber een golf van genegenheid voor haar zusje door zich heen gaan. Als Poppy daarboven niets raars had gemerkt, geen dreigende sfeer had gevoeld, was het misschien verdwenen. Misschien, dacht Amber, zou het hier in huis ook goed komen, nu ze sterker was, nu de ruzie met haar moeder was bijgelegd. Kaz had gezegd dat dat bij haar ook zo gegaan was, toch? Gewoon een paar nare vibraties in het begin, die verdwenen waren zodra ze zich beter voelde.

Amber stond plotseling op, zette haar bord en beker in de gootsteen en liep de gang in. Ze wilde zien wat Poppy met de zolderkamer had gedaan.

Haar spiegelbeeld in de spiegel boven aan de trap was helder en strak. Ze beklom de zoldertrap zonder naar schaduwen te speuren, liep over de smalle gang naar de achterste kamer, duwde de deur open en... deinsde met een schok achteruit.

Het was weer gebeurd, ze kreeg opnieuw dat idiote visioen: het ijzeren ledikant domineerde de kamer met zijn glanzende, zwarte buizen, de rommel op de vloer was opgelost, de wanden waren kaal... De oude kamer was dwars door de troep die hem verhulde, heen gebroken.

„Doe normaal!" siste ze tegen zichzelf. Terwijl ze van de schrik bekwam, schudde Amber geërgerd haar hoofd. Poppy had gewoon opgeruimd, dat was alles. Haar roze tas lag op de ladekast. Het leek wel alsof hij daar hoorde... en haar toilettasje... En daar lag haar koffer, onder het ledikant naast een gehavende, oude kist van ongeveer dezelfde grootte. Amber had het ding niet eerder zien staan. Er zat een hangslot op en in het deksel waren de initialen I.S. gegraveerd.

Langzaam liep ze verder de kamer in. De boeken onder de poten van de schommelstoel waren weg. Amber dwong zichzelf om haar hand op de gladde rugleuning te leggen en hem naar achteren te duwen. Het geluid was precies hetzelfde als dat wat ze had gehoord toen ze in het bed hierbeneden lag… Nee, wat ze zich had íngebeeld, verbeterde ze zichzelf.

Ineens voelde ze haar nekharen overeind komen en ze draaide zich met een ruk om. Poppy stond in de deuropening. „Ik schrik me dood!" snauwde ze.

„Sorry!" zei Poppy. „Mooi geworden, hè?"

„Ja… het is… waar heb je alles geláten?"

„In die twee andere kamers gezet, daar was nog plek zat. En toen heb ik het hier eens flink uitgemest. Schitterend, hè?"

„Ja. Ja, het is… geweldig. Maar wel een hoop werk voor maar een paar dagen, lijkt me."

„O, ik heb alle meubelen laten staan. Die zagen er zo mooi uit, dat ik dat niet allemaal wilde veranderen. Het bed ligt lekker en dat dakraam is super! Gisteravond heb ik hier een hele poos naar de sterren liggen kijken… Hé, wat kijk je raar. Gaat het wel? Zo erg ben je toch niet geschrokken?"

„Nee," mompelde Amber. „Alleen…"

„Wat?"

„Nou…" Amber aarzelde. Toen besloot ze om het Poppy te vertellen. „Er is iets vreemds gebeurd, vlak nadat ik hier was ingetrokken, toen ik nog steeds wat gespannen was en zo. Ik kwam hierboven en het was alsof ik… de kamer zag zoals hij nú is. Ik bedoel… ik zag hem zonder al die rommel, precies zoals nu…"

Poppy deed een stap naar Amber toe, met een bijna

extatische glimlach op haar hartvormige gezicht. „Misschien was het een blik in de toekomst," zei ze, terwijl ze Ambers hand vastpakte. „Misschien zag je het zoals het zou zijn wanneer ík hier was."

Op dinsdagochtend, nadat ze haar moeder had beloofd dat ze meteen na de drukte van de lunch de bus of een taxi terug naar huis zou nemen, ging Amber op weg naar de Albatross.

Terwijl ze de heuvel af liep, nam haar tempo toe, totdat ze bijna net zo hard ging als eerst.

Ze dacht aan haar voornemen om haar conditie te verbeteren en dat het mogelijk was om dat nu weer op te pikken. Heel goed mogelijk zelfs, want ze werd niet meer bedreigd door haar vergiftigde amandelen.

Het was zo heerlijk om al die energie weer te voelen, die door haar benen en spieren stroomde. En het was ook heerlijk, moest ze toegeven, om even weg te zijn uit het huis, waar haar moeder haar aldoor betuttelde, en Poppy... Nou ja, bij wijze van uitzondering kon ze niets negatiefs zeggen over Poppy. Poppy gedroeg zich voorbeeldig. Ze had zichzelf op de zolder verschanst en wanneer ze beneden was, hielp ze, was ze niemand tot last...

Amber liep verder. Ze glimlachte bij het zien van de weidse, vuursteengrijze zee die voor haar opdoemde. Ze stapte het strand op. Aan de horizon worstelde de zon zich achter de wolken vandaan, de zee werd blauw. Voor haar lag de Albatross, de luiken waren al opengeslagen. Ze duwde de brede houten deur open en liep snel de keuken in.

„Amber!" Bert kwam overeind boven de afwasmachine. „Welkom terug!"

„Hé, fijn je te zien!" groette Marty. „Je ziet er beter uit dan ooit!"

Terwijl Amber zijn woorden nog verrukt tot zich door liet dringen, kwam hij op haar af, legde zijn arm om haar schouders en kneep erin.

„Ho ho," protesteerde Bert. „Niet dat kleffe gedoe. Geef die meid een kop koffie. Hoe voel je je?"

„Geweldig," antwoordde Amber. „Ik ben helemaal aan het opknappen."

„Zo mag ik het horen."

Op de grote werkbank in het midden van de keuken lagen vijftien bloemkolen, hun kussenachtige kernen roomwit tegen de donkergroene bladeren. Amber kreeg meteen zin om te gaan koken.

„Wat zien die er prachtig uit," merkte ze op, terwijl ze naar de werkbank liep.

„Amber, mafketel, het zijn gróénten!" plaagde Marty en hij gaf haar een mok koffie aan.

„Hou je mond, ze heeft gelijk!" zei Bert. „Het zijn juweeltjes en ik heb ze gisteren aan het eind van de dag voor een habbekrats gekocht op de markt. Dus! De vegetarische schotel van vandaag: bloemkool met kaas. Amber, hoe is jouw bechamelsaus?"

„Eersteklas. Als je tenminste een goede garde hebt."

„Gebruik je mosterdpoeder?"

„En nootmuskaat. En kippenbouillon."

„Geweldig spul. Maak jij twee schalen bloemkool met kaas, dan werp ik me op mijn wereldberoemde kippenstoofpot. O, en je kunt nog wat bouillon trekken van mijn botten, oké?" stelde Bert voor.

„Dat zal lekker worden," merkte Marty grijnzend op.

„Mijn kíppenbotten, sukkel. Ik maak morgen kippensoep. En ik geef jou ook wat, meid. Niets is beter dan kippensoep om aan te sterken. Weet je hoe ze het ook wel noemen? Joodse

124

penicilline!" Bert lachte.

Ik ben terug, dacht Amber, terwijl ze een mes pakte. Ik ben terug en het is te gek.

De hele ochtend liep alles op rolletjes. Bert en Marty waren zo bezorgd dat Amber zich te veel zou vermoeien, dat ze zelfs geen kans kreeg om moe te worden. Ze maakten hapjes en drankjes voor haar klaar en zorgden dat ze, als het maar even kon, ging zitten. Marty en zij konden het prima vinden, en het mooiste van alles was dat zijn mobieltje in zijn zak bleef. Geen enkel sms'je.

Amber stond de vaatwasser leeg te ruimen toen Bert naast haar opdook en mompelde: „Hij heeft het eindelijk gedaan, trouwens."

„Wat gedaan?"

„Die griet aan de dijk gezet. Degene die hem van het kastje naar de muur stuurde. Ik hoorde ze vorige week samen schreeuwen aan de telefoon en toen hij ophing, zei ik tegen hem: 'Je moet van haar af zien te komen, jongen,' en hij zei…" Bert brak zijn zin af omdat Marty de keuken in kwam. Ze keken allebei toe hoe hij een stapel vuile borden neerzette en met een mandje brood weer het café in verdween. Bert vervolgde: „Hij zei: 'Dat heb ik net gedaan.' "

„O ja?" Amber probeerde te verbergen hoe blij ze was. „Mooi."

„Zeg dat wel. Hij was niet te genieten wanneer ze hem weer eens door de wringer had gehaald."

Het zou best kunnen, dacht ze. Marty en ik… Het zou best kunnen.

Later nam ze hem heimelijk op terwijl hij voor de gootsteen drie enorme pannen stond af te wassen. Ze genoot van de manier waarop hij bewoog, staarde naar zijn armen, dacht aan hoe ongedwongen hij haar had aangeraakt, vroeg zich af of het gewoon vriendschappelijk was en wat er zou gebeuren als zij hém aanraakte.

Om half drie was de lunchdrukte weggeëbd en Bert kwam met wat opgevouwen geldbriefjes naar haar toe. „Tijd om naar huis te gaan. Alsjeblieft, je loon."

„Oké, ik boen alleen die pannen nog even schoon en dan…"

„Nee, tijd om naar huis te gaan!"

Ze pakte het geld aan en glimlachte.

„Voor een hele dag. Je hebt het verdiend."

„O Bert, dat kan ik niet aannemen. Ik heb net iets meer dan vier uurtjes gewerkt."

„Kom op, pak aan. Het zal… hoe zeg je dat… mijn schuldgevoel verlichten omdat ik je zo'n hongerloontje heb betaald voor je culinaire wonderen. Ik meen het," zei hij toen ze haar ogen neersloeg. „Je hebt talent. Maar wanneer je later je eigen restaurant opent en alle bladen je de hemel in prijzen, wil ik wel lezen dat je van míj het klappen van de zweep hebt geleerd!"

„O Bert, kom op."

„Ik meen het!" Hij lachte. „Ik voelde me toch al zo'n vrek omdat ik je helemaal geen ziekengeld heb betaald. Red je het wel? Wil je soms geld lenen voor de huur?"

„Heel lief van je, Bert, maar ik kom er wel. Mijn moeder heeft twee weken huur voor me betaald en ik heb niks uitgegeven terwijl ik in het ziekenhuis lag."

Zoals beloofd, nam Amber de bus terug naar huis en terwijl ze meehobbelde, bedacht ze hoe haar moeder en Poppy over al het verdriet dat ze hun had aangedaan heen waren gestapt en helemaal hiernaartoe waren gekomen om voor haar te zorgen.

Misschien, dacht ze, begrépen ze wel waarom ze weg had gewild, misschien gaven zij hun leven nu ook een andere wending. Ze glimlachte. Misschien kon ze in Cornwall blijven wonen zonder te breken met haar familie. Zonder die band door te hoeven snijden.

Toen ze op Merral Road de keuken in liep, stond mevrouw Thornley bij de gootsteen en Poppy, Rory en zijn vriend Max hingen achter een mok thee rond de tafel.

„Mam, sta je nu alweer af te wassen?"

„O liever, je bent terug!" riep haar moeder terwijl ze zich omdraaide. „Hoe gaat het? Heb je jezelf niet te veel vermoeid?"

„Nee hoor, ik voel me heerlijk. Kom eens gauw zitten, laat die afwas maar aan dat stelletje luiwammesen over."

„We mógen het niet eens doen, Amber," protesteerde Rory. „We hebben het geprobeerd!"

„Vast."

„Ik vind het echt niet erg," glimlachte mevrouw Thornley. „Het is wel het minste wat ik kan doen, een handje helpen, want iedereen hier is zo aardig voor ons drietjes…"

„We zullen u nog missen straks, mevrouw Thornley," zei Rory gladjes. „En niét alleen omdat u zo veel schoonmaakt en zo."

„Nee, je vindt haar eten ook lekker," knikte Amber en iedereen lachte. „Nou, je zult eraan moeten wennen, Rors," zei ze erachteraan. „Ik voel me zo'n stuk beter dat ze niet meer hoeven te blijven."

Het werd opvallend stil in de keuken.

Toen zei mevrouw Thornley: „Amber? Ik wilde ergens met je over praten, lieverd. Zullen we even naar je kamer gaan?"

Met een angstig voorgevoel volgde Amber haar moeder de brede trap op. „Wat is er, mam?" vroeg ze zo luchtig mogelijk toen ze haar kamer in liepen.

„Amber, voordat we hier naartoe kwamen…" Mevrouw Thornley deed de deur achter zich dicht, liep naar het bed en ging erop zitten. „Nou, je weet dat Poppy het vreselijk zwaar heeft gehad op school. Dat heb ik je door de telefoon verteld."

„Ja, ik weet het, mam. Het spijt me dat ik er niet was om je te helpen, maar…"

„O lieverd, gedane zaken nemen geen keer. Waar het om gaat is, toen we dat telefoontje van Kaz kregen… Nou ja, het was bijna een opluchting. Ik bedoel, dat we er even tussenuit konden… Ik hoefde niet meer elke ochtend de strijd aan te binden met Poppy, om haar over te halen naar school te gaan…"

Amber liet het feit dat haar moeder haar spoedoperatie als 'bijna een opluchting' zag tot zich doordringen. Toen schoof ze zoals ze gewend was haar verdriet opzij. Voor mij maakt het niet uit, dacht ze. Ik ben veel sterker dan Poppy…

Er viel een lange stilte. Mevrouw Thornley keek langs Amber naar de bomen in de tuin.

Ze gaat vragen of ik mee naar huis kom, dacht Amber verdoofd. Ze gaat zeggen dat ze het niet redt zonder mij.

„Ik denk erover om vrijdag weer naar huis te gaan," mompelde mevrouw Thornley. „Ik kan niet verwachten dat die arme Kaz haar bed nog langer voor me opoffert."

„Dat lijkt me verstandig, mam," knikte Amber vastberaden. „Ik bedoel, Poppy moet weer naar school. Ze heeft een hoop lessen gemist, maar ze is slim, ze haalt het wel in. Ik wéét dat het moeilijk voor haar is, maar ze moet hier echt doorhéen! Misschien kun je eens met de directeur praten over hoe moeilijk ze het vindt. Ze is vast niet de enige die startproblemen heeft, er móét iets zijn wat hij kan doen…" Haar stem vervaagde. Haar moeders blik was geen moment losgekomen van het raam.

„Ze wil niet terug," zei mevrouw Thornley uiteindelijk. „Ze kan het niet aan."

„Maar wat dan? Ze kan toch niet gewoon thuisblijven?"

„Ze wil een tussenjaar nemen. Nee, kijk niet zo, het komt steeds meer voor dat tieners al voor de bovenbouw een tussenjaar nemen. Ze staan tegenwoordig zo onder druk, ze redden het niet… Ze stappen er een jaartje uit, gaan dan terug en doen de examenvakken waar ze echt achter staan. Wat míj betreft is het een goed idee."

„Het is een goed idee als ze tenminste ook iets doet in dat jaar," zei Amber verhit. „Iets waardoor ze zelfstandiger wordt en leert… wat steviger in haar schoenen te staan."

„Ik weet het. Dat wil ik natuurlijk ook graag."

Amber staarde voor zich uit. Ze had verwacht dat haar moeder haar af zou katten omdat ze kritiek had geleverd op Poppy, maar voor het eerst leek ze te erkennen dat er iets mis was met Poppy's gedrag.

„Het laatste wat ik wil, is dat ze jou de hele dag voor de voeten loopt," ging Amber vol goede moed verder. „Ik bedoel, jij had het er toch laatst over dat je weer wilde gaan werken, hè? Als dat baantje in die kunstgalerie vrijkwam?"

„Dat zou ik heel leuk vinden, ja. O, dat zou ik gewéldig vinden. En het extra geld zouden we ook wel kunnen gebruiken. Poppy's vader betaalt netjes alimentatie, hoor, maar we moeten altijd de eindjes aan elkaar zien te knopen. Maar waar het om gaat, Amber… Waar het om gaat, is…" Ze pauzeerde, ademde diep in en zei: „Ik denk dat het heel goed zou zijn voor Poppy als ze een poosje híér bleef."

Amber voelde het bloed in haar aderen stollen. Toen werd ze witheet, ze stond op het punt om te ontploffen. Ze wilde razen en tieren tegen haar moeder, 'nooit!' roepen, over haar lijk, dit was háár plek en Poppy mocht niet blijven om alles voor haar te vergallen.

Maar ze hield zich in. Ze was te netjes opgevoed. Ze stond met haar rug naar het raam en luisterde.

„Ik heb haar zien veranderen," ging mevrouw Thornley verder, „sinds ze hier is. Ze kijkt op tegen Kaz en de anderen. Ik denk dat ze al veel van hen heeft geleerd. En ze past prima in de groep, vind je ook niet? Ik bedoel, ze heeft geen uitbarsting gehad, geen erge, je weet wel, zoals thuis vaak gebeurt, niet één keer sinds ze hier is. Ze is helemaal omgeslagen."

Mevrouw Thornley stopte even, maar ze keek nog steeds niet naar Amber, die bleef zwijgen. „Het schoot laatst ineens door me heen," ratelde ze toen verder. „Rory zat grapjes met haar te maken en riep dat ze huur moest betalen voor die zolderkamer. Ik bedoel, het was maar plagerij. Maar het zou écht helpen, denk je niet? Jullie kunnen het stilhouden voor de huisbaas, het gewoon onderling regelen, en met haar huur kunnen jullie de vaste lasten betalen en allerlei dingen als afwasmiddel en koffie…"

Amber probeerde zich te verzetten tegen de walging die in haar opborrelde, de woede, het verdriet.

Ineens zakte haar moeder voorover. Ze legde haar gezicht in haar handen en begon te huilen.

Amber dwong zichzelf om naar haar toe te lopen en een hand op haar schokkende schouder te leggen.

„Ik kan het niet meer aan!" bracht ze uit. „Niet nu we nog maar met z'n tweetjes zijn. Het is zo'n lijdensweg geweest, die afgelopen weken sinds ze weer op school is begonnen… Ik wéét dat ik het verkeerd doe, dat ik haar te veel bemoeder, maar als ik dat niet doe… O, het is veel erger als ik het niet doe. Ze moet een poosje bij me vandaan, dat is alles."

„Het geeft niet, mam, het geeft niet. Niet huilen, alsjeblieft…"

„Het is zó zwaar, Amber! En hier… O, het is zo'n opluchting dat we niet constant op elkaars lip zitten. Ze doet het zo leuk met jouw vrienden. Het is heerlijk om te zien dat ze zich eens als een normale tiener gedraagt. Ik weet dat ze voorheen een

130

beetje… beslag op je heeft gelegd, maar ik denk echt niet dat ze dat doet als er anderen bij zijn. Het zou zo goed voor haar zijn om hier een poosje tussen jonge mensen te wonen. Ik denk dat ze er enorm van zal opknappen. Het hoeft geen heel jaar te zijn. Gewoon een tijdje, alleen om haar een beetje op weg te helpen… Dan kan ze weer naar huis komen en gaan we het allemaal anders doen."

Amber besefte dat haar moeder het op een akkoordje probeerde te gooien. Pas jij een paar maanden op Poppy, dan laat ik je los. En misschien zou het echt goed zijn voor Poppy om een tijdje van huis weg te zijn. Misschien zou ze er inderdaad van opknappen, zou ze leren op eigen benen te staan…

Mevrouw Thornley haalde een dun, blauw zakdoekje uit haar zak en depte haar ogen droog.

Amber werd overvallen door de behoefte om haar te helpen en de last van haar schouders te halen.

„Jij bent de sterkste, Amber," fluisterde haar moeder. „Jij boft maar."

9

Ze spraken af om het aan Kaz en de anderen voor te leggen. Als iedereen het ermee eens was, zou Poppy blijven, wanneer mevrouw Thornley vrijdag naar huis terugging.

Voor de andere vier huisgenoten had het besluit weinig voeten in de aarde. De zolder stond toch leeg; de huisbaas kwam nooit langs en het extra geld kwam mooi uit.

Chrissie merkte op dat ze wel twee, misschien drie jaar jonger was dan de rest, maar Ben zei dat ze heel aardig was en dat ze haar oudere zus konden aanspreken als er iets misging. Als het niets werd, dan vertrok ze gewoon weer. Geen probleem.

Alleen Kaz nam Amber apart in haar kamer en vroeg: „Jij staat hier toch ook achter, hè?"

„Wat? Natuurlijk."

„Nou, oké. Ik bedoel, ik weet dat jij degene bent die heeft gevraagd of Poppy hier mocht blijven. Ik vroeg me alleen af of je dat zélf ook wilde."

„Ja," knikte Amber. „Echt. Het zou zo goed voor haar zijn."

Ambers moeder reserveerde een treinkaartje voor vrijdagochtend.

Poppy, die buiten zinnen was van opwinding en dankbaarheid, vroeg of Amber donderdag uit haar werk vroeg naar huis wilde komen, omdat ze thee met gebak voor haar moeder wilde klaarmaken.

Die avond zou mevrouw Thornley het hele huis op een

Indiaas etentje trakteren, als bedankje en afscheidscadeau.

Er was geen vuiltje aan de lucht.

In de Albatross was Amber bedrukt, maar ze redeneerde het weg door te zeggen dat ze zich de dag ervoor te veel had ingespannen. Dus het was eenvoudig om wat eerder weg te gaan zonder over Poppy's plannen te vertellen. Ze wilde niet aan Marty opbiechten dat Poppy hier bleef. Ze herinnerde zich nog levendig wat ze hem had verteld, die avond dat ze voor iedereen had gekookt, toen ze zich zo misselijk had gevoeld.

Ze vermoedde dat hij er negatief tegenover zou staan. Ze wilde er niet over praten.

Toen Amber de keuken in liep, stond er een chocoladetaart met drie mokken op tafel en op het aanrecht lagen een groot cadeau en een stapel kleintjes, vijf stuks, allemaal in hetzelfde ivoorkleurige papier verpakt met lila lint eromheen.

„Hier, lieverd." Mevrouw Thornley gaf haar het grote pak.

„Mam, bedankt! Ik had geen cadeautjes verwacht."

„Nee, maar… nou ja. We wilden iets voor je kopen."

Ineens kreeg Amber het koud. Plotseling viel alles op zijn plaats. Van het begin af aan, dacht ze, vanaf het moment dat Poppy op zolder was ingetrokken, hadden ze dit gepland. Daarom waren ze zo lief voor haar geweest. Daarom hadden ze zich zo uitgesloofd; gekookt, schoongemaakt, zich aangepast. Ze waren niet van gedachten veranderd, zoals Amber had gehoopt. Ze kwamen haar niet tegemoet, deden het niet voor haar.

Ze hadden het gedaan zodat Poppy hier in huis zou kunnen blijven.

Het was alsof alle energie uit haar wegstroomde. Het werd haar te veel. Ze durfde ze niets te verwijten, geen scène te schoppen, dat zou catastrofaal zijn.

Wanhopig hield ze zichzelf voor dat het wel goed zou komen. Het zou wel goed komen omdat zij de sterkste was, zij kon het wel aan. Poppy had hulp nodig, niet zij...

Zij moest doorgaan.

Amber scheurde het papier open en zag een grote, donzige, lichtblauwe ochtendjas.

„Ik vond dat je wel een nieuwe kon gebruiken, lieverd, iets lekker warms voor de winter."

„Hij is prachtig, mam," zei Amber moeizaam. Ze rolde hem op, legde hem opzij en ging zitten.

„Nu de mijne." Poppy pakte de vijf kleine pakjes op en legde ze voor haar op tafel.

Amber staarde ernaar, vol verdriet en pijn.

Dit is zo gemeen. Het maakt me niet uit hoe maf dat klinkt. Gedwongen worden om zoiets zieks te doen... Te doen alsof het cadeautjes zijn, terwijl het een omkoopsom is... Nep, nep, het is zo gemeen...

Even schoot het door haar heen dat als ze ze zou aannemen, ze Poppy macht over haar zou geven, zoals wanneer je een geschenk van een heks aanneemt. Als ze de cadeautjes oppakte, zouden ze in vergruisde botten veranderen of er zou bloed uit sijpelen... Een beeld van het gescheurde kussen met de witgrijze veren en verwrongen vingervormen doemde voor haar op.

Doe normaal, zei ze geërgerd tegen zichzelf.

„Maak je ze niet open?" drong Poppy op zoete toon aan.

„Het zijn er zo veel, ze weet niet met welk pakje ze moet beginnen," zei mevrouw Thornley met gespannen stem.

Amber voelde de tranen van frustratie achter haar oogleden prikken. Ze wilde de cadeautjes niet aanraken, maar wist dat ze wel moest. Ze griste het eerste pakje van tafel en trok aan het lintje. Het papier gleed weg – er zat een pot kamillehandcrème in.

„O, wat leuk!" vond mevrouw Thornley.

„Ja, dat is fijn, Poppy," zei Amber schor. „Bedankt."

Uit het volgende pakje kwam een gedrongen paarse stompkaars tevoorschijn.

„Geen geurkaars, hoor," zei Poppy kinderlijk verontschuldigend. „Ik vond het gewoon zo'n mooie kleur. Nu deze!"

Amber pakte het derde pakje en maakte het lintje los. Doe het nou maar, doe het nou maar. Ze kromp ineen. Het was iets doods, wist ze meteen.

„Van een echte schildpad!" koerde Poppy. „Er hoorde eigenlijk een dekseltje bij en er is een stukje af, daarom was het zo goedkoop. Je kunt de kaars erin zetten."

„Wat leuk!" zei mevrouw Thornley opnieuw.

Amber draaide het schaaltje om. Ze vond het afgrijselijk. Een of andere arme schildpad was ervoor doodgemaakt.

„Zet de kaars er eens in, lieverd," drong mevrouw Thornley aan.

Amber plaatste de grove kaars in het schaaltje en dwong zichzelf om te zeggen dat het er mooi uitzag. Het bruin en het paars vloekten verschrikkelijk bij elkaar, als een oude bloeduitstorting die maar niet wilde genezen.

„En nu deze!" lachte Poppy.

Amber had het gevoel dat iets haar verstikte. Ze wilde van tafel opspringen en de frisse lucht in rennen, maar dat kon ze niet doen omdat Poppy zo áárdig deed. Zo gul was. Doe normaal, zei ze weer tegen zichzelf.

In het vierde pakje zaten notitievelletjes met een motief van herfstblaadjes erop. Niet iets wat Amber zelf zou kopen of gebruiken, maar niet al te erg. Ze haalde diep adem en bedankte opnieuw. Ze had het gevoel dat ze zo vaak dankjewel had gezegd, dat haar tong er droog van was geworden.

Na een korte stilte pakte Poppy het vijfde cadeautje en schoof het langzaam over de tafel naar Amber toe. Haar ogen vernauwden zich, er speelde een sluw lachje om haar mond. „Dit heb ik voor het laatst bewaard. Het is heel bijzonder."

Amber trok het papier eraf en de inhoud viel op tafel.

„O, wat schitterend!" riep mevrouw Thornley uit. „Hou oud zijn die wel niet?"

„Victoriaans, volgens die mevrouw. Ze komen uit hetzelfde antiekzaakje als het schaaltje."

„Dat moet flink wat hebben gekost, lieverd!"

„Ja, nogal," antwoordde Poppy zoetjes. „Maar ik wist dat Amber ze prachtig zou vinden."

Ik vind ze spuuglelijk, dacht Amber, terwijl ze vol walging naar de tafel staarde.

Er lag een paar handschoenen, gemaakt van zacht, dood materiaal. Geitenleer, zo te zien. Er was een patroon in gekerfd dat eruitzag als een huidinfectie. De vingers waren geel, verkleurd zoals de hand van een roker, bruiner naarmate je dichter bij de vingertoppen kwam. Rond de polsen zaten zwarte, keverachtige knoopjes.

De stilte duurde te lang, ze moest iets zeggen. „Wat apart!"

Poppy boog zich over de tafel naar haar toe, vol venijn. „Doe ze eens aan."

„Ja, doe eens aan," viel haar moeder haar bij. „Zo te zien passen ze je wel, je hebt van die kleine handen."

„Dat leek mij ook," knikte Poppy. „Daarom heb ik ze gekocht."

Amber pakte een van de handschoenen op. Ze kreeg al kippenvel bij de aanraking. Hij lag in haar hand als een dode klauw waar het vlees uit gezogen was, als de hand van een geest. Ze liet hem vallen.

„Toe nou, lieverd," zei mevrouw Thornley. „Kijk eens of ze passen."

136

„Ik… ik wil niet!" protesteerde Amber.

„O, doe niet zo raar!"

„Het is gewoon… eng. De laatste die ze heeft gedragen, is misschien wel overleden aan syfilis of zoiets."

„Wie zegt zoiets nou?" zei Poppy met haar ielige, gekwetste stemmetje.

„O alsjeblíéft, Amber, doe niet zo akelig!" Haar moeder gaf haar een harde por.

Vanaf de andere kant van de tafel zat Poppy haar aan te staren, haar mond pruilend, maar haar ogen glanzend van triomf.

Het was griezelig, dacht Amber, hoe vaak haar mond iets deed wat niet paste bij haar ogen.

Hopeloos pakte ze uiteindelijk de handschoen weer op en trok hem aan. Het leer voelde weerzinwekkend om haar vingers; droog, schurend, vol doodskistenstof. Haar nagels bleven haken aan de rafelige zoompjes; hij gleed klam over haar palm.

Hij zat strak, veel te strak. Het was alsof haar hand van iemand anders was.

Met bonzend hart rukte Amber aan de knoopjes en trok de handschoen uit. Ze wreef verwoed over haar hand, streek de aanraking van het leer weg, zodat haar hand weer haar eigen hand was.

„Het geeft niet, lieverd," zei mevrouw Thornley met een nerveuze blik op Poppy. „Ze zijn alleen voor de sier, hè? Je hoeft ze niet te verslijten door ze te dragen."

En ze begon de chocoladetaart aan te snijden.

Het Indiase etentje was een enorm succes. Rory, Ben, Kaz en Chrissie waren zo blij dat er voor hen werd betaald, dat ze mevrouw Thornley overlaadden met complimentjes en Poppy volop aandacht schonken, haar uitgebreid welkom heetten in de groep.

Amber, nog steeds onthutst door de woeste gevoelens die haar eerder tijdens de thee hadden overvallen, was blij dat ze zich achter hen kon verschuilen. Ze verdrong al haar emoties, haar verdriet, haar angstige voorgevoelens. Haar moeders gezicht straalde van opluchting en hoop.

Toen de volgende ochtend vroeg de taxi arriveerde om Ambers moeder naar het station te brengen, vielen mevrouw Thornley en Poppy elkaar huilend in de armen. Daarna zei Poppy dat ze moe was en weer terug naar bed ging.

Amber vluchtte naar de Albatross en nu vertelde ze Marty wel dat haar halfzusje op Merral Road was ingetrokken.

Hij vatte het heel goed op. Hij oordeelde niet, luisterde alleen maar.

Gedurende de lange dag praatten ze erover. Marty stelde haar allerlei vragen en het mooiste was dat hij echt belangstelling toonde. Amber had het gevoel dat hij al haar vreemde, tegenstrijdige en onsamenhangende gevoelens voor haar op een rijtje zette. En hij deed het voor haar; om haar te helpen.

Toen ze hem vertelde wat er door haar heen was gegaan op het moment dat ze al die kleine cadeautjes had gekregen, zei hij: „Oké, misschien hebben ze misbruik van je gemaakt, je gemanipuleerd, maar ik betwijfel of dat bewust was, snap je? Ze konden... ik weet niet... ze konden het niet hélpen."

„Misschien niet. O, vind je me geen ontzettende sukkel, dat ik haar laat blijven?"

Marty boog voorover en keek haar recht aan. „Ik vind je een kei, Amber. Ik vind je heel lief. En ik weet niet hoe je het anders had kunnen doen. Poppy moet van huis weg, van je moeder die haar de hele tijd afschermt. En hier zijn, zou haar echt kunnen helpen."

Amber werd verlegen door zijn woorden. „Ik hoop het maar," zei ze vurig.

„Je moest het er wel op wagen, het proberen. En als het je te veel wordt, nou, dan stuur je haar gewoon weer naar huis, toch? Het gaat erom dat je het hebt geprobeerd."

Amber probeerde er niet aan te denken dat het nooit zo eenvoudig zou zijn, dat niets eenvoudig was met Poppy. Ze koesterde zich in Marty's aandacht; voelde zich warm, sterker.

Bij thuiskomst hoorde ze dat Rory en Max Poppy een rondleiding aan het geven waren door het centrum en ze was oprecht blij voor haar. Ze was vervuld met hoop dat Poppy daadwerkelijk zou veranderen door een poosje op Merral Road te wonen.

Maar toen keerde het dagelijkse ritme in het huis terug. Rory verdween voor zesendertig uur en Kaz kondigde – met een blik op Poppy – aan dat ze vermoedde dat hij ergens een nieuw vriendinnetje had.

Chrissie vroeg aan Poppy of ze het erg vond om een keer de trap te stofzuigen en de keuken schoon te maken, omdat ze zo veel vrije tijd had. Poppy deed het weliswaar, maar halfslachtig en met grote tegenzin.

Tegen de avond bracht Amber, in een poging de plooien glad te strijken, de overgebleven lasagne mee naar huis, die ze opwarmde en nogal slordig met hompen knoflookbrood serveerde. Alleen Ben en Kaz aten mee; Poppy was chagrijnig en zat te mokken. Nadat ze haar een paar vragen hadden gesteld, negeerden de twee haar en aten vlug hun bord leeg.

En die avond laat hoorde Amber Poppy op zolder huilen.

Ze trok haar nieuwe ochtendjas aan en ging met grote tegenzin naar haar halfzus toe.

Boven aan de zoldertrap bleef ze staan. Het geluid van Poppy's gesnik klonk griezelig, dreef over de smalle, donkere gang haar kant op. Toen hield het huilen ineens op en klonk er een geluid alsof er iets over de vloer werd gesleept. Er werd een lade dichtgesmeten en er viel iets... De schommelstoel begon te bewegen. Van voor naar achter, op de kale planken.

Amber kreeg er de rillingen van. Ze vloog naar de achterste kamer, greep de kruk vast en dwong zichzelf om de deur open te duwen. „Poppy!" riep ze verschrikt. „Wat ben je aan het dóén?"

„Aan het pakken!" snauwde Poppy, terwijl ze uit de schommelstoel sprong. Haar kleren lagen over de grond verspreid, hingen half uit de ladekast, slingerden over het bed. Haar koffer stond geopend midden in de kamer, met haar toilettas er in.

„Poppy, het is elf uur 's avonds!" riep Amber. „Wat ís er?"

„Ik blijf hier niet. Ik laat me niet zo behandelen."

„Hoe behandelen?"

„Als een verdomde slaaf! Alsof ik hier alleen ben om te poetsen!" Poppy zag er absurd uit als ze vloekte, met haar porseleinen poppengezicht.

„O, toe nou, Poppy. Je bedoelt dat Chrissie je heeft gevraagd om de trap te stofzuigen en zo?"

„Ja! Het is een vals kreng, ik haat haar. Vanmiddag zat ik met Ben te praten en ze onderbrak me gewoon, praatte dwars door me heen..."

Amber had het liefst tegen haar geroepen dat ze niet zo overgevoelig en kinderachtig moest reageren en dat ze van geluk mocht spreken dat ze haar hier lieten wonen, maar ze hield zich in. Er was een zondebok nodig voor Poppy's stemming en dat moest Chrissie dan maar zijn.

„Luister, je kunt niet verwachten dat je met iedereen dikke maatjes wordt, of wel?" zei ze zo kalm mogelijk. „Ga nou niet meteen op de loop, alleen omdat Chrissie buiten haar boekje is gegaan..."

„Zij is niet de enige. Iedereen doet het. Jíj ook. Je negeert me, iedereen negeert me. En ik ga naar huis, oké?"

„Poppy, doe niet zo stom! Je bent gewoon nog moe door al die stress van het verhuizen en zo. Slaap er een nachtje over, morgenochtend lijkt het veel minder erg."

„Néé. Ik ga nu weg."

„Het is over elven, je kunt nergens meer naartoe!"

„Wel waar!" schreeuwde Poppy. Haar poppengezicht was verwrongen van woede. „Ik neem gewoon een taxi naar het station en ik wacht daar wel op de eerste trein!" Met schokkende bewegingen ging ze verder met kleren in haar koffer te gooien.

Amber raakte in paniek. Poppy meende het, ze was gek genoeg om het te menen, en als ze wegging... Nou ja, het was gewoonweg ondenkbaar dat ze ging. Haar moeder zou het haar nooit vergeven als Poppy in haar eentje de trein nam. Ze kon wel vermoord worden, verkracht... En zelfs als ze veilig thuis wist te komen, zou ze een terugslag van weken krijgen door op deze manier te vertrekken Ze zou instorten en nooit meer naar school gaan. Haar moeder zou er zo onder lijden...

„Alsjeblieft Poppy, doe het nou niet," smeekte Amber. „Luister, ik ga wel met Chrissie praten, oké? Ik zeg tegen haar dat ze je met rust moet laten. Wacht nog een paar dagen af. Ja, Poppy?"

„Het is niet alleen Chrissie," snauwde Poppy, maar ze hield op met kleren in haar koffer te gooien en ging op de rand van het ijzeren ledikant zitten.

Amber voelde een golf van opluchting door zich heen gaan. Deze ronde won ze. Ze zou in staat zijn om haar tegen te houden.

„Het ligt ook aan jou," ging Poppy verder. „Je hebt haast geen woord tegen me gezegd. Ik ben helemaal hierheen gekomen en... en jij zegt nauwelijks iets tegen me."

Het verwijt was zo onredelijk dat Amber haast in de lach schoot, maar ze hield haar gezicht in de plooi. Ze zou álles zeggen, álles beloven, om Poppy zover te krijgen dat ze vanavond hier bleef.

„Ik weet het," zei ze zacht en ze ging naast haar zus op het bed zitten. „Luister, ik heb het gewoon erg druk gehad. Maar morgen is het vrijdag en op vrijdagavond gaat iedereen de kroeg in. Ik neem wat eten mee uit het restaurant en koop een fles wijn, en dan eten we samen, alleen wij tweetjes. Dan kunnen we eens goed praten, oké?"

„Dus je denkt niet dat ze me mee uit vragen?" snotterde Poppy. „Leuk, hoor."

„Het maakt niet uit of ze het vragen of niet. Wij blijven thuis, goed? Wij saampjes. Nou, kom op, je bent moe. Al die spanning van het hierheen komen, al die nieuwe mensen leren kennen…" Amber vond het vreselijk om haar moeders woorden uit haar eigen mond te horen komen, maar ze wist dat ze Poppy ermee zou kalmeren. „Kom op, kruip je bed in. Morgen ruimen we je spullen wel weer op, ga nu eerst maar lekker slapen…"

Poppy ging in bed liggen, met haar kleren nog aan.

Amber stond op en trok het dekbed over haar heen. Ze stopte haar in zoals ze had gedaan toen Poppy nog klein was. Ondanks de afkeer die ze voelde, streek ze over Poppy's haar tot het gesnotter en gezucht ophield. Daarna haalde ze de rommelige berg kleren uit de koffer, begon alles op te vouwen en in de ladekast te leggen.

„Zo, ga maar lekker slapen. Morgen kijk je er heel anders tegenaan."

Poppy's ogen waren nu dicht en haar ademhaling ging regelmatig.

Amber sloot de koffer en schoof hem onder het bed, naast de

grote gehavende kist met de initialen I.S. in het deksel.

In haar hoofd klikte er iets.

„Poppy," begon ze zacht, hoewel het idioot was om haar zus iets te vragen net nu ze bezig was om in slaap te vallen. „Zat er geen hangslot op die oude kist?"

Meteen schoot Poppy overeind. Haar ogen lichtten op. „Ja," zei ze, „maar dat zat niet goed dicht. Eerlijk Amber, ik frunnikte er een beetje aan en het sprong gewoon ineens open. Er zitten waanzinnige dingen in. Kijk maar!" Ze klauterde uit bed en hurkte neer voor de kist. Het was alsof ze nooit verdrietig of boos was geweest. „Kijk, deze blouses en kanten kraagjes en die oude hoed… en kijk! Moet je deze ebbenhouten spiegel zien, en deze broche. Prachtig, hè?" Ze gaf Amber een piepkleine zilveren broche met een moddergroene steen erin.

Amber draaide hem om. „Je hebt die spullen helemaal niet gekocht, hè?"

„Welke spullen?" Poppy's blik was op de kist gericht. Ze liet haar wijsvinger over de initialen glijden.

„Die dingen die je me hebt gegeven vlak voordat mam wegging. Die handschoenen en dat kleine schildpadschaaltje…"

Poppy giechelde. Het was een verschrikkelijk geluid op de donkere zolder.

„Ze zaten hierin, hè?" ging Amber verder.

„O, nou én?" riep Poppy. „Wat maakt dat nou uit? Ik had niet veel geld en ik wilde die handschoenen verkopen om jou iets te kunnen geven, maar toen ik de antiekwinkel in stapte, ik weet niet… Het leek gewoon zo dom om ze voor een paar pond te verkopen en de winkelier er enorme winst op te laten maken, terwijl ze zo mooi zijn… Vind jij ze niet mooi dan?"

Amber gaf geen antwoord. Ze kon het niet over haar lippen krijgen dat ze ze afgrijselijk vond, dat ze van een overleden iemand waren. Iemand die in dit huis had gewoond, iemand die misschien nooit was vertrokken.

Als je het hardop zei, werd het werkelijkheid. Het bekroop je en werd echt.

Poppy zat haar glimlachend op te nemen.

10

Gezéllig als meiden onder elkaar, dacht Amber, terwijl ze in de pruttelende spaghettisaus op het fornuis roerde. Jemig, wat een schijnvertoning.

Eindelijk kwam Poppy de keuken in. Zonder Amber aan te kijken ging ze aan tafel zitten.

„Hallo," groette Amber warm. „Heb je honger?"

Poppy haalde haar schouders op en trok een pruilmondje.

Amber onderdrukte de neiging om te roepen: „Donder dan op als je er zo over denkt!" Ze schonk een glas wijn in en zette dat naast haar neer.

Poppy negeerde het.

Amber draaide zich weer naar het fornuis. Haar hele dag was overschaduwd geweest door de belofte om de avond met haar halfzus door te brengen. Officieel werkte ze weer fulltime en vandaag had Bert het over loonsverhoging gehad, maar haar humeur was verpest. Toen Marty haar vroeg hoe het met Poppy ging, had ze 'prima' gesnauwd en was ze weggelopen, walgend van het idee om over haar te praten. Meteen had ze er spijt van gehad, maar het was te laat geweest en de rest van de dag had er een nare sfeer gehangen in de cafékeuken.

Poppy bleef zwijgend zitten. Ze keek naar haar glas rode wijn, maar raakte het niet aan.

Het is weer het oude liedje, dacht Amber. Het gaat precies zoals het thuis ook aldoor ging. Als Poppy zich zo gedroeg, betekende het dat ze het 'moeilijk' had. En als ze het 'moeilijk' had, moest je haar behoedzaam overhalen om te vertellen wat er aan de hand was. Dan moest je haar aanhoren, als een slaaf, net zolang als zij wilde dat je luisterde, en je moest haar troosten en opvrolijken. Als je niet meeging in het liedje of de kantjes er vanaf liep, ging ze door het lint en belandde je in een vreselijke nachtmerrie, en haar moeder had er dan zo'n verdriet van...

Maar mam is er niet bij, dacht Amber fel. Ze bekijkt het maar, ik trap er niet in. Ze proefde van de saus, deed er wat zout bij en zei: „Ik geloof dat ik misschien opslag krijg."

Stilte.

„Bert begon er vandaag over. Hij vertelde dat de winst fors omhoog is gegaan. Hij is heel blij dat ik weer hele dagen werk. Geweldig, hè?"

Nog meer stilte.

Amber pakte twee borden en een vergiet uit de kast naast de gootsteen, en zette alles met een dreun op het aanrecht. Ze schepte een pluk spaghetti uit de pan, kneep erin en zei: „Au! Dat is gaar."

Stilte, stilte.

Ze smeet het vergiet in de gootsteen en gooide de spaghetti erin. Daarna verdeelde ze de spaghetti over de twee borden en schepte de saus eroverheen. Het rook heerlijk. Ze raspte er rijkelijk Parmezaanse kaas over en bracht de borden naar de tafel.

Poppy negeerde haar.

Zeg toch iets, kreng, dacht Amber woest. Ze ging zitten, pakte haar vork, draaide er wat pasta op en stak hem in haar mond. „Mmm... lekker, al zeg ik het zelf."

Poppy zat erbij als een stuk steen.

„Val aan!" spoorde Amber haar aan.

Er drupte een dikke traan van het puntje van Poppy's neus in de pasta.

146

Amber nam nog een grote hap, maar het voelde als modder aan in haar mond. Ze liet haar vork vallen. „Wat is er?" kreunde ze.

Poppy had gewonnen.

„Kom op, Poppy, ik zie dat je het ergens moeilijk mee hebt," zei Amber. De woorden waren sleets, veel te vaak gebruikt – ze wist precies wat ze moest zeggen. „Gaat het nog steeds om gisteravond of is er iets anders gebeurd?"

Poppy bleef zwijgen, maar haar hand bewoog langzaam naar haar wijnglas. Ze pakte het op en nam een klein slokje.

„Toe, vertel me wat er is. Heeft iemand iets tegen je gezegd?" Amber tuurde naar de bovenkant van Poppy's hoofd. Ze stelde zich voor dat ze haar halfzusje bij haar haren greep en haar met haar gezicht in het bord duwde. „Kom op, ik kan je niet helpen als ik niet weet wat er aan de hand is."

„Je had me gisteravond weg moeten laten gaan," zei Poppy uiteindelijk met een verstikt stemmetje. „Je had me naar huis moeten laten gaan."

„O Poppy, toe nou," barstte Amber opgelucht uit, want in elk geval waren ze voorbij Fase Een, de stille, lijdzame fase, en deed Poppy haar mond weer open. „Daar hebben we het gisteravond al over gehad. Ik heb nog niet met Chrissie kunnen praten, maar…"

„Het maakt toch niet uit. Iedereen blijft me buitensluiten."

„Poppy, dat is niet waar. En dat etentje gisteravond dan?"

Poppy's mond vertrok. „Niemand heeft met me gepraat."

„Ze hebben het heus wel geprobeerd."

„O ja?"

„Ja! En jij kunt zelf ook wel eens iets zeggen. Jij moet ook je best doen."

„Ik ben degene die nieuw is hier," siste Poppy. „Zíj moeten hun best doen voor mij!"

„Dat doen ze ook, maar je blijft niet eeuwig nieuw. Ik bedoel, ze probeerden je erbij te betrekken, ze vroegen wat je wilde gaan doen..."

„Ze hadden kritiek op me. Omdat ik geen baantje zoek."

„Niet waar. Ze vroegen gewoon wat je ging dóén nu je hier bent..."

„Ik wou dat ik nooit was gekomen."

Sodemieter dan op, had Amber het liefst willen roepen, maar ze hield zich in. Ze moest er niet aan denken dat Poppy opnieuw zou gaan pakken, dat ze weer moest smeken of ze bleef. „Je moet het een kans geven," mompelde ze. „Hún een kans geven."

„O, ik snap het al! Jij staat aan hun kant, hè? Je denkt dat het aan mij ligt."

„Poppy..."

„Of niet soms?"

„Nee!" loog Amber. „Natuurlijk niet. Luister, misschien hadden ze beter hun best moeten doen. Maar als je ze eenmaal wat beter kent... Ze zijn heel aardig, echt. Geef ze nou een kans."

„Zij waren niet de enigen. Jíj sloot me ook buiten."

„O Poppy, dat is niet waar!"

„Je zat maar te kletsen en te lachen met Kaz." Ze sprak de naam verbitterd uit.

„Niet waar," herhaalde Amber hopeloos en ze nam nog een hap. Ze kauwde en slikte, maar proefde amper wat. Poppy had haar eten nog steeds niet aangeraakt.

In de stilte klapperde het raam en de gordijnen bliezen bol boven de gootsteen.

„Ik heb het koud," jammerde Poppy.

„Ik zet de verwarming wel hoger." Amber stond op, blij dat ze even weg kon van tafel. „Eet nou maar wat, Poppy, daar knap je vast van op."

148

Tegen de tijd dat ze terugkwam van de thermostaat in de gang, zat Poppy met lange tanden wat spaghetti naar binnen te werken.

„Lekker?" vroeg Amber.

Poppy knikte licht en nam nog een slok wijn. „Ik vind dit een naar huis," mompelde ze. „Het is koud. En... eng."

„Niet waar!" riep Amber hard, om de angst die in haar opwelde te smoren.

„De ramen staan te klapperen en de vloer kraakt."

„Dat heb je altijd met oude huizen."

„En ik heb een of ander krassend geluid gehoord, op het dak."

„Gewoon vogels."

„Jij hebt er geen last van. Jij slaapt beneden en Ben ligt een deur verder. De zolder is heel griezelig. Ik voel me er niet op m'n gemak."

„Ik dacht dat je het juist zo'n leuke kamer vond," zei Amber wanhopig. Ze kon er niet tegen als Poppy zo praatte en dingen oprakelde die ze juist had verdrongen.

Poppy reageerde niet.

Ineens bliezen de gordijnen weer bol, waardoor er een mes uit het afdruiprek werd geslagen en in de gootsteen kletterde.

Amber schoot overeind en liep naar het raam. Ze trok het stukje karton uit het kozijn, vouwde het dubbel en stak het er weer tussen. Ze keek de tuin in. Alles zag er vochtig en troosteloos uit, met een streep maneschijn die er een ijl, kil licht over wierp. Huiverend trok ze het gordijn stevig dicht, maar het duister bleef zich opdringen door de glazen deur.

Toen ze weer ging zitten, zat Poppy gefixeerd naar de half geopende deur richting de gang te staren. „Eet je bord leeg," zei Amber zo vriendelijk mogelijk. „Voor het koud wordt."

„Het is al koud."

„Nou, eet nog wat. Poppy! Wat zit je nou te staren?"

„Ik hoorde iets."

„Niet waar."

„Er is daar iemand."

„Niet! Poppy, hou ermee op!"

„Waarmee?"

„Dat stáren! Doen alsof je iemand ziet!"

„Er ís ook iemand!"

„Niet waar!"

„Nou, als er niemand is, durf je vast wel even te gaan kijken, hè?" zei Poppy met een triomfantelijke blik op Amber.

Dit was nog zo'n oud machtsspelletje. Als kinderen hadden ze samen op één kamer geslapen en Poppy vertelde altijd gruwelijke verhalen over levend begraven worden, over de ondoden, over het kwaad dat je achtervolgde. Wanneer ze dan allebei doodsbang waren, wilde Poppy dat Amber haar troostte, en als Amber dat niet goed genoeg deed, begon ze te krijsen en maakte ze hun moeder wakker, die met haar bleke, gekwelde gezicht Amber verwijten maakte. „Je wéét hoe gevoelig Poppy is," zei ze dan. „Jij bent de oudste, je wéét dat je haar niet zo bang moet maken…"

Op een keer was Poppy ervan overtuigd dat er 'een soort grote hagedis' door de schoorsteen omlaag glibberde. „Hij komt naar binnen!" had ze geroepen. „Ik hoor het! Ik hoor zijn klauwen krassen!"

„Hou op," had Amber gesmeekt. „Er is helemaal niets."

„Ga kijken! Ga in de schoorsteen kijken!"

„Néé!"

„Waarom niet, als er toch niks is?" riep Poppy met overslaande stem. „Jij hoort het toch ook?"

„Nee!"

„Het komt naar benéden!"

Wanhopig en doodsbenauwd was Amber naar de schoorsteen gestommeld en ze had omhoog getuurd. Plotseling werd er een koude luchtvlaag in haar gezicht geblazen, als de adem van een hagedis. Ze had gegild, geschreeuwd en gekrijst, en Poppy had meegedaan.

Haar moeder had de hele volgende dag in bed gelegen, met Poppy naast haar. Amber had hun eten op een dienblad naar boven gebracht.

„Waar zit je aan te denken?" vroeg Poppy verongelijkt.

Amber schoot terug in het heden. „Ik dacht eraan hoe bang je altijd werd, als kind."

Poppy verstijfde. „Hóór je het dan niet?" siste ze. „Een schraperig geluid over de vloer, in de gang… alsof er iets overheen wordt gesleept…"

Amber stond op en liep met bonkend hart naar de deur, ook al wist ze dat daar niets te zien zou zijn. Poppy probeerde haar gewoon te stangen.

Amber stapte de gang in en keek om zich heen. Niets. Natuurlijk was er niets. De deur naar Kaz' kamer zat dicht, maar alleen al de aanblik van de felgekleurde stickers en bordjes stelden haar weer een beetje gerust. Ze deed de keukendeur achter zich dicht en liep verder de gang in. Het was fijn om een moment weg te zijn bij Poppy. Ze zou even naar haar eigen kamer gaan, om haar haar te borstelen en Poppy dan wijsmaken dat ze het huis van onder tot boven had gecontroleerd.

Terwijl ze naar boven liep, bekeek ze zichzelf in de grote spiegel.

In het glas zag ze iets achter zich opdoemen.

Met een ruk draaide Amber zich om. Niets. Weer niets. Ze keerde zich razendsnel terug naar de spiegel. Het was er nog steeds, achter haar spiegelbeeld, een vorm, een schaduw, lang, smal, beverig, maar terwijl ze ernaar staarde, verdween het.

Gewoon gezichtsbedrog, hield ze zichzelf moedig voor. Het licht dat op stofdeeltjes viel.

Ze deed nog een stap naar boven en bleef toen staan. Een moedeloos gevoel overviel haar, een gevoel van puur duistere ellende. Het was zo sterk en plotseling, dat ze meende te voelen wat Poppy nu voelde, alleen en bang in de keuken. Amber dacht soms dat ze Poppy's gevoelens oppikte. Ze maakte rechtsomkeert en rende terug naar beneden.

Poppy zat te wachten, haar ogen zo groot als schoteltjes. „Was er iets?" bracht ze uit.

„Nee, niks," antwoordde Amber. „Natuurlijk niet!" Ze ging weer aan tafel zitten. Poppy had haar eten nauwelijks aangeroerd. „Eet je het niet op?"

„Het is koud."

„Ik kan het even in de magnetron zetten."

„Nee, daar krijgt het zo'n vies smaakje van," zei Poppy verwijtend.

Amber stond weer op, ruimde de borden af en gooide Poppy's pasta in de afvalbak. „Wil je koffie? Een toetje? Ik heb hier nog ergens chocolade liggen…"

Eerst negeerde Poppy haar, toen snikte ze: „Je snapt het niet. Ik vind het vreselijk hier! Ze mogen me niet!"

„Wel waar, Poppy, echt. Ze zijn gewoon een beetje… onverschillig. Ik voelde me ook…" Amber slikte. „Ik voelde me ook niet echt welkom toen ik hier net was."

Liegen tegen Poppy om haar te paaien; het was Ambers tweede natuur geworden. De woorden gleden zo uit haar mond.

„Ik ga naar huis," jengelde Poppy. „Ik ga het morgen meteen regelen. Ik wil hier weg."

Amber dacht aan haar moeders gezicht, de laatste keer dat ze haar had gezien terwijl ze wegreed achter in een taxi en haar dochters haar uitzwaaiden, totaal veranderd door hoop en opluchting. „Doe het nou niet, Poppy," smeekte ze. „Alsjeblieft. Ik wil zo graag dat je blijft."

Het was tien over drie in de nacht, zag Amber op haar verlichte reiswekkertje. Ze had het naast zich op de vloer gezet, waar ze verstrikt lag in haar dekbed. Ze werd aldoor wakker doordat de vloer zo hard was.

Ze hadden tot tegen middernacht in de keuken gezeten. Poppy had gehuild en geklaagd, en Amber had haar overgehaald niet te doen wat ze juist zo graag wilde dat ze zou doen: vertrekken. Poppy had snotterend gezegd dat ze te bang en overstuur was om alleen op zolder te slapen, dus was Amber naar boven gegaan om Poppy's kussens en dekbed te halen en had haar eigen bed opgeofferd.

Poppy, die eraan gewend was om verzorgd te worden, had niet geprotesteerd. In plaats daarvan had ze Amber laten beloven dat ze de hele nacht naast haar zou blijven liggen, zoals toen ze klein waren en hun bedden maar dertig centimeter uit elkaar hadden gestaan.

Amber luisterde ingespannen naar Poppy's regelmatige ademhaling. Eerder had Poppy liggen jammeren en sniffen in haar slaap, maar ze moest uiteindelijk toch onder zeil zijn geraakt, want ze maakte geen enkel geluid meer.

Een onbestemd gevoel maakte dat Amber overeind ging zitten en naar het bed tuurde. Het was pikdonker, maar ze kon nog net het opgepropte dekbed zien, in een vorm die Poppy zou kunnen zijn. Ze stak haar hand uit en porde.

Het dekbed zakte in. Het bed was leeg.

Amber ging weer liggen en zei tegen zichzelf dat Poppy gewoon naar het toilet was. Dat was gunstig, normaal zou ze na een avond als deze te schichtig zijn om alleen te gaan en maakte ze Amber wakker. „Ze komt zo wel terug," mompelde ze.

Na een paar minuten was Poppy er nog steeds niet. De stilte gonsde. Plotseling drong het tot Amber door dat er geen licht brandde. Als Poppy naar het toilet was, waarom was het licht dan niet aan?

Rillend dwong ze zichzelf om op te staan. Ze sloeg het dekbed om zich heen, net zozeer voor de warmte als de bescherming, en hobbelde naar de deur. Op de gang was het donker, op een flard maanlicht na die door het dakraam boven aan de zoldertrap naar binnen viel. Aarzelend keek Amber omhoog. Er was weer een smalle vorm zichtbaar, maar dit keer was hij compact, solide.

Amber deed het licht aan. Het was Poppy.

11

Poppy stond met haar rug naar de zoldertrap. Ze glimlachte.

„Wat ben je aan het doen?" siste Amber. Haar hart bonkte.

„Hoe bedoel je?" vroeg Poppy kalm. „Ik ben naar het toilet geweest."

„Waarom heb je het licht dan niet aangedaan?"

„Omdat ik jou en Ben niet wakker wilde maken. Sommige mensen houden rekening met anderen!" Haar stem was anders, compleet anders. Het jengelende toontje was verdwenen; ze klonk nu hard, vol zelfvertrouwen. „Jeetje Amber, heb je nog nooit in het donker geplast?" Ze lachte. Haar gezicht zag er afschuwelijk uit in het bleke maanlicht, als een schedel die grijnsde.

„Hou op!" riep Amber.

„Waarmee?"

„Je doet raar, hou ermee op!"

„O Amber, ik doe helemaal niet raar." Nog steeds glimlachend kwam Poppy op Amber af. „Je slaapt nog half."

Het kostte Amber moeite om niet haar kamer in te schieten en de deur tegen Poppy te barricaderen, zoals haar eerste ingeving was. Ze dwong zichzelf om terug te glimlachen. „Kom je weer naar bed?" vroeg ze.

„Nee." Poppy schoof langs haar heen de kamer in. Ze liep naar het bed en pakte haar dekbed en kussens op.

„Wat doe je?"

„Het is jouw bed. Ga maar liggen. Ik ga naar zolder."

„Maar… maar je zei dat je bang was, je zei…"

„Ik red me wel. Trusten!"

En zonder nog achterom te kijken, liep Poppy langs haar de steile zoldertrap op, het dekbed als een mantel achter zich aan slepend.

Er ging een week voorbij. Poppy zat voornamelijk op zolder en als ze naar beneden kwam om te eten was ze stil en gereserveerd, negeerde ze iedereen om zich heen. Toen Kaz haar vroeg wat ze toch de hele dag deed daarboven, keek Poppy haar strak aan en zei: „Onderzoek."

„O. Waarnaar?"

„Naar verschillende examenvakken, voor wanneer ik straks terugga. Ik kijk welke vakken ik het liefst zou willen doen."

„Wat goed! Nou, als je mee wilt naar de universiteitsbibliotheek, die hebben bergen informatie over…"

„Nee, ik kom er zelf wel uit," onderbrak Poppy haar vinnig.

„Ik zou wel eens willen weten hoe Poppy aan geld komt," bromde Kaz later tegen Chrissie.

„Een toelage van haar vader," zei Chrissie. „Volgens mij is hij niet krenterig."

„En Ambers vader wel?"

„Blijkbaar. Je zou verwachten dat haar moeder het compenseerde, hè?"

„Misschien kan ze het zich niet veroorloven."

„Misschien."

„Amber is sowieso beter af met haar baantje," vond Kaz. „Ik zou gek worden als ik de hele dag in m'n eentje zat, zoals Poppy. Ik bedoel, ze kan toch niet alleen maar onderzoek doen. Ze…"

„O, alsjeblieft," viel Chrissie haar ongeduldig in de rede.

„Zolang wij geen last van haar hebben en ze netjes de huur betaalt, wat maakt het dan uit?"

Oppervlakkig gezien was Amber het min of meer met Chrissie eens. Poppy gedroeg zich, dus waarom zou ze zich zorgen maken? Maar diep van binnen voelde ze zich heel ongemakkelijk. Het was niets voor Poppy om zich zo zelfstandig op te stellen en haar zus niet emotioneel op te eisen. Amber had het verontrustende gevoel dat ze ergens op wachtte, haar tijd uitzat. Ze verdrong die gedachte en hield zichzelf voor dat het gewoon allemaal beter liep dan verwacht; dat het thuis even weg zijn het effect had waarop ze hadden gehoopt.

Per slot van rekening ging het toch ook goed? Poppy at nog steeds 's avonds aan tafel mee en ze ging mee naar de kroeg, zeker als Rory ook van de partij was. Ze voerde niet meer uit in het huishouden dan strikt noodzakelijk was, maar ze deed het wel; zelfs Chrissie had wat dat betreft geen reden tot klagen. En ook al zocht ze Ambers gezelschap niet op, ze was best aardig als ze elkaar in de keuken tegenkwamen, of op de trap. Misschien, dacht Amber, was ze toch eindelijk volwassen aan het worden.

De sfeer in huis was ook rustig. Niets griezeligs, niets vreemds, zelfs de ramen waren gestopt met klapperen. Omdat er minder wind stond, hield Amber zichzelf voor, net zoals ze zichzelf voorhield dat ze zich al die enge dingen had ingebeeld omdat ze zo emotioneel was geweest na haar vertrek. Daarna volgde de stress om haar nieuwe baan en werd ze ziek door haar amandelen… En nadat ze uit het ziekenhuis was ontslagen, had ze op de toppen van haar zenuwen geleefd omdat Poppy in het huis bleef wonen; Poppy, die zich aanstelde en haar de stuipen op het lijf joeg…

En waaróm de vormen, de schaduwen en de akelige vibraties

er waren geweest, deed er niet meer toe, want ze waren weg. Er was niets meer aan de hand, helemaal niets. Als Amber nu die sinistere oude buurvrouw op straat zag, stak ze gewoon opgewekt haar hand op en liep haar snel voorbij.

Het enige wat ze niet kon beredeneren – die smerige voodoovingers in het kussen – verbande ze simpelweg uit haar gedachten.

Toen Marty naar Poppy vroeg, reageerde Amber heel openhartig. Ze vertelde hem dat haar halfzus al haar tijd in haar eentje op zolder doorbracht.

Dat leek Marty een prima ontwikkeling. „Misschien houdt ze wel een soort retraite, neemt ze even wat afstand. Ze begint vast in te zien dat jullie oude leventje nogal verknipt was. Misschien is ze dingen aan het lezen of… of denkt ze gewoon na."

Dat idee stond Amber wel aan. Het was fijn dat Marty bevestigde wat zij zo vurig hoopte. Ze vertelde hem dat haar moeder bijna had gehuild van opluchting en dankbaarheid aan de telefoon, omdat Poppy bezig was haar plekje te vinden, en Marty zei opnieuw dat ze zo'n kei was, zoals ze zich voor hen inzette.

Ze praatten over haar jeugd, analyseerden alles wat eraan had gemankeerd. Marty stelde vriendelijke, doordachte vragen en nam al haar gêne weg. Hij liet haar inzien dat ze zich bevrijdde van het verleden. Amber vond het heerlijk om hem dat te horen zeggen. Ze besefte dat ze zich bevríjd had.

Ze kregen een steeds hechtere band. Amber durfde nu tegenover zichzelf te bekennen dat ze verliefd was op Marty, maar dacht dat hij misschien alleen maar vrienden wilde zijn. Hij was zo open tegen haar – mensen die iets met je wilden, waren niet zo open, of wel? Aan de andere kant was zij ook open tegen hem en zij vond hém zo leuk dat ze amper kon ademhalen wanneer hij dicht bij haar stond...

Toen Marty voorstelde dat ze Poppy eens moest vragen om in de Albatross te komen lunchen, zodat ze 'er even tussenuit' was, voelde ze grote weerzin om haar halfzus haar leven nog verder te laten binnendringen – en nodigde haar vervolgens nog diezelfde avond uit. Ze wilde net zo moedig en hartelijk zijn als Marty dacht dat ze was.

Poppy reageerde echter onverschillig op de uitnodiging en het duurde een paar dagen voor ze naar de Albatross kwam. Toen ze er eindelijk was, ging ze in een hoekje zitten en zei nauwelijks een woord. Drie dagen later kwam ze opnieuw lunchen, onuitgenodigd dit keer. Ze kletste met Bert en Marty, maar deed, zoals gebruikelijk, afstandelijk tegen Amber, alsof Amber slechts een vage bekende was, meer niet.

Later die dag, terwijl ze naast elkaar aan de werkbank stonden, zei Marty: „Luister, zeg maar dat ik me erbuiten moet houden als ik te ver ga, maar je zus heeft wel een heel rare houding tegenover jou. Ik vroeg me af of jullie bonje hadden of zo."

„Nee," mompelde Amber. „Ze is gewoon... zoals ik al eerder heb gezegd, ze is nogal... op zichzelf."

„Weet je, je moet eens met haar praten. Haar zeggen wat er door je heen gaat. Vertel haar wat je mij hebt verteld en geef haar ook een kans om te zeggen wat háár dwarszit."

Dus toen Amber die avond thuiskwam, gooide ze haar tas neer en liep rechtstreeks door naar zolder, vastbesloten om Marty's raad op te volgen.

Door het dakraam zag Amber dat er dikke regenwolken hingen, waardoor het donker was op de smalle trap en op weg naar boven hield ze haar blik strak op de treden gericht. Door het gangetje liep ze naar de achterste deur. Op de wand ernaast waren drie oude, ingelijste sepia foto's verschenen.

Met een ongemakkelijk gevoel bestudeerde Amber ze. Het waren deprimerend uitziende Edwardiaanse familieportretten. Alle gezichten, zelfs die van de kinderen, stonden grimmig. Iedereen zag er verstard uit door het lange stilzitten.

Amber haalde een van de lijstjes van de tabaksbruine muur; het paste precies in de lichte, rechthoekige vorm eronder. Bij het tweede lijstje was het hetzelfde verhaal. Poppy moest de foto's die er vroeger hadden gehangen, gevonden hebben en ze terug hebben geplaatst.

Ze draaide zich naar de deur toe en klopte.

„Ja?" klonk het scherp.

„Poppy, ik ben het. Amber. Mag ik binnenkomen?"

Amber hoorde Poppy's voetstappen op de houten vloer, toen werd er een sleutel omgedraaid en ging de deur open. Poppy had een spinnenwebachtige, zwarte sjaal om haar schouders.

„Hoi," groette Amber. Ze kreeg kippenvel van het slot en de sjaal. „Waarom sluit je jezelf zo op?"

Poppy haalde haar schouders op. „Zomaar."

„Mag ik binnenkomen?"

„Ja hoor."

Ze volgde Poppy de kamer in. De oude kist stond midden in de ruimte en er lagen allemaal kleren, kleine doosjes en bundels brieven omheen. Amber moest even denken aan de handschoenen die Poppy haar had gegeven, en huiverde. Ze had ze helemaal achter in een lade gestopt, onder een trui die ze haast nooit droeg, en had geprobeerd om ze te vergeten. „Nog iets anders in die kist gevonden?" dwong ze zichzelf te vragen.

„Niet echt," antwoordde Poppy. „Ik vind al die oude spullen gewoon interessant." Ze ging op het hoofdeind van het ijzeren ledikant zitten, bij de kussens, en Amber plofte tegenover haar neer.

160

„Nou," begon ze, „ik wilde gewoon eens… ik weet niet. We lijken al eeuwen niet meer goed gepraat te hebben."

„Jij hebt het altijd te druk."

„Ja… nou ja. Ik dacht gewoon, ik ga eens naar boven."

„Best," zei Poppy koel.

„Ik heb mam gisteren gebeld. Ze vroeg naar je en zei dat je al een poosje niet had gebeld."

„Dat doe ik morgen wel. Ze weet dat het goed gaat."

„Ja. Het gaat toch wel echt goed, hè? Bevalt het je hier inmiddels wat beter?"

„Prima."

„Je verveelt je niet? Ik bedoel… heb je overwogen om een baantje te zoeken of zoiets?"

„Ik denk niet dat dat de moeite waard is. Ik blijf hier toch niet eeuwig?"

„Nee," antwoordde Amber behoedzaam. „Maar… ik vroeg me af of je eruit bent wat je gaat doen wanneer je hier weggaat."

Poppy staarde haar aan. „Naar huis, natuurlijk. Ik weet nog niet zeker of ik naar school terugga, maar…"

„Wil je terug naar húís?"

„Ja, wat moet ik anders? Bij pa kan ik niet terecht, met zijn dierbare nieuwe gezinnetje. En mam, die verwacht niet anders, toch?"

„Nee, maar we kunnen niet altijd doen wat zij van ons verwacht."

„We kunnen haar ook niet allebéí in de steek laten," beet Poppy haar toe.

„Weet je eigenlijk waarom ik zó ben vertrokken?" vroeg Amber, als gestoken.

Poppy haalde haar schouders op.

„Omdat ik wel moest. Ik kon niet als een normale tiener de

deur uit." Amber haalde diep, haperend adem en besloot dat ze maar het beste gewoon in het diepe kon springen. „Poppy, mam heeft problemen. Pas sinds kort besef ik hoe ernstig het is, sinds ik een poosje bij haar weg ben. We hebben een heel rare jeugd gehad, vind je ook niet? Niet zoals andere kinderen. Mam was... verlamd door angst en achterdocht, en zo heeft ze ons ook opgevoed. Ze heeft jou als een soort kasplantje behandeld en ze heeft mij..." Amber zweeg. Het had geen zin om erop in te gaan hoe zíj was behandeld, niet nu. „Poppy, ze mag ons dan wel goed verzorgd hebben, ze heeft ons allerlei andere normale dingen onthouden. Het was een heel ongezonde situatie. Weet je nog wat ze altijd zei als we met z'n drieën op de bank boeken zaten te lezen? 'Wat heerlijk, alleen wij drietjes, ver weg van de grote boze buitenwereld...' Die werd letterlijk buitengesloten. Drie grendels op de voordeur en op elk raam minstens twee sloten... We waren doodsbang voor alles en iedereen, doodsbang om iemand anders toe te laten. Het was... verknípt, het klopte gewoon niet."

Amber pauzeerde, ademloos door haar eigen moed, en ze waagde een blik op Poppy. In het schemerige licht was haar gezicht als een wit masker. Er viel niets aan af te lezen, geen enkele emotie.

Amber haalde nog eens diep adem en ging verder. „Poppy, je moet... je moet beslissen wat je straks gaat doen. Misschien moet je niet naar huis teruggaan. Misschien is dat niet het beste voor je, of voor mam. Ik bedoel... Luister, je kunt natuurlijk naar dat oude leventje terugkeren als je wilt, dat verknipte bestaan. Ergens weten we niet beter; zo zijn we opgevoed. Maar je kunt ook proberen om vérder te gaan. Dat is wat ik doe. Het is moeilijk, en eng soms. In het begin wilde ik vaak niets liever dan terugkruipen in de kooi die we om ons heen hadden opgetrokken; iedereen buiten houden, veilig zijn, niemand anders toelaten."

Nog een stilte.

Amber boog naar voren, dicht genoeg naar Poppy toe om haar aan te raken, maar ze deed het niet. „Als je weg wilt, net als ik," vervolgde ze op zachte, dringende toon, „dan help ik je wel. Het is zo moeilijk als je ziet uit wat voor gezin we komen, hoe we lééfden… Soms heb ik het gevoel dat er prikkeldraad dwars door mijn vlees is geweven, dat me tegenhoudt, mijn huid scheurt… maar ik moet verder, ik moet ervan lós zien te komen, en jij ook."

Amber zweeg. Ze keek naar Poppy's bleke gezicht met het rode streepje mond, en haar hart hamerde. Het was zo belangrijk, zo oprécht, wat ze had gezegd. Ze had alleen geen idee hoe haar halfzusje de woorden had opgevat.

Het was bijna donker in de kamer. Door het dakraam boven hen viel alleen nog een schemerig schijnsel op Poppy's hoofd. Haar gezicht was als een poppenmasker op een donker podium. En ineens opende het masker zijn smalle mond en zei: „Echt Amber, wat sla jij soms een melodramatische onzin uit."

Amber schoot onthutst achteruit, terwijl Poppy fel doorging. „Ik bedoel, príkkeldraad, jemig! We hebben een heerlijke jeugd gehad, dat weet je donders goed. Het was geweldig, gewoon wij drietjes… Geen kooi, het was heel bijzonder om anders te zijn dan anderen. Niks verknipt – jíj bent verknipt om zoiets te zeggen."

Amber kneep haar ogen dicht. „Dus jij vond het normaal," bracht ze moeizaam uit. „Al die angst, die argwaan, en dat jij altijd op de eerste plaats kwam, tegen alles werd afgeschermd, behandeld werd alsof je zo kon smelten…"

„O, nu komt de aap uit de mouw! Weet je wat jouw probleem is, Amber? Jij bent gewoon stikjaloers. Nog stééds. Je kunt het niet uitstaan dat ik een betere band heb met mam dan jij."

„Niet waar," protesteerde Amber. Ineens voelde ze zich dood-moe; compleet leeg en niet meer in staat om verder te gaan. „Ik ben niet jaloers. Het is gewoon..."

„Ik bedoel, al dat gezwam over mensen niet tóélaten. Mam nodigde best wel eens mensen uit, maar die verpestten het alleen maar, zoals die kerst dat onze nichtjes en neefjes langs-kwamen. En ik laat wel mensen toe: Rory, iedereen hier in huis, en..." Ze brak haar zin af en haar gezicht kwam op Amber afzwemmen. „Marty. Ik heb Marty toegelaten."

Amber sprong overeind. Een giftige mengeling van jaloezie, walging en intense teleurstelling schoot door haar heen. Ze had Poppy wel willen slaan, keihard willen slaan, maar ze hield zich in. Ze ging gewoon staan en liep naar de deur.

„Oké," zei ze. „Oké. Ik wilde je helpen, maar jij wilt niet geholpen worden. Jij en mam, jullie zijn allebei even gestoord. Prima. Zoek het zelf maar uit, Poppy. Ik ben weg."

Amber trok de deur achter zich dicht. Op de gang bleef ze even staan en overwoog om weer naar binnen te gaan. Ze móést weten wat Poppy had bedoeld toen ze zei dat ze Marty had toegelaten. Op dat moment hoorde ze – of ze voelde het eerder – een zachte zucht, vlak bij haar oor. Als een uitade-ming. Om haar heen steeg een weeë, misselijkmakende geur op. Het rook bloemachtig, maar er ging ook iets anders onder schuil... als een parfum dat de stank van rotting overstemde, van bederf...

Ambers knieën werden slap. Ze zocht steun bij de muur en stootte per ongeluk tegen een van de foto's, die aan zijn haakje heen en weer zwiepte. Toen rende ze naar de trap en vloog naar beneden. Zelfs op de begane grond rook ze de stank nog. Ze trok een gezicht, schudde haar hoofd en schoot de keuken in. Bij de gootsteen tapte ze een groot glas water en dronk het in één teug leeg.

„Gaat het wel?" vroeg Ben.

Ze draaide zich om; hij zat aan tafel. „Ja," bracht ze uit. „Ja… sorry. Gewoon ruzie gehad met mijn zus." De geur was verdwenen. Wat was het in vredesnaam geweest? Een dode muis of zoiets, onder de vloerplanken?

„Wil je iets sterkers?" bood Ben aan. „Ik heb wat bier koel staan."

Eigenlijk had Amber geen trek in bier, maar ze wilde dolgraag bij Ben blijven, de vriendelijke, laconieke Ben, de normále Ben, tot ze wat was gekalmeerd. „Ja, graag," zei ze met onvaste stem.

„Pak er voor mij ook een, oké? Per slot van rekening heeft de klok vijf geslagen of wat dat excuus ook is om een eerste borrel te nemen…"

Amber haalde twee flesjes uit de koelkast en maakte ze open.

„En? Waar hadden jullie ruzie over?"

„Ach, je weet wel," mompelde Amber, terwijl ze tegenover Ben ging zitten. „Zussengedoe."

„Daar heb ik geen kijk op, hoor. Ik ben met alleen broers opgegroeid, wat erop neerkomt dat iedereen elkaar constant in elkaar timmert."

Amber lachte en nam een slok bier.

„Misschien moest je dat met Poppy ook maar eens doen, hè?"

Amber reageerde niet. Ze luisterde maar met een half oor naar Ben, die doorratelde over zijn twee oudere broers, en over een motor die te koop stond en die hij ging bekijken. Ze gaf op het juiste moment antwoorden als: „Echt?" en „O ja?" terwijl ze in gedachten bezig was met wat er op zolder was gebeurd. Ze probeerde haar jaloerse nieuwsgierigheid naar Poppy's opmerking over Marty te verdringen en liet alles wat Poppy nog meer had gezegd opnieuw aan zich voorbijtrekken. Het was bijna niet te bevatten dat Poppy niet wilde inzien hoe verknipt hun jeugd was geweest, dat ze juist tevreden was met waar ze vandaan kwam en hoe ze was. Poppy zou nooit veranderen.

Ineens stak een andere gedachte de kop op. Als Poppy hier niet logeerde om op eigen benen te leren staan, om na te denken over wie ze was en hoe ze kon veranderen… waar was ze dan al die tijd in haar eentje op zolder mee bezig?

„Dat oude dametje vroeg vandaag naar haar."

Bens woorden onderbraken Ambers gepeins. Er liep een rilling over haar rug. „Hè?" fluisterde ze.

„Je weet wel, dat oude mens van nummer 11. Ze sprak me aan toen ik thuiskwam van college. 'Ik heb gezien dat jullie nog een gast hebben, jongen,' zei ze, en ze wilde weten wie Poppy was, wanneer ze bij ons was gekomen."

„Heb je het haar verteld?"

„Nou, eh… ja, waarom niet? Ze zit gewoon verlegen om een kletspraatje, toch? Ze zal wel eenzaam zijn, helemaal alleen in dat huis. Ik heb uitgelegd dat jij in het ziekenhuis had gelegen en dat je moeder en zus hierheen waren gekomen. Ze maakte zich vreselijk zorgen om je…"

„Ze moet zich verdomme met haar eigen zaken bemoeien!" snauwde Amber.

„Hé, doe niet zo narrig! Ze doet niemand kwaad, ze is alleen een beetje nieuwsgierig."

„Ja, nou… ik krijg de rillingen van haar."

„Hm, dat zegt Kaz ook. Die doet alles om haar te ontlopen. Desnoods gaat ze via de achterdeur naar buiten."

„Dat wist ik niet van Kaz," mompelde Amber met de angst in haar lijf.

„Absurd, hè? Dat arme oude mensje… Ze wil gewoon wat aanspraak. Volgens mij is ze aan het dementeren. Ze bleef maar doorgaan over waar het nieuwe meisje dan sliep en raakte helemaal van de kook toen ik zei dat Poppy de achterste zolderkamer had…" Ben brak zijn zin af. „Gaat het wel? Je ziet er zo raar uit."

„Ja hoor," bracht Amber uit.

Langzaam dronk ze haar biertje leeg. Ze hoopte dat Ben nog bij haar in de keuken zou blijven zitten, maar hij goot zijn flesje achterover en zei dat hij ging douchen. Ze had hem het liefst gevraagd of hij vanavond nog iets ging doen en of ze mee mocht, maar ze kon zich er niet toe zetten. Ze had geleerd om anderen nooit tot last te zijn.

Amber bleef alleen achter. Het was pas tien voor acht. Ik ga een wandeling maken, besloot ze. Ik moet gewoon al die ellende eruit lopen, mezelf uitputten zodat ik straks kan slapen.

Ze griste haar jas van de haak in de gang en trok hem aan. Zonder precies te weten waarom, tuurde ze even door het kleine raam naast de deur naar buiten.

Achter de skeletachtige vorm van de kale plataan stond de oude vrouw, aan de overkant van de straat. Half in het licht van de lantaarn, half in diepe schaduw gehuld.

Ze observeerde het huis.

12

Terwijl Amber de volgende ochtend naar de boulevard liep, hield ze zich voor dat er niets aan de hand was, dat ze gewoon even van slag was geweest, meer niet. Poppy was een dom kreng en de oude buurvrouw was geschift. Ze was van streek geraakt en had zich dingen ingebeeld, maar nu was alles weer in orde. De zon scheen en de zeemeeuwen cirkelden krijsend in de lucht.

Gisteravond had ze haar wandelplannen opzij gezet en was vroeg naar bed gegaan. Als ze sliep, zou de angst wel verdwijnen. In plaats daarvan had ze wakker gelegen en liggen luisteren naar de geluiden boven haar hoofd.

Poppy had rondgesloft, iets over de grond gesleept. Even later was ze tot Ambers schrik op een hoge, klaaglijke toon in zichzelf gaan praten. Amber had verstijfd in bed gelegen, vastbesloten om niet op te staan en haar te troosten. De vloer kraakte terwijl Poppy door haar kamer ijsbeerde; de schommelstoel ging heen en weer.

Amber had haar kussen over haar hoofd getrokken om alles buiten te sluiten. Toen doemde de oude vrouw in haar hoofd op die het huis stond te bespieden. Ze overwoog of ze naar beneden zou gaan om nog eens door het raampje te kijken, want het zou haar geruststellen als de straat leeg was. Maar ze durfde niet, voor het geval de vrouw er nog steeds stond. De rest van de nacht had ze ineengedoken onder haar dekbed gelegen, de slaap najagend, half indommelend, weer wakker schietend en luisterend, alsmaar luisterend…

Gewoon angst voor het donker, zei ze nu, in het daglicht, tegen zichzelf. Toen ze nog klein was, had ze heel vaak nachtmerries gehad. En 's morgens had mam dan cornflakes neergezet en gezegd: „Zie je wel? 's Ochtends is er niets meer om bang voor te zijn, hè?"

En dat was ook zo – tot de volgende nacht aanbrak.

Als Poppy weg is als ik thuiskom, dacht ze, als ze heeft gepakt en naar huis is, om wat ik tegen haar heb gezegd – jammer dan. Nee, niet jammer. Mooi zo. Ik heb het gehad. Mam moet het verder maar oplossen. Ik wil er niet meer verantwoordelijk voor zijn…

Ze liep door.

Ze wist dat Poppy er nog steeds zou zijn als ze thuiskwam.

De Albatross zat al vol toen ze arriveerde. Er waren die ochtend vroeg wat bootjes binnengelopen en de bemanning had Bert goedkope vis beloofd als hij van zijn luie reet kwam, koffiezette en ontbijt ging klaarmaken.

Amber ging meteen aan de slag met het bakken van spek en tomaten, terwijl Bert in en uit stoof met de koffiepot, glunderend om de winst die ze vandaag zouden maken en klagend dat Marty steevast te laat was.

Zodra Marty binnenkwam en Ambers plaats achter het fornuis overnam, begon ze de vis voor de lunch schoon te maken. Pas tegen de middag, toen de vis, bedekt met spinazie en verse kruiden, in schalen de oven in ging, werd het iets rustiger.

Amber en Marty haastten zich het café in om de tafels af te ruimen. Ze hadden nauwelijks de kans gehad om een woord met elkaar te wisselen, maar de sfeer tussen hen was goed.

In gedachten oefende Amber hoe ze hem zou vertellen wat er was gebeurd toen ze met Poppy was gaan praten. Ze wilde erachter komen wat Poppy had bedoeld met 'Marty toelaten'.

Er kwam een stelletje van voor in de twintig het café binnen. De verliefdheid straalde van hen af en ze giechelden om de vraag of ze een laat ontbijt wilden of een vroege lunch.

Vol afgunst en verlangen keek Amber toe terwijl ze een tafeltje bij het raam uitkozen en gingen zitten, met hun hoofden naar elkaar toe gebogen. Ze ging verder met haar werk. Toen ze weer opkeek, zag ze Poppy binnenwandelen.

Tot haar verbijstering negeerde Poppy haar volkomen. Ze liep rechtstreeks op Marty af, sloeg haar armen om zijn nek en drukte een kus op zijn wang. Hij glimlachte, trok zich terug en zei iets tegen haar wat Amber niet kon verstaan.

Poppy ging aan een tafeltje voor twee zitten.

Marty probeerde oogcontact met Amber te krijgen, maar die bleef hardnekkig naar het tafeltje kijken dat ze aan het afruimen was.

Toen ze ten slotte toch opkeek, zat Marty tegenover Poppy. Ze hadden allebei een mok koffie voor zich staan en zaten te lachen.

Amber wist niet hoe ze de rest van de dag door moest komen. Ze was compleet ondersteboven. Toen Marty met haar probeerde te praten, deed ze alsof ze hem niet hoorde en draaide ze zich weg.

Als er een God was en Hij haar wilde kwetsen, dacht ze, pakte Hij het handig aan zo. Hij zou regelen dat Poppy en Marty voor elkaar vielen en haar dwingen om toe te kijken. Poppy was het verknipte, vergalde verleden waaraan ze probeerde te ontsnappen, en Marty...

Marty was waar ze heen wilde.

Dat durfde ze inmiddels toe te geven. Misschien maakte ze geen enkele kans bij hem, misschien zag hij haar alleen als een maatje, maar tot nu toe was dat genoeg geweest, hem gewoon elke dag te zien, met hem samen te werken en te voelen wat ze voor hem voelde.

Tot nu. Dit was het ergste wat er kon gebeuren.

Om tien voor half zes die avond verliet Amber de Albatross. Als verdoofd sjokte ze naar de telefooncel op de boulevard. Dit was een van de dagen waarop ze doorgaans naar huis belde en ze wilde blijven functioneren, zich niet uit het lood laten slaan. Ze had haar moeder nog steeds niet verteld dat ze een mobieltje had. Als ze er alleen maar aan dacht dat ze dan elk moment gebeld kon worden, kreeg ze het al benauwd.

„Amber! Hoe is het, lieverd? Hoe is het met Poppy? Ze heeft me al zó lang niet gebeld…"

„Met Poppy gaat het prima, mam. Ik bedoel, ik zie haar niet veel, nu ik weer werk en…"

„Maar je houdt toch wel een oogje in het zeil, hè?"

„Natuurlijk. Ze is vandaag naar het café gekomen voor een kop koffie."

„O, wat gezellig! Ik ben zo bang dat ze geïsoleerd raakt, weet je… Kijken de andere mensen in huis ook een beetje naar haar om?"

„Ze hebben haar opgenomen, mam. Ze hoort er helemaal bij."

„O, wat fijn! Heerlijk dat het allemaal zo soepel verloopt, Amber. En ik heb ook groot nieuws! Die baan in de kunstgalerie, hij is vrijgekomen. Ik kan maandag al beginnen. Het is maar voor drie dagen in de week, maar het zal me zo'n goed doen…"

Kort daarop waarschuwden de piepjes dat haar muntjes er bijna doorheen waren. Amber beloofde dat ze Poppy eraan zou herinneren om naar huis te bellen en verbrak de verbinding. Ze sjokte de heuvel op.

Haar moeder had een baan. Dat was mooi. Het betekende dat ze een eigen leven kon gaan leiden, los van Poppy…

Maar het voerde de druk op háár op om Poppy langer hier te houden.

Op het moment dat ze Merral Road op liep, voelde ze een steek van misselijkheid in haar maag. Instinctief deed ze een pas achteruit, in de dekking van een overwoekerde heg.

Poppy en de oude vrouw van nummer 11 kwamen tussen de bomen aan het eind van de straat tevoorschijn. De oude vrouw had haar blik onophoudelijk op Poppy gericht. Haar gezicht stond ernstig. Poppy staarde voor zich uit. Ze liepen langzaam naar nummer 17 en bleven voor het huis staan praten.

Amber trok zich nog wat verder terug in de heg en keek toe. Ze verstond niet wat ze zeiden en kon alleen Poppy's gezicht zien. Dat leek op het gezicht van een pop: het verraadde niets. Maar zelfs van de achterkant zag de oude vrouw er overstuur uit, of kwaad, of allebei. Haar arm zwaaide door de lucht en ze schudde haar hoofd. Ineens greep ze Poppy vast.

En eindelijk kwam er een reactie. Poppy opende haar smalle rode mond en lachte spottend. Toen schudde ze de oude vrouw van zich af, opende het hek en liep zonder ook maar één keer achterom te kijken naar de voordeur.

Amber keek nog steeds toe terwijl de oude vrouw murmelend als een heks naar nummer 11 schuifelde en naar binnen verdween.

Het hele tafereel had iets vreselijk onheilspellends gehad. Amber wachtte tot haar hartslag wat gekalmeerd was, streek haar kleren glad en stapte uit de heg tevoorschijn.

„Hé!" riep Kaz vanuit de keuken. „Ben jij dat, Amber?"

„Ja!" riep Amber terug en ze liep naar haar toe.

„Heb je nog wat tomaten weten te bietsen?"

„Wat?"

„Tomáten! Poppy zei dat ze bij het café langs zou wippen en ik vroeg of ze wilde zeggen dat ik vanavond moussaka zou maken, en dat ik een…" Kaz keek naar Ambers gezicht. „Ze heeft het niet gezegd, hè? Is ze niet langs geweest?"

„Ja, dat wel. Maar ze… ze zal er wel niet aan hebben gedacht. Sorry."

„Nou ja, geen punt. Ik wilde er alleen een tomatensalade bij maken. Eet je mee?"

„Graag. Kan ik iets doen?"

„Ja. Theezetten en gezellig met me kletsen."

Dankbaar vulde Amber de ketel, terwijl Kaz een lange klaagzang afstak over hoe hard en onredelijk haar studiebegeleider was, alleen omdat ze een paar dagen – oké, een paar wéken – te laat was met dat lijvige werkstuk dat ze aan het schrijven was.

Ergens verlangde Amber ernaar om Kaz te vertellen wat ze net had gezien, maar ze wist dat de oude vrouw taboe was voor Kaz. Wat had ze van Poppy gewild? Wat hadden ze samen in het bos gedaan?

Ze schonk de thee op. Net toen ze ermee aan de keukentafel ging zitten, verscheen Poppy in de deuropening.

„Goh Poppy, wat een aparte look!" hoonde Kaz. „Spookhuisgothic."

Poppy zag er buitenissig uit. Ze had haar ogen met zwarte eyeliner omcirkeld en haar haar zat boven op haar hoofd in een piekerige knot gestoken, vol met kammetjes. Ze had een kort rokje aan, een gescheurd kanten hemdje, de oude spinnenwebsjaal en kniehoge laarzen. Het was griezelig en sexy tegelijk. Bij haar vergeleken maakten Amber en Kaz een saaie, tuttige indruk.

173

„Hoe laat eten we?" vroeg Poppy.

„Wanneer het klaar is," antwoordde Kaz kortaf.

„Ik ga vanavond namelijk uit. Róry heeft me mee uit gevraagd."

„Wat, naar een halloweenfeestje?"

„Néé, een feestje van zijn toneelclub," snauwde Poppy. Ze draaide zich om en liep weg.

„Op een dag vermoord ik die trut nog," barstte Kaz uit. „Sorry Amber, ik weet dat ze je zus is, maar als ze nog even doorgaat met Rory te versieren, zweer ik dat ik haar vermoord."

Amber lachte en voelde haar humeur wat opklaren. „Heeft hij haar echt mee uit gevraagd?"

„Waarschijnlijk wel. Hij heeft totaal geen moraal. Hij is als een hond die zijn hormonen achternaloopt en zij loopt hem maar op te hitsen, dus wat moet hij? Ze is… ik weet niet, ze heeft iets. Zelfs Ben zei dat ze zo sexy was…"

„Zeg nou niet dat Ben ook op haar valt."

„Ik weet het niet. Hij zegt dat het pedofilie is, met meiden zoals zij omgaan…"

„Ze is allang zestien."

„Ja, maar dat is nog zo jóng. Rory zou wat verantwoordelijker moeten zijn. Het gaat niet alleen om hoe ze eruitziet, maar ook om haar gedrag, dat is heel flirterig. Ze vráágt er gewoon om. Ze zal haar vingers nog flink aan hem branden. Ik ben gisteren enorm tegen hem tekeergegaan omdat hij het spelletje met haar meespeelt, maar uiteraard keek hij me de hele tijd alleen maar met zo'n zelfvoldane grijns aan. Hij zei: 'Weet je zeker dat er niet meer achter zit, Kaz?' Of er méér achter zat! Ik had zijn kop er wel af willen trekken. Hij weet wat ik voor hem voel, maar hij trapt me gewoon op mijn hart, maakt er misbruik van…" Kaz barstte in huilen uit.

Amber schoot overeind en legde een arm om haar heen.

Kaz trok haar in een warme, zoetgeurende omhelzing. Een tel later trok ze zich weer terug en leek zichzelf droog te schudden, als een hond die uit regen komt. „Verdómme," vloekte ze. „Ik laat me er niet gek door maken."

„Mooi," zei Amber vurig. „Voor hem kun je zo tien anderen krijgen, hoor."

Kaz glimlachte. „Wat lief dat je dat zegt. En het is nog waar ook, hè?"

„Ja. Het enige wat hij mee heeft, is zijn uiterlijk. Dat is niet genoeg."

„Voor de meeste meiden wel. Maak jij je er geen zorgen over dat hij met je kleine zusje rotzooit?"

Amber slaakte een zucht. „Ja, maar ik maak me bij Poppy over zo veel dingen zorgen, dat… Nou ja, dat ze Rory probeert te versieren springt er niet bepaald bovenuit."

Amber hoopte dat Kaz zou vragen waar ze zich dan nog meer zorgen over maakte, maar dat gebeurde niet.

„Dus jij denkt dat het zo ligt?" wilde Kaz in plaats daarvan nerveus weten. „Dat zíj Rory probeert te versieren in plaats van andersom?"

„Ja. Rory is vast een te grote slet om nee te zeggen, maar ik durf te wedden dat het vooral van haar komt. Herinner je je Marty nog?"

„Die jongen van je werk? Natuurlijk."

„Nou, ik vind hem leuk. Heel leuk."

„Ha, dat hadden we hier al in de gaten! Die avond dat hij kwam eten; het knétterde gewoon tussen jullie!"

„Echt?" riep Amber uit. „Bij hem ook?"

„Van de een naar de ander. Ik snap niet dat jullie nog niets met elkaar hebben."

Amber bloosde en de angst die haar al kwelde sinds ze

Poppy Marty had zien kussen begon wat af te nemen. „Nou, Poppy probeert hém dus ook te versieren," mompelde ze. „Misschien is het haar zelfs al gelukt. Dat idee probeert ze mij in elk geval te geven."

„Wat een kreng! Ziet hij haar wel zitten?"

„Geen idee. Het lijkt er wel op. Ik was er eerst vreselijk door van slag."

„O, Amber!"

Amber grijnsde droevig. „Ik weet het niet, misschien zie ik het verkeerd. Ik hoop het maar. Als ik denk aan de... de glunderende manier waarop ze naar jou keek toen ze zei dat Rory haar mee had gevraagd naar een feestje; misschien is ze gewoon met een of ander ziek machtsspelletje bezig."

„Jémig. Voor hetzelfde geld heeft ze het ook bij Elliot geprobeerd, alleen maar om Chrissie te treiteren!" bedacht Kaz. „Maar als Chrissie haar betrapt, kan ze wel inpakken. Chrissie doet aan karate, die maakt gehakt van haar."

Ze schoten allebei in de lach.

„Hé, even serieus, Amber," zei Kaz toen. „Poppy is geen partij voor jou. Jij en Marty passen bij elkaar."

Amber staarde naar de mok in haar hand en glimlachte. „O, volgens mij is hij veel te stoer voor mij."

„Wát? Ben je gestoord? Hij verbleekt bij jou, Amber, eerlijk waar. Ik bedoel, hij heeft een heerlijke lach en een lekker kontje, maar hij moet hoognodig eens iets aan zijn haar laten doen en zijn neus is veel te groot. Hij weet niet wat hem overkomt als jij iets met hem wilt..."

„Kaz!"

„Echt! Je moet het hem laten weten. Wat heb je te verliezen? Ik durf te wedden dat hij smoor op je is, dat hij daarom niets durft te doen. Hij is verlegen."

„Hij zag er anders niet verlegen uit, zo met Poppy."

176

„O, hou toch op! Als hij liever zo'n graatmagere, sletterige puber heeft, moet hij in therapie. Sorry Amber, maar ik kan dat kreng niet uitstaan. Ze is vals en ik krijg de rillingen van haar. En je hebt gelijk: ik denk dat ze erop kickt om mij in te wrijven dat Rory haar als een hondje achternaloopt. Eh… mag ik heel eerlijk zijn?"

Amber knikte en zette zich schrap.

„Ik moet je iets vertellen. Chrissie is het met me eens en Ben ook. We mogen haar geen van allen en we willen niet dat ze blijft. Ze begint… ik weet niet, iedereen op de zenuwen te werken. Zoals ze steeds door het huis rondsluipt… En het is gewoon idioot dat ze zich maar op die zolder verstopt en geen steek uitvoert. Het extra geld is mooi, maar het is de moeite niet waard."

Amber was geschokt, ook al was ze het eens met alles wat Kaz zei. Ze hoorde haar moeders opgetogen stem weer, terwijl ze over haar nieuwe baan in de galerie vertelde. „Willen… willen jullie dat ze meteen weggaat?" vroeg ze hees.

„Nee, zo erg is het nou ook weer niet. Maar toen ze hier introk, gingen we ervan uit dat het maar voor een paar maanden zou zijn, zodat ze alles op een rijtje kon zetten. We vinden allemaal dat we haar daaraan moeten houden. Jij gaat toch met kerst naar huis, hè? Nou, wanneer je daarna terugkomt, laat je Poppy gewoon thuis. Het spijt me als het hard overkomt, maar het is niet anders."

Er viel een stilte.

„Je bent toch niet boos, hè?" vroeg Kaz.

„Nee, echt niet," antwoordde Amber. Tot Kerstmis, dacht ze. Dan hebben mam en Poppy nog steeds een hele tijd om van elkaar los te komen. Ze krijgen nog steeds de kans om te veranderen, als ze het aandurven. En als iedereen hier unaniem besluit dat Poppy niet mag blijven, kan ik daar verder weinig tegen doen. Dan is het niet mijn schuld en kan mam me niets kwalijk nemen. „Eerlijk gezegd denk ik dat je gelijk hebt," zei ze. „Dat is waarschijnlijk de beste oplossing."

„Mooi!" knikte Kaz. „Kom, ik trek een fles wijn open. Laat Poppy maar de pest krijgen, en Marty en voorál Rors."

Net toen ze de kurk uit de fles trok, kwam Rory binnen paraderen, met Poppy in zijn kielzog, die haar zus negeerde en triomfantelijk naar Kaz keek.

„Vind je haar outfit niet te gek?" vroeg Rory enthousiast.

„Niet echt," bromde Kaz.

„O, op de toneelclub vinden ze het vast super. Ze ziet eruit als een levende voodoopop."

„En dat is positief?"

„Het is ánders. Hé Kaz, gaan we zo aan tafel? Ik wil niet te laat komen."

„Ach Rors, slecht nieuws, vrees ik. Er is niet genoeg voor jou en Poppy."

„Wát?"

„Ja, sorry! Poppy heeft vergeten tegen Amber te zeggen dat ik tomaten uit het café nodig had, en zonder… nou ja, er is gewoon te weinig."

„O, kom op! Tomáten! Dat meen je niet… Je kunt toch best wat kleinere porties maken?"

Kaz straalde. „Natuurlijk wel, maar dat doe ik niet. Donder nou maar op, Rory. Koop maar een zak patat of zo voor je voodoopop."

Amber en Kaz zaten nog steeds te gniffelen toen Ben, Chrissie en Elliot de keuken in kwamen.

Kaz begon haar moussaka op te scheppen en Amber zette de borden op tafel. Ze was helemaal opgewonden over de manier waarop Kaz korte metten had gemaakt met Rory en Poppy. Ze wist dat ze er later bij Poppy voor zou moeten boeten, maar voorlopig kon dat haar niet schelen. Zij en Kaz waren bondgenoten. Ze wist dat ze Kaz nu meer over Poppy zou kunnen vertellen en haar hart zou durven luchten. Kaz' moed was bewonderenswaardig, zoals ze gewoon zei wat ze dacht. Amber vroeg zich af of zij dat ook aan zou kunnen leren.

Het was alleen jammer dat ze niet over de oude vrouw kon praten, en over de akelige vibraties in het huis. Die onderwerpen waren taboe. Toen Kaz haar in het ziekenhuis had bezocht, hadden ze min of meer afgesproken om te doen alsof er niets aan de hand was. Erover praten… nou ja, dan zou het weer werkelijkheid worden.

Spreek het niet uit, dacht Amber, dan bestaat het niet.

Rond half twaalf ging Amber naar boven, soezerig van de wijn die ze had gedronken. Ze merkte meteen dat Poppy in haar kamer was geweest, waarschijnlijk op zoek naar iets wat bij haar outfit paste. Thuis had ze doorlopend Ambers spullen doorzocht en dingen geleend zonder het te vragen. Amber had er een gruwelijke hekel aan, maar ertegen protesteren leidde er altijd toe dat Poppy in tranen uitbarstte en dat zij dan allerlei verwijten kreeg van haar moeder over haar egoïsme.

De deur van haar kledingkast stond open en er lagen twee rokken op de vloer. Het kleine laatje in de kapspiegel was eruit getrokken en een wirwar van kettingen en ringen lag verspreid boven op de ladekast.

Vloekend pakte Amber alles op en legde het terug, terwijl ze in gedachten naging wat er ontbrak. Er waren oorbellen 'geleend', en een brede armband. Amber smeet de lade dicht, kleedde zich uit en kroop in bed.

Rory en Poppy kwamen pas heel laat die nacht thuis.

Amber hoorde Poppy giechelen toen ze de trap op kwamen stommelen. Rory's slaapkamer was op de begane grond, dus hij had geen enkele reden om naar boven te komen. Ze hoorde Rory op de overloop met dubbele tong iets zeggen, het klonk overredend. Het volgende moment klauterden ze allebei de zoldertrap op, met schuifelende voeten en gebonk alsof ze in elkaars armen verstrengeld waren. De achterste zolderdeur ging open en knalde weer dicht. Het ijzeren bed boven haar hoofd piepte.

Amber schoot overeind. „Shit," mompelde ze. „Shit!" Ergens was ze opgelucht, want als Poppy Rory mee naar haar kamer nam, had ze misschien niets met Marty. Maar ze voelde zich vooral verantwoordelijk. Poppy was nog maar een kind, ze was nog maagd.

Wat moest ze doen? Naar boven gaan en op de deur roffelen? Tekeergaan tegen Rory, roepen dat Poppy veel te jong was, veel te labiel om tot seks te worden overgehaald? Ja, dat zou vast goed vallen. Poppy zou haar aanvliegen, krijsen dat ze zich nergens mee moest bemoeien. Rory zou haar uitlachen en zeggen dat ze jaloers was, net als Kaz…

Amber trok haar knieën op en sloeg haar armen er strak omheen. Ze kon ook moeilijk níéts doen. Ondanks haar gedrag had Poppy vrijwel geen ervaring met jongens. Als Rory met haar naar bed ging en dan achteraf deed alsof het weinig voorstelde of haar gewoon dumpte… Ze moest er niet aan denken hoe Poppy daarop zou reageren.

Ze stapte uit bed en realiseerde zich toen dat het boven haar hoofd doodstil was geworden. Met ingehouden adem wachtte ze af.

Ineens hoorde ze het geluid van de deur die werd opengetrokken, iemand die naar buiten rende, de gang over, de trap af, langs haar kamer, naar de benedenverdieping.

Rory! Rory ging terug naar zijn kamer. Waarom was hij gevlucht? Was Poppy oké?

Amber trok haar ochtendjas aan en schuifelde naar haar deur. Voor ze daar echter was, begon het praten boven haar hoofd. Poppy, die op een jammerende, zangerige toon zat te brabbelen. Even stopte ze, alsof ze luisterde naar iemand die iets terugzei. Daarna begon ze weer. En stopte ze weer. Ook al wist Amber dat Poppy alleen was, ze merkte dat ze haar oren spitste tijdens de stiltes en probeerde te horen waarnaar Poppy luisterde.

Ze liet zich weer op haar bed zakken. Ze had dit eerder gehoord, de manier waarop Poppy's stem steeg en daalde, alsof ze iemand ergens van wilde overtuigen... Ze probeerde zich een dergelijke situatie te herinneren en besefte plotseling met een misselijkmakende schok wat het precies was geweest. Het was het toontje dat Poppy aansloeg wanneer ze tegen hun moeder praatte, wanneer er een of andere crisis was geweest en ze over de huilfase heen was, waarna ze samen de realiteit opnieuw bepaalden en alles zo draaiden dat het nooit Poppy's schuld was. Poppy jammerde dan: „Ik kan het niet helpen als...", „Als zij nou niet..." en „Als ze nou maar..." En hun moeder troostte haar, stelde haar gerust en was het eens met alles wat ze zei. Ze zei alles, wat dan ook, om Poppy te sussen.

Jémig, ze is nog zieker dan ik dacht, mompelde Amber in zichzelf. Ze besloot dat ze naar boven moest om haar te troosten. Ze doet net alsof mam hier is, die tegen haar zegt dat het niet geeft, dat het aan iedereen ligt behalve aan haar, dat zij er niets aan kan doen...

Op dat moment klonk er een harde lach vanaf de zolder. Het klonk heel anders dan Amber ooit van Poppy had gehoord. Het was een valse, krassende, kwaadaardige lach. Ambers bloed stolde.

Ze kroop weer in bed en trok het kussen over haar hoofd.

Toen ze de volgende ochtend op het punt stond om naar de Albatross te vertrekken, nam Amber een besluit. Ze zou Marty vragen of ze hem na het werk kon spreken en dan uitzoeken wat er speelde tussen hem en Poppy. Daarna zou ze wel verder zien. In haar achterhoofd gonsden Kaz' woorden: „Je moet het tegen hem zeggen. Wat heb je te verliezen?"

Toen ze op de boulevard aankwam, zat Marty al buiten op de loopplanken, met zijn lange benen voor zich uitgestrekt. Hij veerde op. „Hé, Amber! Ik zit op je te wachten."

„O ja?" Ze liep naar hem toe.

„Ik moet met je praten." Met zijn ogen zocht hij haar gezicht af. „Je deed gisteren zo raar. Wat is er aan de hand?"

„Niks," mompelde ze. „Nou, oké. Ik wist alleen niet dat je Poppy zo goed kende."

„Zo goed?"

„Marty… Zie je haar vaker? Buiten het café om?"

„Nee! Natuurlijk niet. Nou ja…" Er verscheen een schuldbewuste blik op zijn gezicht en Amber voelde haar hart ineenkrimpen. „Luister, zullen we even gaan zitten?" vroeg hij.

De zon klom verder boven de horizon. Bert was nergens te bekennen. Ze gingen samen op de promenade zitten.

„Ik waarschuw je maar van tevoren," zei Amber stijfjes. „Poppy is niet bepaald stabiel op het moment. Ik bedoel, als jij iets met haar begint, speel je met vuur."

„Iets met haar beginnen? Doe even normaal. Luister, gisteren, toen ze het café in kwam… Ik weet niet wat voor spelletje ze speelde. Ik bleef maar proberen om oogcontact met jou te krijgen, maar je wilde me niet aankijken. Ze zei dat ze me iets moest vertellen en vroeg om een kop koffie. Toen ik bij haar ging zitten… deed ze een serieuze versierpoging. Je hebt het zelf gezien," vertelde Marty.

„Ja. Jullie leken het prima te kunnen vinden."

„Tja, dat was ook wel zo, denk ik. Ik was min of meer gefascineerd. Ze intrigeerde me. Ik vroeg haar wat ze me moest vertellen en toen zei ze dat ze het er hier niet over kon hebben en dat ze aan het eind van de dag terug zou komen. Ik wilde jou vragen wat ze van plan was, maar jij weigerde met me te praten. Je leek echt boos en ik had geen idee wat er aan de hand was. Jij ging over het strand naar huis, ik bleef hier achter. Poppy stond achter het café te wachten tot jij vertrokken was. We liepen samen over het strand en gingen achter die rotsen daar zitten." Marty pauzeerde even en liet zijn handen losjes tussen zijn knieën hangen. „Toen ik wilde weten wat er was, vroeg ze of ik iets te blowen bij me had. Ik had een paar jointjes bij me, dus we staken er allebei een op."

„Fijn," bromde Amber. „Ze is pas zestien."

„Weet ik, weet ik. Sorry."

„Waarom heb je ja gezegd toen ze met je af wilde spreken?"

„Omdat... omdat het je zus is. Omdat ik dacht dat ze misschien iets over jóú wilde bespreken."

Amber wilde dit langzaam tot zich laten doordringen, zoals honing een snee brood doordrenkt, maar ze durfde niet. Ze durfde er niet op te vertrouwen.

„Ze had trouwens niets te vertellen. Ze was gewoon aan het... flirten. Raakte stoned, begon de mafste dingen te zeggen..."

„Wat voor dingen?"

„Dat wil je niet weten. Het was nogal akelig. Over jou, en Kaz... en... Luister, er is nog iets anders wat ik je moet vertellen. Ik krijg soms van die gevoelens. Onderbuikgevoelens, vermoedens."

„Hoe bedoel je?"

„Over mensen."

„O. En dat heb je ook bij Poppy?"

„Amber, er is iets gebeurd. Iets heel raars."

Er viel een schaduw over hen heen. Toen ze opkeken, zagen ze Bert grijnzend boven hen uittorenen. „Zo te zien houden jullie al pauze voor je ook maar iets hebt gedaan."

„We konden niet naar binnen omdat jij er nog niet was!" weerlegde Marty.

„Nou, nu ben ik er wel. Kom me maar helpen met dat vlees uit de wagen te halen, goed?"

De rest van de dag kregen ze niet de gelegenheid om terug te komen op hun gesprek. Amber was razend benieuwd naar wat Marty te vertellen had, én ze was doodsbang.

Met z'n drieën werkten ze aan één stuk door. Rond de lunch propten ze even snel een boterham naar binnen en aan het eind van de dag was Bert in de wolken. Hij gaf hun allebei een tientje extra, boven op de hoge fooien. Hij bleef hangen om te kletsen en het menu voor de volgende dag op te stellen, zodat Amber uiteindelijk maar gewoon besloot om gedag te zeggen en te vertrekken.

13

Toen Amber haar kamer in liep, deed ze alsof ze niets rook. Ze smeet de deur achter zich dicht, liep met bonkend hart naar het raam en gooide het wijd open. Klamme, kille lucht stroomde naar binnen.

De stank was er wel degelijk. Wee, misselijkmakend, als rottende bloemen. Ze wist het, ze had het eerder geroken, op de overloop die avond, toen ze ruzie had gehad met Poppy, die naar huis had willen gaan. Toen ze die zucht had gehoord en op haar gezicht had gevoeld...

Niet aan denken. Probeer te bepalen wat die stank is. Het kon geen dode muis zijn, zoals ze eerder had gedacht. Geen lavendel, geen rozen... viooltjes. Dat was het, de geur van zoete, weeïge viooltjes. Haar moeder had haar ooit kastpapier met een viooltjesgeur gegeven. Het had haar zo tegengestaan, dat ze had geprobeerd om het te verdoezelen met wc-verfrisser, maar daardoor was het bloemetjesmotief doorgelopen en was het nog erger gaan stinken. Haar moeder was zo gekwetst geweest...

Viooltjes. En nog iets anders. Bloemen die bederf en verrotting overstemden.

Er lag iets op haar kussen. Amber durfde er niet naar te kijken. Ze was ervan overtuigd dat het iets smerigs was, zoals de vingervormen in het kussen. Toch dwong ze haar blik ernaartoe.

Het waren de handschoenen. Die griezelige oude dingen die

Poppy in de kist had gevonden en aan haar had gegeven, en die ze niet aan had willen trekken. Ze lagen met de palmen omlaag en de vingers gespreid op haar kussen, de duimen in elkaar verstrengeld, zoals wanneer je een schaduwvogel maakt op de wand.

Amber pakte haar prullenmand, liep naar de handschoenen en schoof ze erin. Haar hart ging wild tekeer. Hier moest Poppy achter zitten. Poppy had weer in haar kamer rondgesnuffeld, stomme trucjes uitgehaald…

Ik heb een kop koffie nodig, dacht Amber, met veel suiker. Ze liep naar haar deur en trok hem open.

Poppy stond vlak voor haar.

„Jémig!" bracht Amber uit. „Ik schrik me dood! Wat doe jij hier?"

„Gewoon, ik wilde even naar je toe," pruilde Poppy.

Amber hield haar arm voor de afvalbak, zodat Poppy de handschoenen niet zou zien. „Je bent in mijn kamer geweest, hè?" vroeg ze scherp. „Gisteravond, en nu weer. Heb je iets meegenomen?"

„Ik weet niet waar je het over hebt."

„Ja, dat weet je wel. En waarom heb je die handschoenen op mijn kussen gelegd?"

„Dat heb ik niet gedaan."

„Zo zag het er anders wel uit. Je hebt in mijn spullen gerommeld, Poppy. Die handschoenen lagen helemaal achter in de la."

„Nou, leuk hoor, Amber. Een cadeautje dat ik voor je heb gekocht, wegstoppen!"

„Je hebt ze niet gekocht, hè? Je hebt…"

Plotseling griste Poppy de prullenmand uit haar handen. „Je mag ze niet weggooien!" barstte ze uit. „Hoe durf je! Hoe dúrf je?"

„Mens, stel je niet zo aan! Hoe ik dat dúrf? Luister, het spijt me vreselijk, maar ik vind er niks aan, oké? Neem ze zelf maar als je ze zo mooi vindt."

Knorrig haalde Poppy de handschoenen uit de prullenmand en duwde hem terug in Ambers handen. Toen sjokte ze Ambers kamer in en plofte neer op het voeteneind van het bed. Ze begon de handschoenen te wiegen alsof het jonge katjes waren. Ze streek ze glad en streelde ze.

Amber kreeg het koud als ze alleen al naar Poppy keek, ijskoud. „Wat dóé je nou?" snauwde ze. „Ga alsjeblieft weg, oké. Ik ging net even naar de keuken."

Poppy's ogen puilden uit, alsof haar zus haar had geslagen. Toen zakte ze voorover en begon te huilen.

„O, alsjeblieft," zuchtte Amber. „Ik zei alleen maar dat ik even naar beneden ging. Je kunt toch met me meelopen? Toch? Poppy!"

Het was weer het oude manipulatiespelletje. Poppy weigerde om antwoord te geven en snotterde alleen maar, totdat Amber naar haar toe ging om haar te troosten, tot Amber alles zou zeggen of doen om haar gerust te stellen. Maar Amber moest er niet aan denken om haar aan te raken of zelfs maar bij haar in de buurt te komen.

„Poppy," smeekte ze, „alsjeblíéft! Laten we beneden thee gaan zetten... Poppy, hou op die met die stomme handschoenen. Ik krijg er de rillingen van, je lijkt wel krankzinnig!"

„Ik voel me ook krankzinnig," jammerde Poppy. „Volgens mij word ik gek!"

„Stel je niet aan," zei Amber. Het kostte haar moeite om haar stem in bedwang te houden. „Luister, ga mee naar beneden, leg die handschoenen neer en..."

„Je hebt zeker wel gehoord wat er vannacht is gebeurd?" gilde Poppy.

„Wat, met jou en Rory? Ja, maar hij was niet lang genoeg in je kamer om veel uit te halen, of wel?"

Poppy barstte weer in snikken uit. „Hij was zo gemeen! Hij behandelde me als een stuk vuil, als een homp vlees."

„Nou, je gaf zelf de verkeerde signalen af, hè? Hem zo naar boven halen..."

„Het lag niet aan míj, het lag aan hém. Hij zette me onder druk, en..."

Amber kon Poppy geen moment langer meer aanzien. Als een giftige brij borrelden de haat en liefde, het medelijden en de walging allemaal tegelijk in haar op.

„Oké," blafte ze. „Ik ga wel met hem praten. Ik scheld hem verrot."

Amber stoof naar beneden. Ze wist vrij zeker dat Rory thuis was, want ze had zijn stem in de keuken gehoord toen ze er eerder voorbij was gelopen. Ze was nog nooit in zijn kamer geweest. Ze had alleen wel eens, wanneer de deur openstond, een glimp opgevangen van de mannelijke en op de een of andere manier nogal stijlvolle rommel binnen. Nu vloog ze op de deur af en bonkte op het hout. Geen reactie. Ze bonkte nog eens en schreeuwde: „Rory! Ik ben het, Amber. Ik moet met je praten!"

Er klonk een kreun. „Wát?"

„Ik ben het. Amber. Ik moet met je praten."

„Ja... oké, kom maar binnen."

Ze duwde de deur open en liep verder. Een muskusachtige, muffe geur kwam haar tegemoet. Rory had liggen slapen. Hij zat op de rand van zijn verfomfaaide bed, spijkerbroek aan, shirt uit, op zijn hoofd te krabbelen om zichzelf wakker te krijgen.

„Volgens mij weet ik al wat je komt doen," mompelde hij.

„Mooi zo!" snauwde Amber. „Dat bespaart me een hoop tijd.

Poppy zit op mijn kamer en ze is volledig over haar toeren. Om wat jíj vannacht hebt gedaan."

„Amber, ik weet dat je haar grote zus bent en alles, maar probeer het niet allemaal in mijn schoenen te schuiven. Het kwam van twee kanten."

„Van twee kanten? Ze is pas zéstien! Had je niet wat verantwoordelijker kunnen zijn, wat meer rékening met haar kunnen houden?"

Rory pakte een fles water van de vloer en nam een slok.

Amber keek toe hoe zijn adamsappel op en neer ging. Hij was zo zelfverzekerd, dacht ze, zo vol zelfvertrouwen om wie hij was en hoe hij eruitzag. „Ik bedoel, ze is nog maar een kind," ging ze verder. „Ik weet dat ze jou probeerde te versieren en je misschien zelfs heeft besprongen. Maar ze is een kind, ze is naïef, ze heeft totaal geen ervaring…"

Rory stootte een lachje uit; er droop water uit zijn mond. „Ja ja," zei hij. „Totaal geen ervaring. Nou, ze is anders wel behoorlijk pervers voor iemand zonder ervaring."

Amber voelde dat ze wit wegtrok. „Hoe bedoel je?" fluisterde ze.

„Ik bedoel… o, shit. Oké, ik ben te ver gegaan. Ik had het eerder af moeten kappen. Maar wanneer het eenmaal is begonnen, kun je soms maar moeilijk terug, snap je?"

„Hou op. Ik hoef die gore verhalen niet te horen. Vertel nou gewoon wat er is gebeurd."

„Oké, oké. We stonden wat te rotzooien op het feest, en… Jij zegt dat ze geen ervaring heeft, maar ze kan zoenen, die zus van jou! Een tong als een paling, onvoorstelbaar, ze kon niet van me afblijven. En het werd gewoon… je weet wel, hitsig. Zíj wilde dat ik meeging naar haar kamer. Ik zei nog dat ze te jong was, we maakten nog grapjes over dat ik haar een verhaaltje zou voorlezen en haar in zou stoppen…"

„Heel leuk."

„Hoe dan ook, we zaten samen op haar bed een beetje aan elkaar te plukken en toen…" Rory stopte. Hij beet op zijn wang en staarde naar de fles in zijn handen.

„Wat? Wat gebeurde er toen?"

„Wat ze deed… Ze ging op haar rug liggen, vouwde haar handen over haar borst en sloot haar ogen. En ik zei: 'O ja, je bent zeker al in slaap gevallen?' en toen zei zíj…"

„Wat? Wat zei ze?"

„ 'Ik ben dood.' "

„Wát?"

„Ik zweer het, dat zei ze. Heel zacht, haast zonder haar lippen te bewegen; ze hield zich dood. Dus ik zei iets als: 'O, maar als je een lijk bent, kan ik met je doen wat ik wil, hè?' Ik ging boven op haar liggen en stak mijn tong in haar mond… Ik dacht dat ze wel in de lach zou schieten of me terug zou zoenen, maar ze bewoog niet. Haar huid voelde heel koud aan… zelfs haar mond was koud. Ik vond het best griezelig, op die enge zolder en zo. Dus ik nam haar te grazen."

„Wat bedoel je, te grazen?"

„Nou ja, ik deed gewoon maar wat. Ik probeerde een reactie los te maken. Ik had een hand op haar borst, de andere onder haar rok en nog steeds bleef ze doodstil liggen. En toen…" Rory brak zijn zin af en likte langs zijn lippen.

„Wat toen?"

„Toen zei ze weer: 'Ik ben dood.' Alleen, dit keer, ik zweer het je, zag ik haar lippen niet bewegen. Ik raakte in paniek. Ik gaf haar een tik. Een tik in haar gezicht. En nog stééds bewoog ze niet. Ik had het niet meer. Ik heb geroepen dat ze een gestoorde slet was en ben 'm gesmeerd. Maar weet je wat? Ik denk echt dat ze wilde dat ik haar zo zou neuken. Misschien had ik het moeten doen ook."

„Of misschien moest jij maar in je eigen braaksel stikken," snauwde Amber en ze liep zijn kamer uit.

Op de gang probeerde Amber haar ademhaling tot bedaren te brengen. Ze was te kwaad, te overstuur, te geschokt en te bang om Poppy onder ogen te komen. Ze wist zonder enige twijfel dat Rory de waarheid had verteld, wat betekende dat Poppy ofwel loog of in een of andere gestoorde wereld leefde waar haar hersenschimmen echt waren, waar ze niet doorhad hoe verknipt haar gedrag was. Ze greep haar jas van de haak en rende naar buiten, het donker in.

Terwijl ze de straat in liep, speurde ze om zich heen naar de oude vrouw van nummer 11, die ze tot haar opluchting nergens zag. Toen ze eenmaal Merral Road uit was, pakte ze haar mobieltje, zocht Marty's nummer op, drukte op *bellen* en liet hem overgaan. Biddend.

„Sorry dat het hier zo'n troep is. En zo donker. Ze hebben de stroom afgesloten – dat is het probleem met kraakpanden."

Amber strompelde verder door de gang. Marty hield met één hand de hare vast en in de andere had hij een kaars in een jampotje. „Ik wist niet dat je kraker was!" lachte ze, terwijl ze om een stapel kartonnen dozen heen manoeuvreerde.

„Ik wilde niet dat je op me zou neerkijken. Eerlijk gezegd zijn we iets aan het regelen met de gemeente. Alles wordt legaal, we krijgen stroom en zo. Kijk, hier woon ik."

Marty's kamer deed Amber aan die van Kaz denken. Overal hingen kleden, als in een Arabische tent, en hij stond propvol spullen. Een gitaar tegen de wand, kleren, borden, boeken en mokken over de vloer. Maar het was vooral de sfeer die hetzelfde was. Amber voelde zich hier veilig.

De enige plek om te zitten was de grond of het doorgezakte bed, dus ze ging op de rand daarvan zitten en zei: „Bedankt

Marty, dat ik zo onverwacht mag komen binnenvallen. Het komt…" Ze voelde haar keel dichtknijpen. Niet huilen.

„Hé," zei Marty zacht. „Wat is er? Vertel op." Hij ging naast haar zitten en sloeg zijn arm om haar heen.

Amber begroef haar gezicht tegen zijn schouder. „Sorry!" bracht ze snikkend uit.

„Het geeft niet." Hij streek over haar haar, over haar arm. „Toe maar, maak mijn hele shirt maar nat als je wilt. Het geeft niet."

Amber haalde haperend adem en stopte met huilen. „Je had ook niet zo líéf moeten zijn," zei ze met een hikje. „Ik schoot helemaal vol!"

„Nou, sorry hoor," grijnsde hij. „Ga je weer janken als ik vraag of je een kop koffie wilt?"

„Nee." Ze glimlachte terug. „Maar ik hoef niets. Ik wil alleen… O, wat is het heerlijk om hier te zijn."

„Blijf maar zolang als je wilt." Marty liet zijn arm zakken, maar bleef vlak naast haar zitten. „En? Wil je erover praten? Gaat het over je zusje?"

„Ja. En over het huis. En Rory. En dat enge oude mens van nummer 11. En over…" Ze ademde diep in. „Over dat ik soms denk dat er iets kwaads rondspookt in het huis. Iets wat Poppy beïnvloedt. Wat betekent dat ik gek aan het worden ben. Ik heb ze niet meer allemaal op een rijtje." Ze liet haar hoofd zakken. Marty zou voorgoed op haar afknappen nu ze zich zo idioot gedroeg, maar ze kon het niet langer voor zich houden. Het was zo fijn om hier te zijn, met hem naast haar. Het was zo zalig dat hij naar haar lúísterde.

„Ik vind je niet gek," zei hij. „Ik denk dat je zus problemen heeft."

„Ze doet zó eng, Marty! Ze maakt me doodsbang. Ze zit alsmaar in haar eentje op die zolder, wanneer ze niet probeert

Rory te versieren of… of jóú. Op zo'n maffe manier ook. Ze heeft hulp nodig. Ik bedoel professionele, psychiatrische hulp. Maar hoe moet ik dat aanpakken? Ik kan haar toch niet zomaar meeslepen naar de dokter? Ik heb geprobeerd om met haar te praten en haar duidelijk te maken hoe verknipt het was zoals wij zijn opgevoed, maar ze wil er niets over horen. Ze denkt altijd dat het aan de rest van de wereld ligt."

Na een korte stilte vroeg Marty: „Wie is 'dat enge mens van nummer 11'? "

Amber lachte en vertelde het hem. Vervolgens deed ze uit de doeken wat er met Rory en Poppy was gebeurd en uiteindelijk spuide ze het hele verhaal, hoe gestoord het ook klonk, over de handschoenen, de zolder, het kussen en ook over de geluiden en de stank van bedorven viooltjes, de vormen op de trap en in de spiegel… Ze was niet bang meer dat zulke dingen werkelijkheid werden als je erover praatte; ze wist nu dat ze toch al echt waren en diep vanbinnen bereidde ze zich erop voor de confrontatie aan te gaan.

Ten slotte viel ze stil.

Marty zuchtte.

„Je vindt me rijp voor opname, hè?" mompelde ze.

„Nee."

„O, fijn. Dus dan is er echt iets niet pluis in het huis."

„Misschien. Misschien is er vroeger iets gebeurd en hangt dat er nog steeds…"

„Wie weet. Wat het ook is, het heeft een heel raar effect op Poppy. Ze gaat steeds verder achteruit, ze…" Amber zweeg. Ineens kreeg ze het koud. „O nee," bracht ze uit. „Jij wilde me iets vertellen vandaag, hè? Iets vreselijks, over Poppy. Je zei dat je van die onderbuikgevoelens had…"

„Ja."

„Ook bij Poppy?"

„Nee. Dat vond ik juist zo eng. Ik zei toch dat ik haar na het werk had ontmoet?"

„Ja," mompelde Amber. De gedachte daaraan stak haar nog steeds.

„Nou, we gingen op het strand zitten, er was niets aan de hand. Ik dacht dat het gewoon een aardige meid was die wat problemen had, en dat ze hier was om daar een poosje aan te werken, en toen…" Marty keek Amber van opzij aan, alsof hij overwoog of hij wel of niet verder moest gaan.

„We zaten gewoon te roken, en ik wachtte tot ze iets zou zeggen, zou vertellen wat ze op haar lever had, maar ze begon helemaal flirterig te doen en geintjes te maken, en toen… toen legde ze haar hand boven op de mijne."

Amber schudde verward haar hoofd. „En?"

„Het was die hand. Het was doodeng. Hij voelde niet menselijk aan."

„Wát?"

„Serieus. Hij voelde helemaal bulterig en hard aan, als… een klauw. Als een uitgedroogde apenpoot of zoiets."

„Een uitgedroogde ápenpoot…?"

„Ik meen het, Amber, ik schrok me wild. Het was doodeng. Ik zat natuurlijk wel te roken, maar toch…"

Even bleef het stil.

„Misschien had ze je met haar nagel geraakt of zo…" Amber zweeg weer. Waarom moest ze het toch altijd voor haar zusje opnemen?

Marty schudde zijn hoofd. „Het was anders. Erger. Het was het gevoel dat er vanaf straalde. Ik kan het niet uitleggen." Hij begon te grinniken. „Als kind had ik een boek waar ik altijd de bibbers van kreeg. Het ging over gedaanteverwisseling. Er kwam een soort demon in voor en die veranderde zichzelf in leuke dingen, zoals een kat of een hond. Hij werd dan door iemand in huis genomen, maar er was altijd iets waardoor hij door de mand viel. Hij bewoog verkeerd of klonk verkeerd, maar meestal ging het gewoon om wat hij úítstraalde. Omdat de herinnering aan de vorm die hij eerder had aangenomen er nog doorheen schemerde, zeg maar. Een stukje waarvan ik het altijd doodsbenauwd kreeg, was toen hij veranderd was van een geit in een klein meisje. Toen een jongetje haar omhoog hielp in een boom, voelde haar hand ineens aan als een hoef. En hij zat daar vast met haar, in die boom."

Er viel weer een stilte.

Amber probeerde te lachen, maar dat lukte niet echt. „Je wilt toch niet zeggen dat Poppy van gedaante verwisselt?" vroeg ze uiteindelijk.

„Nee, ik ga op mijn instinct af. Lach me maar uit als je wilt, maar…"

„Ik lach je niet uit."

„… maar ik heb antennes voor iemands uitstraling. Als ik die onderbuikgevoelens krijg bij iemand, is er meestal echt iets mis met ze."

„Maar je zei dat je juist níéts voelde."

„Dat klopt, in eerste instantie niet. Daarom vind ik het juist zo eng. Ik weet niet. Het is alsof ze het heel goed kan verbergen."

„Wat verbergen?"

Marty bleef even stil. Toen zuchtte hij en zei: „Wie ze werkelijk is."

Marty zette nog wat koffie en snorde een half pak koekjes op. Ze praatten nog uren verder.

Toen keek Amber op haar horloge. „Jemig, wat is het al laat! O nee, ik wil echt niet terug vanavond."

„Dan blijf je toch hier," stelde Marty voor.

„Wat?" vroeg ze met bonkend hart.

„Neem jij het bed, dan ga ik wel op de grond liggen. En als je een nachtmerrie krijgt, maak ik je gewoon wakker."

„Ja hoor," zei ze zo onverschillig mogelijk. „En als we morgenochtend samen op het werk aankomen, allebei vanuit jóúw richting, wat zegt Bert dan?"

„Morgen is het zondag, Amber."

„O, o ja."

„Maar als dat niet zo was, zou hij zeggen… dat het tijd werd."

Marty's woorden waren zo onverwacht en fantastisch, en zo precies wat Amber wilde horen, dat ze het niet kon verwerken. Ze stootte een gegeneerd lachje uit en stond op. „Ik red me wel, echt." Ze keek Marty niet aan en zag daardoor zijn gezicht niet betrekken.

„Nou, dan breng ik je even naar huis," zei hij.

„Heb je dan een auto?"

„Een oude kever. Niet altijd even betrouwbaar, maar we kunnen kijken of hij wil starten…"

„Ik red me wel," hield ze vol. „Ik loop flink door. Bedankt dat je al mijn psychotische geklets aan hebt gehoord, Marty."

„Luister, Amber… Weet je zeker dat je terug wilt vanavond?"

„Ja," antwoordde ze. Het klonk als een soort blaf. „Ik moet toch ooit een keer terug. Als ik het uitstel, dan… Hoe dan ook, ik kan niet…"

„Wat kun je niet?"

„Ik kan Poppy toch niet alleen laten?" mompelde ze en ze vertrok.

Het was griezelig om in haar eentje de donkere, verlaten heuvel op te lopen, maar Amber dacht er de hele tijd aan hoe Marty naar haar had geluisterd, haar gerust had gesteld, en aan de hartverwarmende opmerking die hij aan het eind had gemaakt. Ze begon eigenlijk pas echt bang te worden toen ze dichter bij het huis kwam. Alle lichten waren uit en de deur zat op het nachtslot, wat betekende dat iedereen terug was en dacht dat zij ook al binnen was.

Ze was eraan gewend geraakt om de trap op te gaan zonder in de enorme spiegel te kijken en niet naar de smalle zoldertrap te staren. Ze hield zich voor dat haar eigen kamer haar toevluchtsoord was, dat ze, wanneer ze eenmaal binnen was, zich weer veilig zou voelen. Ze deed de deur open.

Poppy lag in haar bed, met haar zwarte haar uitgespreid over het kussen.

Amber aarzelde even en knipte toen het licht aan.

Het was Poppy niet! Er lag een zwarte sjaal over haar kussen gedrapeerd; de spinnenwebachtige kanten sjaal die Poppy droeg en die ze in de oude kist op zolder had gevonden.

Pas toen zag Amber met een schok dat haar kamer overhoop was gehaald. Ze dwong zichzelf om verder te lopen, de chaos in. Alle drie de laden waren uit de kast gerukt en op de grond gekwakt; al haar kleren lagen over de vloer. De kleine lade van de kapspiegel lag kapot op de grond, en alle sieraden die erin hadden gezeten, armbanden, kettingen en ringen, lagen lukraak verspreid over de vloer. De kledingkast stond wijd open, de planken waren leeg. De enorme witte vaas die ze van de middelste zolderkamer had gered, lag gebarsten op zijn zij, de grashalmen die ze bij de klif had geplukt waren verbogen en geknakt. De bakelieten radio hing schuin tegen de plint alsof hij tegen de muur was gesmeten.

Ze liep naar haar bed, pakte de sjaal en gooide hem naar de deur. Toen keerde ze vol walging haar kussen om. Met hamerend hart bleef ze staan.

Poppy. Hier was niet zomaar wat rondgesnuffeld. Haar kamer was niet veilig meer.

Poppy.

Ze stoof naar buiten, de zoldertrap op en klikte het licht boven aan, zodat het kale peertje opvlamde in de gang. Ze zou haar zus wakker maken, haar uitkafferen, haar tot moes slaan en...

Een wit gezicht doemde plotseling voor haar op, als een onverwachte vuistslag.

Het was een van de gezichten van de foto's op de muur buiten Poppy's kamer.

Verstijfd van angst staarde Amber ernaar. Het gezicht was van een vrouw. Ze had een hoge kanten kraag om, met een broche erop en streng, achterovergekamd, donker haar. Ze zag er meedogenloos uit, leeftijdsloos.

Waarom was het zo naar voren gesprongen? Had het haar blik zo getrokken?

De vrouw lachte. Een hatelijke, kwaadaardige grijns. Het was maar een piepklein gezichtje, maar het was duidelijk, levendig, veel levendiger dan het hoorde te zijn.

De smalle ogen leken te leven.

Amber draaide zich om en vluchtte naar haar kamer die niet meer veilig was – hij had nooit veilig aangevoeld – en deed voor het eerst de deur achter zich op slot.

De volgende ochtend lukte het Amber niet om uit te slapen, ook al was het zondag. Ze stond op en herstelde haar kamer zo goed en kwaad als het ging. Ze pakte als eerste de radio op, die wonder boven wonder nog bleek te werken. De kleine spiegellade kon ze weer in elkaar drukken, al zou ze lijm moeten kopen om hem te versterken. De barst in de grote witte vaas was niet te zien als ze hem met die kant naar de muur zette; ze kon nieuwe grashalmen plukken. Toen ze haar kleren weer opvouwde en terug in de kast hing, merkte ze dat er in drie dingen een scheur zat – nou ja, dat zou ze later wel repareren.

Amber deed haar deur achter zich op slot en liep naar de keuken. Ze had zichzelf vanbinnen uitgeschakeld; al haar gedachten verbannen. Poppy was aan het doordraaien, maar daar kon ze nu niets aan doen. Ze had haar kamer opgeruimd en afgesloten. Nu zou ze een boterham smeren, naar de kust lopen en de hele dag wandelen.

De keuken zat al helemaal vol. Ben, Kaz, Rory, Chrissie – iedereen was aangekleed en zat rond de tafel, ongehoord voor een zondagochtend. Rory en Chrissie zaten te roken, ook al had Kaz dat verboden in de keuken, Chrissie rookte sowieso zelden. Hun gezichten stonden strak; het zag eruit als een officiële bijeenkomst.

„Hallo," groette Kaz behoedzaam terwijl Amber aarzelend binnenstapte.

„Wat is er aan de hand?" vroeg Amber hees.

„Drie keer raden," antwoordde Rory.

„Het gaat zeker over Poppy?"

„Ja," knikte Kaz. „Amber, ze moet hier weg. Zo snel mogelijk."

Amber dacht aan haar moeders onthutste gezicht. „Maar jullie hadden gezegd dat ze tot kerst…" fluisterde ze.

„Ik weet het, maar de zaken zijn veranderd. Om te beginnen laat ze Rory niet met rust. Oké, hij heeft zich als een stomme, onverantwoordelijke, pedofiele zak gedragen, heeft het spelletje meegespeeld, maar nu stalkt ze hem, ze loopt hem te bespioneren…"

„Ik krijg het er Spaans benauwd van," voegde Rory eraan toe. „Ik ben gisteren bij Max blijven slapen. Op de grond."

„O, wat zíélig!" riep Kaz.

„Probeer het zelf maar eens!"

Kaz negeerde Rory. „Ik heb geprobeerd om haar erop aan te

spreken, Amber," ging ze verder. „Ik heb gevraagd of ze mee ging iets drinken. Maar ze wil niet praten, ze wuift me gewoon weg of staart me aan met die rare ogen... Ik denk dat ze hulp nodig heeft. Professionele hulp."

„Ze hangt maar de hele tijd op zolder rond," merkte Rory op. „Als ze mij niet achtervolgt, tenminste."

„Of op de trap," voegde Ben eraan toe. „Het lijkt wel of ik haar constant tegenkom op de trap. Ik krijg er de zenuwen van."

„Ze is geobsedeerd door die spiegel," wist Rory. „Ze staat zichzelf de godganse dag in die spiegel te bekijken."

„Ze is nog ijdeler dan jij, jongen," grinnikte Ben.

„Goed, het komt erop neer," zei Chrissie bits, „dat ze zich gedraagt als een of andere maniak, en ze verziekt de hele sfeer hier in huis. We willen haar weg hebben."

„Het spijt me, Amber," mompelde Kaz.

„Ik bedoel, we willen haar weg hebben voordat ze nóg maffer gaat doen," vervolgde Chrissie. „De laatste tijd draagt ze steeds van die griezelige oude kleren die ze op zolder heeft gevonden. Heb je haar gisteren gezien? Ze heeft nu een bos oude sleutels aan een ketting om haar middel hangen."

„Een bos sleutels?" herhaalde Ben.

„Ja, je weet wel, een grote zilveren ring met een hele berg sleutels eraan, zoals..."

„Een cipier," vulde Rory aan.

„Ja, nou ja, ik wilde zeggen zoals huishoudsters vroeger hadden. Ze zijn heel indrukwekkend, zeker nu ze ze gepoetst heeft. Helemaal bewerkt, als juwelen bijna. En sommige zijn gróót... Het moet bij elkaar een ton wegen, maar daar lijkt ze niet mee te zitten."

„En, passen die sleutels nog ergens op?" wilde Rory weten. „Op deuren of kasten hier in huis?"

200

„Geen idee. Het zal best wel."

Kaz stond op en liep met haar lege mok naar de gootsteen. „Godzijdank zit er op mijn kamer een gloednieuw slot en ik ben de enige die de sleutel heeft."

Ben draaide zich naar haar toe. „Dus jij doet tegenwoordig je deur op slot?"

Ze haalde haar schouders op en plofte weer neer. „Ik ben een paar keer thuisgekomen en... nou ja. Er waren dingen verplaatst. Dat kon alleen Poppy maar gedaan hebben. En ik wil niet hebben dat ze in mijn kamer rondsnuffelt."

Amber staarde naar de vloer. Haar hand sloot zich rond de sleutel in haar zak. Er doemde een beeld van Poppy voor haar op, zo scherp dat ze dacht dat de anderen het ook konden zien: Poppy, die midden in de nacht voor haar kamer stond, ijzerdraad door het slot heen stak, de sleutel die zacht op het tapijt viel, Poppy die haar sleutelring pakte en er eentje vond die paste, de deur opendeed en naar binnen kwam sluipen...

„Volgens mij zitten er op de deuren beneden nergens meer oude sloten," bracht Ben naar voren. „Of misschien alleen op de oude provisiekast..."

„Op de mijne zit een oud slot," zei Amber schor.

„Op de mijne ook," mompelde Chrissie. „De sleutel is zoek, maar ik laat Ellis een grendel aan de binnenkant zetten."

Er hing ineens een bijna tastbare angst in de keuken, maar niemand zei er iets over.

Ben verschoof op zijn stoel. „Kom op, laten we niet paranoïde worden. Ze draagt ze gewoon voor de sier."

„Joost mag weten waarom," zei Chrissie. „Het is zo'n griezelig gezicht."

Rory blies een sliert rook naar het plafond. „Sleutels," mijmerde hij. „Oude sleutels. Sleutels staan voor macht. Jij hebt de enige sleutel, alleen jij kunt een kamer of een kast op slot doen en weer openen. Je kunt mensen opsluiten, of buitensluiten, spullen verstoppen, geheimen bewaren…"

„Hé," riep Kaz, „hou jij even lekker op met die vrije associatie."

„Ik zat gewoon hardop te denken," reageerde Rory. „Ik vraag me af waarom ze zo dol is op die sleutels. Misschien gaat het om de symbolische waarde."

„Ja, nou ja, wat je net zei. Geheimen."

„Macht. Controle."

„Hou toch op!" snauwde Kaz, terwijl ze haar stoel naar achteren schoof en opstond. „Ik ga naar buiten. Ik heb frisse lucht nodig." En ze was verdwenen.

Het volgende moment stond iedereen van tafel op en liep weg, bedrukt, zonder elkaar echt aan te kijken.

Amber bleef in haar eentje achter. Ze leunde tegen de deurpost. Ze had niet verteld dat Poppy ook in haar kamer was geweest en dat ze die bij haar laatste bezoekje compleet overhoop had gehaald.

Ze had nauwelijks een woord uitgebracht.

14

Amber hield zich aan haar voornemen om een wandeling over de kliffen te maken. Ze stapte uren achter elkaar door, met de herfstzon boven zich en de wind in haar gezicht. Ze maakte kleine omwegen door de bebouwing wanneer het klifpad ophield en liep maar, liep maar, tot het een soort mediteren werd, tot ze bijna in trance raakte en haar lichaam uit eigen wil voortbewoog.

In haar hoofd kwam alles wat er was gebeurd voorbij. Ze begon er patronen in te ontdekken en nam ten slotte besluiten. Ten eerste moest ze Poppy confronteren met wat ze met haar kamer had gedaan. Ten tweede moest ze haar vertellen dat ze vond dat ze hulp nodig had. Ten derde moest ze zeggen dat iedereen haar het huis uit wilde hebben.

Het kwaadaardige gezicht op de foto doemde plotseling voor haar op, maar ze verdrong het, hield zichzelf voor dat het aan de nervositeit en spanning lag.

Ze pauzeerde om de boterham op te eten die ze had meegenomen en rustte een beetje uit. Toen ging ze weer verder. Ze wilde weer in die trance komen.

Die derde beslissing bleef aan haar knagen: Poppy vertellen dat iedereen wilde dat ze vertrok. Ze zou haar naar huis sturen in een veel ergere toestand dan ze was aangekomen; haar terugsturen naar hun moeder, die net weer wat grip op haar leven begon te krijgen, nu ze Poppy niet voordurend om zich heen had en pas met haar nieuwe baan was begonnen. Hoe vaak Amber ook tegen zichzelf zei dat het haar schuld niet was, ze bleef zich verantwoordelijk voelen. Het voelde als een vreselijke mislukking.

Het begon licht te regenen. Amber had geen idee waar ze was, maar ze had voortdurend de kliffen gevolgd, dus ze moest ergens een bus kunnen vinden die haar via dezelfde weg terug kon brengen.

Ze stopte in een klein dorpje, stapte een café in, bestelde thee en een krentenbol en wachtte.

Op twee oude dames na was de zaak verlaten. Ze zaten verveeld samen voor het raam. Toen kwam er een familie binnenzetten, lachend, de regen van zich af schuddend. Twee kleine jongetjes, een wat ouder meisje, een vader en moeder... het schoolvoorbeeld van een gelukkig gezinnetje. En ze zagen er ook gelukkig uit.

Vroeger had Amber bij het zien van zo'n gezin een brok in haar keel gekregen, maar daar was ze nu helemaal overheen. Ze keek toe terwijl de man zijn oudste zoon lachend met de menukaart op zijn hoofd mepte en ineens schoot het door haar heen: Poppy's vader! Tony. Waarom neem ik geen contact op met Tony? Thuis zou dat ondenkbaar zijn geweest, hoogverraad, maar nu...

Hij kan voor haar zorgen, dacht Amber. Hij kan haar hier weg komen halen.

Haar thee en krentenbol werden neergezet en ze werkte alles hongerig weg. Daarna vroeg ze de serveerster naar de bus en ging op pad naar de halte, om naar huis te gaan.

Terwijl de bus het laatste stuk de heuvel op zwoegde, piepte Ambers telefoontje. Het was een sms'je van Kaz.

We zitten in George – XXX.

George was een relaxte kroeg zonder opsmuk, waar ze soms

afspraken voordat ze het nachtleven aan de boulevard in doken. Als Amber nu uitstapte, hoefde ze maar vijf minuten te lopen.

Ze stond op, drukte op het knopje en ging er rechtstreeks naartoe.

Kaz en Ben zaten aan de grote tafel in de hoek, met Rachel, het meisje met het lange, mahoniebruine haar en de prachtige, galmende lach, en twee jongens die Amber alleen van gezicht kende.

Kaz begroette haar warm en schoof op òm plek voor haar te maken. Ze stuurde Ben naar de bar om iets te drinken voor haar te halen en vroeg wat ze vandaag had gedaan. Aan de hand van de halte waar Amber de bus had genomen, rekende ze uit hoe ver Amber precies gewandeld moest hebben – zo'n vijftien kilometer – en zei dat tegen de anderen. Iedereen was diep onder de indruk en er barstte een discussie los over wat voor lapzwansen ze allemaal waren en dat ze meer zouden moeten bewegen...

Er hing een melancholieke vroege zondagavondsfeer in het café, maar het groepje van Kaz was luidruchtig en opgewekt.

Amber had al meteen beseft dat Poppy's naam niet zou vallen, niet met een tafel vol mensen die niet op Merral Road woonden, en ze was enorm opgelucht. Het lukte haar om zich zo te ontspannen, dat ze het bijna naar haar zin had.

Het was doodstil in huis toen Kaz, Amber en Ben terugkwamen. Er was niemand in de keuken, er klonk nergens muziek.

Amber dacht aan Chrissie, die zich had opgesloten op haar kamer en aan Rory, die vast weg was om weer bij Max op de grond te slapen.

En gegrepen door angst en schuldgevoel, dacht ze aan Poppy, die zich als een krankzinnige verschanste op zolder. Ze had waarschijnlijk de hele dag in haar eentje doorgebracht, niet fatsoenlijk gegeten, zich verveeld en ellendig gevoeld…

Amber wenste de anderen welterusten en liep naar de eerste verdieping. Ik moet gaan kijken hoe het met haar is, dacht ze. Ik moet haar confronteren met wat ze met mijn kamer heeft gedaan en met haar praten, haar duidelijk maken dat ze hulp nodig heeft….

Ze keek naar de smalle zoldertrap. Het duister leek zich daar te verdikken. De gedachte om naar boven te gaan, joeg haar de stuipen op het lijf. Het idee de zwarte stilte in te lopen en niet te weten wat ze zou aantreffen… Amber schoot haar eigen kamer in en deed de deur achter zich op slot.

Geen slapende honden wakker maken, dacht ze. Geen slapende… wat dan ook wakker maken.

De volgende ochtend zag het er natuurlijk allemaal anders uit. Het was maandag, Ambers vrije dag. De zon scheen en er klonken geluiden van beneden, van iedereen die zich voorbereidde op de dag, ontbeet en naar college vertrok.

Amber nam een douche, kleedde zich aan, zette thee en liep zonder aarzelen met een mok de trap naar de zolder op, waar ze op de achterste deur bonkte.

„Poppy, ben je al wakker?" Ze duwde tegen de deur, maar die zat op slot. „Poppy, kom op. Ik heb thee voor je."

Stilte.

Misschien was ze er niet. Misschien was ze naar buiten gegaan, had ze de deur achter zich op slot gedaan en had dat oude, griezelige mens van nummer 11 haar bij zich in huis gehaald…

„Poppy! Kom op! We moeten praten over wat er is gebeurd. Wat je met mijn kamer hebt gedaan. Luister, ik ben niet boos op je. Niet meer. Ik wil alleen met je praten."

Vanuit de kamer klonk een zwak geluid, alsof iemand zich omdraaide in bed. Gevolgd door Poppy's stem, gesmoord en slaperig. „Straks, oké?"

„Oké. Wil je de thee hebben?"

„Laat maar op de gang staan, alsjeblieft. Bedankt."

Amber zette de mok op de grond en wierp intussen een blik op de drie oude foto's aan de wand. Er was helemaal niets raars aan, dacht ze. Gewoon saaie, oude foto's met een dikke laag stof erop.

„Oké Poppy, we hebben het er straks wel over. Blijf niet te lang liggen, want het is mooi weer. We kunnen naar buiten gaan. We kunnen…"

„Amber! Laat me gewoon nog een halfuurtje met rust, oké?"

Amber voelde zich opgelucht door de normale toon in Poppy's stem. Zo was het heel Poppy's leven gegaan: als ze in orde was, kon je haar alleen laten; als ze een bui had, kon dat niet. En zo te horen was er niets aan de hand. In elk geval op dit moment.

Amber liep terug naar de keuken, waar Kaz thee zat te drinken.

„Hé," zei Kaz terwijl ze opkeek. „Ben je wel eens naar de markt in Merton geweest?"

„Nee, nog nooit van gehoord zelfs. Hoe is het?"

„Te gek. Mensen komen er van heinde en ver naartoe; het wordt ook steeds groter. Hij wordt elke laatste maandag van de maand gehouden, op Merton Town Square. Je kunt er de meest fantástische dingen kopen: sieraden, leer, en te gekke kleren… Er zijn allemaal stalletjes met spotgoedkope merkkleding. Misschien is het jatwerk, ik heb het nog nooit durven vragen. En er zijn heel veel tweedehands spulletjes, je weet nooit wat je tegenkomt…"

„Klinkt goed!"

„Ik heb deze tas er op de kop getikt," zei Kaz enthousiast en ze wees naar haar prachtige, zachte turquoise tas. „Acht pond maar en het is echt leer. Ik heb er nooit een gezien die er ook maar een beetje op lijkt. Nou ja..." Ze keek op haar horloge. „Als je zin hebt om mee te gaan: de bus op Alton Street vertrekt over twintig minuten."

Amber aarzelde. Ze moest Tony eigenlijk bellen, Poppy's vader. Ze moest in actie komen, maar ze zag er vreselijk tegenop om contact met hem op te nemen na al die jaren. Ach, wat maakte een dagje extra nou uit? „Graag," zei ze uiteindelijk. „Maar moet jij eigenlijk niet naar college?"

„Niet op marktdag," antwoordde Kaz met een grijns.

Terwijl Amber haastig haar spulletjes bij elkaar zocht, bedacht ze dat Kaz dit tripje misschien van tevoren had gepland, om Amber op haar vrije dag het huis uit te krijgen. Of preciezer: bij Poppy vandaan. Dat Kaz zo attent was, maakte haar nog blijer dan ze al was om het uitje.

Kaz gedroeg zich opgewekt, maakte grapjes en vertelde de laatste roddels, en Amber, aangestoken door haar stemming, deed vrolijk mee.

Het was zo gemakkelijk om plezier te hebben met Kaz. Geen steken onder water, geen bijbedoelingen, geen angst voor een plotselinge omslag; niets van wat Amber bij Poppy gewend was.

Ze gingen op het bovendek van de bus zitten, helemaal voorin als een stel kinderen, en slingerden mee in de bochten van de smalle wegen.

Er stapte een groepje van vier jongens in. Kaz flirtte heel theatraal met ze, maar weigerde om haar mobiele nummer aan hen te geven, want ze ging met een mediamagnaat trouwen, beweerde ze.

De twee meiden stapten op Merton Town Square uit, waar de markt hen meteen opslokte. De zeventig pond salaris en fooi die Amber bij zich had, had ze op haar bankrekening willen storten, maar bij het zien van de enorme hoeveelheid kraampjes gaf ze zichzelf toestemming om het allemaal uit te geven.

Kaz wist precies waar ze heen moesten. Als eerste sleepte ze Amber mee naar een kraampje waar allerlei topjes werden verkocht voor een fractie van de winkelprijs. Ze rommelden enthousiast door de berg en kozen er allebei twee uit.

Amber twijfelde over eentje – een oogverblindend, laag uitgesneden, zeegroen exemplaar – omdat ze niet zeker wist of ze het wel aan zou durven trekken, maar Kaz zei dat het haar beeldig zou staan.

Kaz leek te weten dat Amber ernaar verlangde om van haar bedeesde, tamme imago af te komen en ze had een scherp oog voor wat bij haar paste. Bij een kraam met retrospulletjes vond ze de perfecte rok bij het zeegroene topje en daarna liet ze Amber een tweedehands spijkerbroek passen achter een deken die voor de achterkant van een bestelbus was gespannen. Ze verklaarde dat ze er 'een adembenemende kont' in had en drong erop aan dat Amber de broek ook kocht.

Amber had het enorm naar haar zin, en daarbij had ze nog twintig pond over ook.

Rond twee uur stapten ze uitgehongerd op een Mexicaans eetkraampje af en bestelden gevulde tortilla's, waarmee ze op een laag muurtje gingen zitten.

„Over twee weken is Rachel jarig," vertelde Kaz tussen twee grote happen door. „We hebben haar overgehaald om het groots te vieren, dus we gaan een avondje stappen. Dan kun jij mooi je nieuwe outfit aan."

„Zou ze mij dan ook uitnodigen?"

„Zeker weten. Iedereen is dol op je, Amber. Weet je…" Kaz

leunde met haar schouder tegen die van Amber, warm en zwaar, „je zou je niet zo'n zorgen moeten maken. Ze gaat toch binnenkort naar huis? Dan ben je weer vrij."

„Ik hoop het maar," mompelde Amber. „Ik dacht... ik dacht dat ik misschien contact op kon nemen met haar vader om te kijken of hij kan helpen..."

„Goed idee. Het is hoog tijd dat jij je handen van haar aftrekt." Kaz verfrommelde het papiertje van haar tortilla en zocht intussen naar een afvalbak. „Oké! Verder winkelen maar?"

Het begon al donker te worden toen Amber en Kaz op Alton Street uit de bus stapten.

Het viel Amber op dat Kaz zwijgzamer werd en langzamer ging lopen naarmate ze dichter bij Merral Road kwamen. Zelf hield ze nummer 11 in de gaten, want ze was doodsbang om de oude vrouw te zien.

„Heb je trek?" vroeg Kaz geforceerd opgewekt terwijl ze de voordeur opendeed. „Ik kan wat tosti's bakken als je wilt."

„Lekker. Ik wip alleen even naar boven om mijn spullen weg te brengen, oké?"

Het was nergens voor nodig dat Amber haar nieuwe kleren naar boven bracht. Ze had de tassen ook in de keuken neer kunnen zetten en Kaz kunnen helpen met het eten, maar iets trok haar erheen.

Ze stak haar sleutel in het slot, maar hij wilde niet draaien. De deur was al open.

Poppy, dacht ze met een golf van walging. Poppy heeft een sleutel van mijn deur, aan een ring aan een ketting om haar middel...

Ze liep haar kamer in. Het was duidelijk dat Poppy weer binnen was geweest. Het beddengoed was gekreukeld, alsof er iemand in had liggen woelen, overal slingerden kleren op de grond en Ambers sieraden lagen weer verspreid op de ladekast. De kettinkjes waren in vreemde vormen getrokken, haar oorbellen lagen op een hoopje en haar ringen waren achter elkaar gerangschikt als een kronkelende slang.

Op de een of andere manier zat dit Amber meer dwars dan toen Poppy haar kamer overhoop had gehaald. Ze staarde naar de rare vormen, maar durfde ze niet aan te raken. Ze zag dat haar tijgerooghanger ontbrak. Het was een cadeautje geweest voor haar achttiende verjaardag, van haar vriendinnen in de examenklas, voordat ze de vakantie had moeten afzeggen...

„Verdomme, Poppy!" siste ze, terwijl ze het kleine laatje dichtsmeet. En ineens, als een wasemde damp om haar hoofd, was die stank er weer. Die misselijkmakende, rottende viooltjes. Bederf. Ontbinding.

Amber rende haar kamer uit, de trap af, de keuken in. Ze zou het aan Kaz vertellen, haar alles vertellen, over die enge sfeer in het huis, ze zou haar dwíngen te luisteren en...

Poppy zat aan de keukentafel.

Kaz stond aan het aanrecht kaas te snijden. Het leek wel een zwijgwedstrijdje; geen van beiden zei iets of keek ook maar naar elkaar.

„Je bent weer in mijn kamer geweest!" schreeuwde Amber. Ze had meer moed nu Kaz erbij was, die als een rechter meeluisterde. „En dat niet alleen, je hebt ook een sleutel, hè?"

„Nee, ik heb geen sleutel," antwoordde Poppy. „Je had je deur niet op slot gedaan. Je had vanochtend zo'n haast om weg te gaan met Káz."

„Dus je geeft toe dat je binnen bent geweest? En als je zo zeker weet dat je geen sleutel van mijn deur hebt aan die stomme bos om je middel, dan heb je ze dus allemaal geprobeerd?"

„Nee, Kaz riep over de trap 'Amber, Amber, straks komen we

te laat!' en toen vergat je hem op slot te doen."

„Waar ben je verdomme mee bezig, Poppy? Eerst haal je de hele boel overhoop, smijt mijn spullen kapot en dan…"

„Die keer laatst? Toen was ik boos op je."

„O, en daarmee praat je het goed?"

„Je zei dat je Rory verrot ging schelden en toen… toen liep je gewoon weg," jammerde Poppy met trillende onderlip. „Je liet me zomaar stikken. Ik was vreselijk van streek en zat helemaal in mijn uppie boven. Ik wist niet wat ik deed. Ik… ik draaide gewoon door, oké?"

Achter Poppy trok Kaz een gezicht naar Amber. Man, ze is nog gestoorder dan ik dacht, leek ze te zeggen. Hou vol, niet zwichten. Daarna liep ze stilletjes de keuken uit en trok de deur achter zich dicht. Het brood en de plakken kaas had ze op het aanrecht laten liggen.

Kaz is gewoon tactvol, dacht Amber, maar ze voelde zich zwak worden nu ze weg was. „Oké Poppy, dus je was boos," vervolgde ze. „Laten we daar nu maar niet verder op ingaan. Mijn tijgeroog is weg. Die hanger, met het kettinkje."

Poppy's gezicht vertrok even. Haar hand bewoog naar haar hals en ze trok de hanger onder haar shirt vandaan. „Kom je daar nu pas achter?" vroeg ze spottend. „Ik heb hem dagen geleden al geleend."

„Geef terúg! Nu!" Amber dook op haar af. Ze had de ketting wel als een wurgkoord om haar magere, witte hals willen aantrekken, maar Poppy maakte het sluitinkje snel open en schoof de ketting naar haar toe.

Amber stak hem in haar zak en vroeg scherp: „En wat heb je vandaag gepikt?"

„Geléénd," jengelde Poppy. „Ik léén alleen spulletjes. Jemig Amber, de meeste zussen doen niet zo moeilijk over elkaars kleren en sieraden lenen. Je mag mijn spullen ook lenen wanneer je maar wilt."

„Dat wil ik helemaal niet. Ik moet die troep niet," snauwde Amber. Ze had eraan willen toevoegen: „En we zijn niet eens echte zussen," maar Poppy's ogen sprongen vol tranen, dus ze hield zich in. „Geef nou maar gewoon terug wat je hebt wegge- haald, Poppy, en vráág het voortaan eerst, oké?"

„Ik heb vandaag niets meegenomen."

„O, lieg niet! Je hebt toegegeven dat je op mijn kamer bent geweest en…"

„Omdat ik me eenzaam voelde! Ik heb gewoon op je bed gelegen, ik ben nergens aan geweest."

„Leugenaar die je bent! Ik word ziek van je, Poppy. Je blijft met je handen van mijn spullen af, begrepen!"

„Ik heb nergens aan gezeten!" jammerde Poppy. Ze liet haar hoofd op haar gevouwen armen zakken en begon te huilen.

Amber had haar het liefst bij haar haren de trap op gesleept om haar te laten zien wat een bende ze had gemaakt. „Oké," riep ze. „Kom dan maar mee naar boven. Kom maar kijken, en zeg dan nog eens dat jij het niet hebt gedaan! De kettingen zijn in rare vormen neergelegd, mijn ringen liggen als een slang achter elkaar… Wil je soms zeggen dat Chrissie of Kaz of een van de jongens dat heeft gedaan? Ik ben het spuugzat, Poppy! Ik weet dat je op mijn kamer komt. Je jat dingen, je zit overal aan… Blijf er gewoon uit, oké? Blijf eruit!"

Langzaam hief Poppy haar hoofd op. Ze keek Amber recht aan, en bij het zien van de uitdrukking op haar gezicht kreeg Amber het koud. Poppy glunderde, keek nieuwsgierig, opge- wonden; het leek vanuit haar diepste zelf te komen, maar tege- lijkertijd was ze anders dan Amber haar ooit had gezien.

„Wat?" vroeg ze haperend. „Haal die grijns van je smoel. Je krijgt een dreun, Poppy, ik zweer het."

Poppy stond op, nog steeds glimlachend. „Ik zal nooit meer

op je kamer komen," zei ze kalm en ze liep naar de deur. „Dat beloof ik."

Hoewel die nacht rustig verliep, deed Amber nauwelijks een oog dicht. Het was een opluchting dat ze de volgende dag naar haar werk kon en zichzelf kon verliezen in het hakken, roeren en bedienen.

Marty deed wat schuchter tegen haar, bijna afstandelijk, en ze wist dat het kwam doordat ze zaterdag niet bij hem was blijven slapen. Ze kon het alleen niet opbrengen om erover te beginnen en het goed te maken. Ze was zo gespannen als een veer, alles in haar stond op springen.

Toen ze 's middags Merral Road weer op kwam, zag ze de oude vrouw van nummer 11 bij het tuinhek staan. Er knapte iets in Amber. Ze liep op haar af. „Wat moet u hier?" blafte ze. „Op wie staat u te wachten?"

De oude vrouw draaide zich handenwringend naar haar toe. Haar gezicht was vertrokken van bezorgdheid. „Ik... ik wil alleen weten of alles in orde is, kindje. Ik wil alleen..."

„Alleen wát? Bemoeizuchtige oude héks!" krijste Amber. „Laat ons met rust! Hou op met dat krankzinnige gedoe!" Zonder nog achterom te kijken rende ze het huis in.

Die ochtend had ze zorgvuldig haar kamerdeur op slot gedaan, maar op de een of andere manier wist ze wat haar te wachten stond. Ze opende de deur en liep naar binnen.

De garderobekast stond open, het dekbed lag in een prop op het matras; Poppy had weer in haar bed gelegen. De lade onder de kapspiegel was eruit getrokken en haar sieraden lagen in een hoop ernaast. In de hoek lag een hoop laarzen en schoenen, en de lange grashalmen waren uit de gebarsten witte vaas getrokken en geknakt, een voor een. Ze lagen als een enorme, gehavende waaier over het tapijt uitgespreid.

214

Amber draaide zich ziedend van woede om en stormde de zoldertrap op. Ze beukte op de achterste deur en toen Poppy hem van slot draaide, gooide ze hem open en gaf haar direct een harde klap, midden in haar gezicht.

Poppy gilde; Amber duwde haar terug haar kamer in. „Leugenaar! Jij valse perverse leugenaar! Wat speel jij voor zieke spelletjes? Probeer je me soms gek te maken? Je hebt wél een sleutel van mijn kamer. Je bent weer binnen geweest, kreng, en je hebt weer alles overhoop gehaald. Mens, je bent echt gestoord!"

„Jij bent gestoord, om mij de schuld geven van iets wat ik helemaal niet heb gedaan!"

„Geef me die sleutels. Geef hier!" Amber dook op haar af en griste de ring van Poppy's middel.

De ketting brak, en Poppy werd hysterisch.

„Je hebt hem kapotgemaakt! Hij is kapot!" krijste ze en haar gezicht vervormde als bij iemand die in een vampier verandert. „Hoe durf je! Hoe durf je!"

„Moet je nog een dreun voor je kop?" schreeuwde Amber. „Ik doe het, hoor, hysterische trut!" Ze gaf Poppy een harde duw, zodat ze achteruit struikelde en op het bed neerviel, waar ze bleef liggen huilen.

„O, hou toch op met dat gejank!" Amber haalde haar sleutel uit haar zak en vergeleek hem met de sleutels aan de ring, een voor een. „Oké, hij zit er niet bij, hè? Waarom dacht ik ook dat je hem eraan zou laten zitten, zodat ik hem zo kan pakken. Waar heb je hem verstopt? Kom op, waar is hij?" Ze greep Poppy bij haar haren en trok haar hoofd achterover.

„Wacht maar!" siste Poppy tussen haar opeengeklemde tanden door. „Wacht maar tot ze erachter komt hoe je me behandelt…"

„O ja, je wilt mam en mij uit elkaar drijven, hè. Zoals je altijd doet. Nou zúsje, het kan me geen ruk meer schelen. Vertel haar maar wat je wilt. Nou, waar is die andere sleutel?"

Met een vreemde, schokkende beweging maakte Poppy zich los. Ze sprong naar de andere kant van het bed en draaide zich naar Amber toe, blazend als een kat. „Kijk dan naar die ring!" krijste ze. Haar stem klonk wreed en kwaadaardig. „Kijk maar of je er iets af krijgt!"

Amber staarde omlaag. De grote zilveren ring was dichtgelast; er kon niets aan of af.

„Dat zegt niets," mompelde ze, maar ze was van de wijs gebracht. „Niet alle sleutels hoeven aan die ring te zitten…" Haar stem stierf weg. Ze voelde zich leeg, en geschokt door wat ze had gedaan. Ze was tegen de oude vrouw tekeergegaan, ze was Poppy's kamer binnengestormd en had haar geslagen. Ze verloor de controle over zichzelf, ze was aan het doordraaien…

„Ik ga weg," mompelde ze.

Terwijl ze de gang op verdween, meende ze Poppy iets te horen fluisteren, iets wat klonk als: „Wacht jij maar. Zúsje."

15

Amber deed die avond haar deur op slot, ook al wist ze dat het zinloos was. Ze had overwogen om naar Kaz' kamer te gaan. Ze had er ook over gedacht om Marty te bellen en te vragen of ze naar hem toe kon komen. Uiteindelijk was ze gewoon in bed gekropen en had het dekbed over haar hoofd getrokken, terwijl ze zichzelf verwijten maakte omdat ze Poppy's vader nog niet had gebeld en het voor zich uit had geschoven. Ze besloot om het morgenochtend vroeg meteen alsnog te doen. Ze wist zijn achternaam nog – Basketer – en die kwam niet vaak voor. Zo veel konden er niet zijn in het stadje waar hij woonde. Ze zou naar de Albatross bellen om te zeggen dat ze ziek was en er desnoods de hele dag aan besteden.

Nu ze een plan had, lukte het Amber om in slaap te vallen, voor een paar uurtjes in elk geval. Maar plotseling schoot ze wakker, klaarwakker. Iets had haar haar aangeraakt, had heel zacht over haar hoofd gestreken. Een spin! Het oude huis bood ruimte aan honderden grote spinnen, die zich in donkere hoekjes verscholen en de bewerkte plafonds met webben bedekten. Ze sloeg paniekerig op haar hoofd, dook op haar nachtkastje af en knipte de lamp aan. In de poel van licht speurde ze het zachtgele kussen en laken af, maar ze zag niets harigs wegschieten.

Je ziet ze vliegen, zei ze tegen zichzelf. Er was helemaal niks.

Ze nam een slok water uit de fles die naast haar bed stond, deed het licht weer uit en ging liggen. Al snel dommelde ze in.

Haar gedachten zweefden weg, bijna kalm. Het huis was stil, en ze zweefde… zweefde…

Amber schoot overeind. Haar schedel kriebelde, haar haar bewoog alsof er zachtjes aan werd getrokken. Ze knipte de lamp weer aan en begon wanhopig het kussen en laken af te zoeken. Hoewel ze het niet wilde toegeven, hoopte ze een grote, enge spin te zien, die met zijn poten verstrikt zat in haar haar…

Niets. Niets te zien.

Ze bleef even zitten en probeerde haar ademhaling tot bedaren te brengen. Toen dwong ze zichzelf ertoe om het licht uit te doen en probeerde verstard weer in slaap te vallen. In plaats daarvan lag ze te wachten.

Hou op, zei ze geluidloos, maar ze bleef wachten.

Pas ruim vijf minuten later gebeurde het opnieuw. Zacht en traag, een lichte aanraking op haar kruin, als een vogel die met zijn vleugel langs haar hoofd scheerde; een strijkende hand. Verwoed schudde Amber haar hoofd. Verbeelding, dacht ze. Ik ben gewoon bloednerveus, dat is alles. En ze zeggen toch dat je haren overeind gaan staan als je schrikt?

Daar had je het weer, een nauwelijks voelbare strijkbeweging, bij haar slaap dit keer. Amber dreunde met haar hoofd op het kussen. Nu kwam het vanaf de andere kant. Als een hand die haar plaagde, speelde met haar angst. Ze bleef als een plank liggen, durfde nauwelijks adem te halen.

Het volgende moment slaakte ze een kreet. Ze was ergens door gestoken. Door de klauwen van een dier of de tanden van een enorme vork, zo in haar schedel. Van schrik schoot ze overeind. Ze wreef over haar hoofd… en werd opnieuw gestoken; een rij scherpe steken aan de zijkant van haar hals.

Ze dacht dat haar hart het zou begeven. Ze kon zich niet bewegen, kreeg geen lucht.

Vijftig lange seconden verstreken terwijl ze wachtte tot ze opnieuw werd gestoken.

Het zijn mijn zenuwuiteinden die op hol slaan, hield ze zichzelf wanhopig voor, de zenuwen in mijn huid. Ik ben helemaal gaar, zoals wanneer je griep krijgt en je huid overgevoelig wordt...

Ineens doemde er een beeld in Amber op van een hand, kwaadaardig en treiterend, met vingers als klauwen, die naar haar staken, haar porden met vijf puntige nagels, en ze bevroor, viel bijna flauw van angst.

Laat me met rust, laat me met rust, smeekte ze keer op keer. Laat me met rust!

Een eindeloos lange stilte. Een onheilspellende stilte, waarin ze wachtte op de volgende aanraking.

Amber hield haar ogen stijf dichtgeknepen, maar zag nog steeds die scherpe klauwen. Ze deed haar handen voor haar gezicht. Niet in mijn gezicht, alsjeblieft niet in mijn gezicht, bad ze.

De geur van viooltjes omringde haar en viel als een verstikkende sluier over haar gezicht.

Op de gang klonk een stem, mompelend. De sleutel draaide in het slot... en toen hoorde Amber boven haar hoofd Poppy lachen, honend, spottend, en tegelijk begon de schommelstoel te piepen, van voor naar achter.

Van voor naar achter.

Van voor naar achter.

Amber wist niet hoe ze die nacht had overleefd. Ze had verstijfd van angst in bed gelegen, niet in staat om te bewegen. Net als vroeger, wanneer Poppy haar de stuipen op het lijf had gejaagd met een of ander griezelverhaal en ze gevangen zat tussen de angst om in hun slaapkamer te blijven en de angst om uit haar bed te stappen.

Pas toen de ochtendschemering de kamer begon binnen te dringen, merkte ze dat ze weer vrij adem kon halen. Ze krabbelde uit bed, gaf een ruk aan de gordijnen, gooide het raam wijd open en zoog haar longen vol schone, koude lucht. In de badkamer waste ze haar gezicht, poetste haar tanden en trok een spijkerbroek en T-shirt aan.

Amber realiseerde zich dat er nu meteen een oplossing moest komen, vandaag nog. Ze moest Poppy confronteren, met haar praten en zorgen dat zij praatte, voordat de volgende nacht aanbrak.

Ze haastte zich naar de keuken, zette een kop sterke thee, met veel suiker erin, en dronk hem staand op, te nerveus om te gaan zitten.

Er was nog niemand anders op; het was te vroeg, nog geen acht uur. Ook Poppy was vast nog niet wakker.

Amber goot haar restje thee in de gootsteen en liep naar boven.

Het ochtendlicht dat door het dakraam boven aan de zoldertrap viel, schonk Amber kracht terwijl ze naar boven klom en stilletjes de smalle gang over liep. De achterste deur stond op een kier, alsof Poppy haar al verwachtte, haar uitnodigde om binnen te komen. Ze haalde diep adem en liep de kamer in.

Poppy was er niet. Het bed was leeg.

Waar was ze in vredesnaam zo vroeg naartoe? Amber had niemand weg horen gaan, terwijl ze zo gespannen was geweest dat ze elke beweging in huis zou hebben opgemerkt.

Ze dacht aan de oude vrouw van nummer 11. Misschien had zij er iets mee te maken. Misschien was Poppy naar haar toe gegaan of had dat mens haar op de een of andere manier mee weten te lokken…

Ik moet ernaar toe, dacht Amber. Ik heb het lang genoeg uit-gesteld. Die oude heks moet me vertellen wat er aan de hand is, waarom ze het huis zo in de gaten houdt...

Haar blik viel op de kist waardoor Poppy zo geobsedeerd was. Hij stak een stukje onder het bed uit. Ze bukte en trok hem verder naar voren. De in het deksel gegraveerde initialen zagen er scherper uit, dieper, alsof Poppy ze had schoonge-poetst. Langzaam tilde ze het deksel op.

De kist zat tot aan de rand vol. Bovenop lag Poppy's zwarte kanten sjaal, die ze over Ambers kussen had uitgespreid. Met trillende vingers trok Amber hem eruit en liet hem op de vloer vallen. Vervolgens haalde ze een lange, grijze wollen rok tevoorschijn die ze Poppy een paar keer had zien dragen. Daaronder lag het gescheurde kanten hemdje dat Poppy com-bineerde met een kort rokje en hoge laarzen.

Waarom hangt ze die dingen niet bij haar andere kleren? vroeg Amber zich af. Waarom stopt ze ze telkens terug in de kist?

Onder het hemdje lagen een paarse vilten hoed, wat verteer-de kanten kraagjes en een borstel, kam en spiegel van ebben-hout. Al die dingen herkende ze van de keer dat Poppy haar opgetogen de oude kist had laten zien, toen ze zich had gereali-seerd waar Poppy's cadeautjes – de oude handschoenen en het schildpadschaaltje waar ze een kaars in had moeten zetten – vandaan waren gekomen. Ze pakte twee geborduurde blouses op. Haar ogen werden groot bij het zien van de handschoenen die eronder lagen, met het schildpadschaaltje ernaast.

Amber trok een gezicht. Ze had dat schaaltje helemaal achter in haar kledingkast weggestopt, in een schoenendoos met een paar pumps die ze zelden droeg, maar toch had Poppy het weten te vinden. En ze had het teruggepakt, net als de handschoenen.

Amber tuurde in de kist. Misschien zou ze wat van haar eigen sieraden aantreffen, maar er lag alleen een kleine, doffe zilveren broche met een moddergroene steen erin, naast een versleten gouden ring. Poppy droeg ze allebei geregeld. Amber kon zichzelf er niet eens toe zetten om ze aan te raken. De ring zag eruit als de trouwring van een lijk.

Onder het schaaltje lag een boek. *Handboek voor de ijverige huisvrouw*, door Agnes Steadman. Ze sloeg het open. Er was een naam in geschreven, de naam van de eigenaar van het boek. Terwijl ze het hanenpoterige handschrift ontcijferde, kreeg ze het ijskoud.

Ivy Skinner

Ivy Skinner.

I.S., de eigenaar van de kist.

Ivy Skinner. Het was alsof iemand de naam hardop had uitgesproken, vlak bij haar oor.

Onder het boek lag een bundeltje papier, bijeengehouden door rafelig, gevlekt groen lint. Het waren brieven en oude, verbleekte foto's.

Met weerzin pakte Amber het op en meteen ging het lint los en de brieven en foto's vielen als droge schilfers uit elkaar.

Ambers hart klopte in haar keel. Terwijl ze omlaag keek, zweefden er woorden als *teleurstelling* en *jouw schuld* en *slecht behandeld* en *nooit vergeven* omhoog. *Hoe durf je* was twee keer onderstreept. Amber kon het niet aan om verder te lezen. Ze schudde de brieven als kaarten door elkaar. Ze zag dat ze allemaal in hetzelfde handschrift waren geschreven en met dezelfde naam waren ondertekend: *Ivy Skinner*.

Het moesten brieven zijn die nooit verstuurd waren.

Een fletse sepia foto was neergedwarreld op de kale houten

vloer. Amber pakte hem op en bekeek hem. Er stond een vrouw op met drie kleine kinderen voor zich. Ze was mager en had donker haar in een knot.

Ze kon van elke willekeurige leeftijd zijn, dacht Amber. Haar gezicht stond star en verzuurd... haar gezícht!

Het was het gezicht van de foto in de gang, dat gezicht dat op haar af was gesprongen. Dezelfde kwaadaardige glimlach en die donkere ogen vol haat... En haar hand, die hánd!

Amber wist het, ze had het gevoeld. De puntige nagels, de hand die als een klauw om de schouder van het jongetje was geslagen – ze wist het. Ze zag het aan de manier waarop zijn hele lijf zich vol angst en walging probeerde los te maken van die hand.

Kokhalzend liet Amber de foto vallen en ze vluchtte de zolder af. Ze schoot haar kamer in, griste haar tas met haar sleutel erin mee en rende door naar beneden, het huis uit. Ze stormde de straat door, het pad naar nummer 11 op en begon op de deur te bonken.

Er werd vrijwel direct opengedaan. „Dag, kindje," zei de oude vrouw zacht. „Ik vroeg me al af wanneer je zou komen."

„Is Poppy hier?" vroeg Amber buiten adem.

„Nee, kindje. Ze wil niet met me praten. Ze wil niets met me te maken hebben."

„Er is iets aan de hand bij ons in huis. Iets verschrikkelijks, en Poppy is erbij betrokken... Ik wil... ik wil weten wat u over Ivy Skinner weet."

Zwijgend zocht de oude vrouw Ambers gezicht af.

„Volgens mij weet u er meer van," hield Amber vol. „U zegt steeds van die dingen en houdt het huis in de gaten. U bent ergens bang voor, u bent bezorgd om ons. Het gaat om Ivy, hè? Of niet? Toe nou, ik móét het weten."

„Kom verder, kindje," zei de oude vrouw. „Dan zet ik een

kopje thee voor je."

Amber aarzelde. Ze had het gevoel dat ze door een heks werd uitgenodigd. Als ze de drempel over ging, zou ze misschien nooit meer kunnen ontkomen... „Oké," mompelde ze uiteindelijk en ze stapte naar binnen.

De oude vrouw deed de deur achter haar dicht en liep voor haar uit door de lange gang naar de keuken. Die had dezelfde afmeting als de keuken op nummer 17, met dezelfde grenenhouten kastjes, maar hier was het netjes, met ouderwetse porseleinen borden aan de wanden en een kleed op tafel.

Door de glazen deur zag Amber dat de tuin hopeloos overwoekerd was en ze bedacht dat de oude vrouw er alleen voor moest staan. „Sorry dat ik de vorige keer zo grof tegen u was," mompelde ze. „Ik was nogal gespannen en ik schrok zo van u, zoals u maar bleef rondhangen..."

„Het geeft niet. Ik begrijp het wel. Je zult me wel heel vreemd hebben gevonden."

„Ja. Maar... ik weet niet eens hoe u heet," fluisterde ze.

„Mevrouw Bartlett," zei de oude vrouw.

„Ik ben Amber."

„Dat weet ik."

Zonder iets te zeggen vulde mevrouw Bartlett de ketel en ze zette kopjes, schoteltjes en een piepklein met roosjes beschilderd melkkannetje op een dienblad.

Amber keek toe, verstijfd van angst en ongeduld.

„Zullen we naar de voorkamer gaan?" stelde mevrouw Bartlett voor. „Of zullen we hier blijven, in het laatste beetje zon, voor hij achter het huis verdwijnt?"

„Laten we hier blijven."

„Ga dan zitten, kindje. Maak het jezelf gemakkelijk."

Amber streek neer aan de kleine tafel en mevrouw Bartlett schonk thee in de kopjes.

„Zo. Dus je bent eindelijk over Ivy te weten gekomen."

„Ik heb wat spullen gevonden. Op de achterste zolderkamer. Een boek en brieven en zo. Ook... een foto. Er gebeuren rare dingen. Mijn zus... die wordt er heel erg door beïnvloed en dat slaat weer op mij over, omdat we... omdat we zo'n hechte band hebben. Ik weet niet wat er aan de hand is, maar... ik weet niet, soms dringen dingen uit het verleden door tot het heden, toch?"

„Ja, dat kan, kindje. O, dat kan zeker."

„Het is alsof... er een raar soort energie in het huis hangt en ik weet zeker dat het met die Ivy Skinner te maken heeft."

Mevrouw Bartlett zette haar kopje met een tik neer. „Weet je, ik vind het afschuwelijk om die naam te horen, zelfs nu nog. Het wordt me koud om het hart."

„Wát? Waarom?"

„Ze leefde nog toen ik klein was. Een oude vrouw met een krom, mager lijf en een gezicht dat... O, het stond zo bitter, zo gemeen. Ze woonde met haar neef samen; hij was nooit getrouwd. Alle kinderen uit de buurt waren als de dood voor haar. Ik vond het vreselijk dat we zo dichtbij woonden; je durf-de gewoon niet in je eentje langs nummer 17. Uiteraard deden er allerlei verhalen over haar de ronde; sommige waren gewoon onzin, dat ze baby's stal en kookte, of dat ze in het bos de duivel ontmoette, en sommige waren misschien wat meer op waarheid gebaseerd."

„Welke dan?"

Mevrouw Bartlett nam een slokje thee. „Ze had jaren in dat huis gewoond, sinds ze een jonge vrouw was. Ze was gekomen om haar zus te helpen, nou ja, haar halfzus, om voor haar kinderen te zorgen. Op een dag, een jaar of twee later, overleed de zus. Kun je je voorstellen wat voor geruchten er toen de kop op staken? Ze zeiden dat Ivy jaloers op haar was geweest en haar uit de weg had willen ruimen, omdat ze de vader voor zichzelf had willen hebben."

„Wat? Jaloers genoeg om haar te vermoorden?"

„Dat werd beweerd, ja. En de kinderen voor wie ze zorgde, haar neefjes en nichtjes... Mensen zeiden dat hun altijd iets leek te mankeren, dat ze er zo benauwd uitzagen. Zulke verhalen verdwijnen niet, hè? Die blijven rondzingen. De oudste neef is nooit getrouwd, nooit het huis uit gegaan. Nadat zijn vader was overleden, bleef hij er wonen, alleen met haar, Ivy..." Mevrouw Bartlett zette haar kopje neer en keek Amber aan. „Het is raar, hoor kindje, om hierover te praten," zei ze. „Na al die tijd."

„Maar dat wilde u toch?" mompelde Amber. „U probeerde er constant over te beginnen."

„Ja ja, inderdaad."

„Er is meer, hè? Meer dan alleen die oude geruchten."

„Ja, er is meer. Toen ik een jaar of acht was, ontstond er grote ophef op school. Ik herinner het me nog als de dag van gisteren. Het was een soort massahysterie die iedereen in zijn greep hield, iets met Ivy. Er kwamen ouders naar school, er waren vergaderingen en uiteindelijk zei de directeur van de school ten overstaan van iedereen dat Ivy's naam nooit, maar dan ook nooit meer genoemd mocht worden. Iedereen die haar naam nog in de mond durfde te nemen, zou van school worden gestuurd. Hij zei dat we verder moesten, op moesten houden met al die onzin, zoals hij het noemde. Maar het punt is... Het was geen onzin."

Het leek alsof er een ijskoude hand over Ambers ruggengraat streek. „Wat was er dan gebeurd?" vroeg ze hees.

„Een van de gemeenste dingen die je tegen een ander kind kon zeggen, was dat je iets van ze had en het aan Ivy Skinner zou geven, want dan kreeg ze macht over diegene... Ze maakte een wassen beeldje en zorgde er zo voor dat iemand nare dingen overkwamen. Hoe dan ook, een paar knullen hadden het op een klein jochie gemunt; Michael Draper heette hij. Ze zeiden tegen hem dat ze zijn sjaal aan Ivy hadden gegeven. Op een dag grepen ze hem na schooltijd vast en sleurden hem hierheen, naar Merral Road, en duwden hem door het hek van nummer 17. Ze riepen Ivy's naam, en ze kwam naar de deur. Michael werd zo bang toen hij haar zag, dat hij flauwviel. Bij die andere jongens was ineens alle bravoure verdwenen. Ze lieten hem liggen en renden weg."

„En toen?" vroeg Amber haast geluidloos. „Wat gebeurde er toen?"

„Ivy sleepte hem mee naar binnen. Ze pakte hem bij zijn enkels vast en sleurde hem de gang in. Zijn hoofd bonkte over de traptreden, op de drempel…"

Ambers hoofd vulde zich met het afschuwelijke beeld. Er viel een stilte. Toen mompelde ze: „U heeft het met eigen ogen gezien, hè?"

„Ik stond tussen de struiken, aan het eind van de straat. Ik hoorde de jongens aankomen, hoorde Michael gillen en huilen en ik verstopte me. Ik kon niets doen, want het waren grote jongens – ik had nooit tegen ze op gekund. Toen Ivy Michael had… meegenomen, rende ik naar mijn moeder om het haar te vertellen. Zij ging naar nummer 17 en klopte aan. Ik wachtte bij het hek. Ik was doodsbenauwd, om Michael maar vooral om mijn moeder.

De neef deed de deur open; meneer Alcock heette hij. Hij zei dat hij niets wist over een jongen in huis, maar mijn moeder hield haar poot stijf. Ze wees naar mij en zei dat haar dochter niet loog. Toen ging ze samen met meneer Alcock naar binnen. Ze leek uren weg te blijven, al kan het nooit lang hebben geduurd… Meneer Alcock kwam weer naar buiten met

Michael in zijn armen. Ivy had hem helemaal mee naar zolder gesleurd..."

„O nee!" bracht Amber huiverend uit.

„Hij droeg hem bij ons naar binnen en mijn moeder belde zijn ouders en de huisarts..."

„Wat had ze met hem gedaan?"

„Daar zijn we nooit achter gekomen. Hem mankeerde niets, behalve wat blauwe plekken van de val, zeiden ze. Hij had een... zenuwinzinking gehad, zou je kunnen zeggen. Hij weigerde er ook maar iets over te vertellen, maar nadien was er een steekje bij hem los. Zijn ouders – nou ja, dat kun je je wel voorstellen, die wilden wraak. Ze gingen naar nummer 17 en eisten Ivy te spreken. De politie moest erbij worden gehaald. Iedereen kwam in de greep van de hysterie; het wemelde van de geruchten over wat ze met hem had gedaan. Kinderen durfden nauwelijks nog buiten te spelen. Pestkoppen gebruikten Ivy om anderen bang te maken, stalen kledingstukken die ze voor haar achterlieten en groepjes jongens wilden haar huis bestormen... Toen greep de directeur in."

„Hielp dat?"

„Nou, het hele gedoe werd minder, maar dat was sowieso wel gebeurd. Uiteindelijk. Daarna heeft niemand Ivy ooit nog gezien. Behalve mijn moeder dan."

„Uw moeder? Hoe kwam dat dan?"

„Ze was ervan overtuigd dat elk mens in wezen goed is. Ze was bezorgd omdat we Ivy nooit meer zagen en begon te zeggen dat Ivy gewoon een arme oude vrouw was, die slecht behandeld werd door haar neef. Waarom woonde ze bijvoorbeeld op zolder, vroeg mijn moeder zich af. Volgens haar was Ivy misschien wel bang voor haar neef en probeerde ze Michael tegen hem te beschermen, had ze hem daarom mee naar boven gesleept..."

„Maar u had zelf gezien wat ze deed. U had gezien hoe ze hem het huis in sleurde, met zijn hoofd bonkend op de trap…"

Mevrouw Bartlett boog haar hoofd. „Ja, dat klopt," fluisterde ze. „Ik zie het nog steeds voor me. Haar hánden… zo mager, met uitpuilende knokkels…"

„Waarom heeft u dat niet aan uw moeder verteld?"

„Ik weet het niet. Sommige dingen zijn gewoon… te gruwelijk om uit te spreken. Zo erg dat je ze verdringt. Je kunt er niet over praten, je doet alsof het nooit gebeurd is. Ik weet het niet. O kindje, het spijt me…" Ze wreef in haar ogen. „Ik heb het hier in geen jaren over gehad."

„Gaat het wel?"

„Ja kindje, ik ben alleen een beetje…"

„Wat gebeurde er? Toen uw moeder naar haar toe ging?"

Er viel een lange stilte. De zon was opgeschoven en ineens was het donker en somber in de keuken. Er hing een zwaarmoedige sfeer.

„Als je het niet erg vindt," zei mevrouw Bartlett uiteindelijk, „wil ik graag dat je nu vertrekt. Ik ben heel moe."

„Maar…"

Mevrouw Bartlett hief haar hoofd op. Ze zag er afgetobt en uitgeput uit. „Ga alsjeblieft maar weg, kindje. Ik wil er niet meer over praten. Niet nu."

Wankel kwam Amber overeind. Ze fluisterde „tot ziens" en ging naar huis.

16

Amber stapte nummer 17 binnen.

Poppy stond op de trap, voor de grote barokke spiegel. Haar haar zat in een wilde knot op haar hoofd. Ze had de zwarte spinnenwebsjaal om en droeg het gescheurde hemdje en haar kortste rokje. De sleutelring bungelde tegen haar blote been.

„Amber! Je bent in mijn kamer geweest!" gilde ze. „Mijn kist stond open, alles lag eruit. Hoe dúrf je zonder te vragen op mijn kamer te komen, hoe dúrf je zomaar…"

„O, hou op met dat theater!" riep Amber terug, hoewel haar hart bonsde van angst. „Ik kwam gewoon even kijken hoe het met je ging. De deur stond open en je was er niet. En trouwens," zei ze om tijd te rekken, „wat dacht je van al die keren dat je op míjn kamer bent geweest? Hoe zit het met alle schade die jij hebt aangericht?"

„Waar ben je geweest?" vroeg Poppy op eisende toon.

„Waar ík geweest ben?" schreeuwde Amber. „Jíj was degene die al om kwart voor acht de deur uit was! Misschien heb je wel de hele nacht over straat lopen schuimen!"

„Wie weet," zei Poppy met een sluwe grijns. „Maar dat zijn jouw zaken niet, hè?"

„Nee, niet meer."

„Je bedoelt dat het je niet meer kan schelen hoe het met me gaat."

„O, alsjeblíéft! Luister Poppy, je hebt hulp nodig. Ik ga…" Amber brak haar zin af. Als ze Poppy vertelde dat ze contact op wilde nemen met haar vader, was het huis waarschijnlijk te klein.

„Je gaat wáhát?" vroeg Poppy zangerig. „Me hélpen? Een betere zús voor me zijn? Wat meer met mij doen? Niet steeds Káz voortrekken?"

„Luister Poppy, je moet hier weg. Je hebt er niets aan om hier te zijn."

„O, dat zou jou goed uitkomen, hè? Dan ben jij mooi van me af. Nou, ik ga nergens heen. Ik heb het hier naar mijn zin. Ik blijf!"

Ambers blik gleed van Poppy naar Poppy's spiegelbeeld in de spiegel achter haar. Er was iets vreemds mee aan de hand. Het trilde… werd toen compacter, alsof het spiegelbeeld nog een eigen reflectie had, erachter. „Hou op!" riep ze.

„Waarmeehee?" zong Poppy.

„Hou op met… wat je doet!" Amber haalde beverig adem. „Jij doet het… allemaal… Jíj laat het gebeuren!"

Poppy kwam een stap dichterbij en gilde: „Waar was je? Waar was je?" Toen draaide ze zich om, stoof de overloop op en rende over de smalle trap naar zolder.

„Niet bij nadenken," zei Amber hardop tegen zichzelf. „Niet bij nadenken. Niet reageren, niet piekeren, niet tobben, niet terug-krabbelen, je moet het gewoon dóén. Twee telefoontjes. Twee telefoontjes maar."

Ze liep de keuken in, smeet de deur achter zich dicht, trok haar mobieltje tevoorschijn en belde naar de Albatross. „Hé, Bert? Het spijt me vreselijk… ik voel me niet lekker… Ja, nou ja, ik heb nogal een zware nacht achter de rug. Het spijt me echt… Doe ik, ik zal het rustig aan doen. Morgen ben ik er weer, oké?"

Vervolgens pakte ze een notitieblokje en een pen van het

werkblad bij de oven en ging aan tafel zitten. Via het informatienummer kreeg ze zeven Basketers in het stadje dat ze noemde. Ze had geen voorletter opgegeven, omdat ze niet wist of hij onder Tony of Anthony geregistreerd stond.

Systematisch werkte Amber het lijstje af. Ze belde elk nummer en probeerde niet stil te staan bij de mogelijkheid dat Tony wellicht een geheim nummer had. Bij de meesten werd niet opgenomen; die waren vermoedelijk naar hun werk. Ze zette een kruisje bij hun namen om het later nog eens te proberen, tenzij ze aan het bericht op hun antwoordapparaat al hoorde dat ze het niet waren. De twee mensen die wel opnamen, waren niet blij dat ze werden gestoord.

Toen Amber alle nummers had gehad, pakte ze haar tas en jas en liep het huis uit.

Ze zou het nooit toegeven, maar voor geen goud zou ze weer naar boven zijn gegaan, langs die spiegel, langs die zoldertrap, naar haar kamer onder die van Poppy.

Amber liep het centrum in en probeerde zichzelf af te leiden door etalages te bekijken, terwijl haar hoofd maalde. Ze wou dat ze de brieven van Ivy Skinners had gelezen, hoe weerzinwekkend ze er ook uit hadden gezien. Misschien was Poppy daardoor wel doorgedraaid en omdat Amber zo'n hechte band met haar had, begon zij zich ook van alles voor te stellen... Mevrouw Bartlett had nog eens olie op het vuur gegooid met al haar griezelverhalen over vroeger, haar obsessie met nummer 17...

Of Ivy was nog steeds in het huis.

Ivy bestond echt. Ivy had haar aangeraakt.

Haar klauwen naar haar uitgestoken.

Ambers schedel prikte. Niet aan denken. Niet aan denken.

Ze sjokte verder. Eerst iets regelen voor Poppy, dacht ze, dan mag je weg. Misschien wil Kaz ook wel ergens anders heen, dan kunnen we misschien samen nieuwe woonruimte zoeken...

Amber realiseerde zich ineens dat ze de hele dag nog niets had gegeten en in een klein, armoedig café – een van de zaken die haar in het begin geen baan hadden willen geven – bestelde ze iets te eten. Ze kreeg alleen amper iets door haar keel.

Ze slenterde nog wat verder over de boulevard. Het was pas vier uur, maar het begon al donker te worden. Tegen zessen zou ze teruggaan naar huis, nam ze zich voor, rond de tijd dat iedereen thuiskwam. Dan zou ze de lijst nog eens afbellen. Ze had natuurlijk ook een rustig plekje kunnen zoeken om met haar mobieltje te bellen, maar door te besluiten om dat thuis te doen, dwong ze zichzelf om terug te gaan.

Ze had een reden nodig om terug te gaan naar Merral Road 17...

Toen ze de voordeur opendeed, hoorde ze Ben en Rory in de keuken goedmoedig kibbelen over Rory's 'genetisch bepaalde onvermogen om ook maar één bord af te wassen'. Ze liep op hen af zoals je op een vuur af loopt wanneer je half bevroren bent.

Ze gedroegen zich allebei heel zorgzaam tegenover haar. Rory vroeg of ze een kopje thee wilde en Ben zei dat hij, gedwongen door Rory's 'genetisch bepaalde onvermogen om ook maar één ei te koken,' over een halfuurtje vis en patat zou gaan halen en of zij ook wilde.

Dankbaar knikte ze. De plaatselijke snackbar kon niet tippen aan het eten van de Albatross, maar ze hunkerde naar gezelschap en bij deze jongens zou ze tenminste een poosje normaal kunnen zijn. Het zou haar beloning zijn voor het opnieuw bellen van al die nummers, in een verwoede poging om haar stiefvader te bereiken. Misschien zou Kaz ook wel opduiken voor het eten, en Chrissie, en zouden ze met z'n allen aanschuiven aan de keukentafel.

Hoe groter de groep, hoe veiliger ze zich voelde.

Amber haastte zich naar haar kamer. Ze hield haar ogen gefixeerd op de vloer, deed haar deur van het slot, liep naar binnen, knipte het licht aan en sloot de deur weer achter zich. Angstig keek ze naar de kasten, haar bed… Alles leek onaangetast, maar die geur hing er weer, die nare weeë viooltjeslucht…

Het is mijn verbeelding, dacht ze. Sinds kort had ze het idee dat ze die smerige viooltjes overal rook.

Ze ging op de rand van haar bed zitten en belde werktuiglijk alle nummers die nog niet doorgestreept waren. Als er werd opgenomen, stelde ze de vraag die ze had voorbereid: „Het spijt me dat ik u lastigval, maar is dit het nummer van Tony Basketer?"

Twee keer werd er beleefd nee gezegd, een ander smeet botweg de hoorn op het toestel en toen nam er een vrouw op. Ze gaf geen antwoord op Ambers vraag, maar vroeg bruusk: „Met wie spreek ik?"

„Met… met Amber Thornley. Het gaat om Poppy."

„O, Poppy. Ik weet wel wie dat is," zei de vrouw bedachtzaam. „Blijf even aan de lijn."

Amber wachtte af. Ze hoorde stemmen aan de andere kant; de vrouw klonk kwaad, verwijtend, een sussende mannenstem… Er begon een baby te huilen…

Toen, vlak bij haar oor, zei Tony Basketer: „Amber?"

Amber was niet bedacht op de golf emoties die haar naar haar keel vlogen bij het horen van zijn stem. Het was twaalf jaar geleden, langer nog, dat ze hem voor het laatst had gehoord, maar ze herkende hem nog steeds. „Ja," bracht ze uit. „Tony… hallo."

„Hallo. Hoe kom je aan dit nummer? Van je moeder?"

„Nee, ik heb alle Basketers geprobeerd. Tony… het gaat niet goed met Poppy."

„Wat is er met haar?"

„Ze is gewoon… ze is… Ik ben bang dat ze gek aan het worden is. Ze woont bij mij in huis, in Cornwall en ze… ze is zó uit haar doen. Ik kan het niet meer aan. En ik kan haar niet naar huis sturen, want mam weet zich ook geen raad meer. We hebben… we hebben iemand anders nodig om ons te helpen."

Zo… dat was eruit.

Amber had het gevoel alsof er een zwaar gewicht van haar ziel rolde. Nu zou Tony het overnemen, hij zou hierheen komen en alles regelen, een oplossing verzinnen…

Aan de andere kant van de lijn schraapte Tony zijn keel. „En met iemand anders bedoel je mij, neem ik aan."

„Nou… ja. Jij bent haar vader."

„Dat weet ik. Maar Amber, ik heb al – hoe lang? Zeven jaar inmiddels – geen contact meer met Poppy. En daarvoor zag ik haar ook nauwelijks. Daar heeft je moeder wel voor gezorgd. Ze nemen mijn maandelijkse bijdrage grif aan, maar daar blijft het wel bij. Verjaardagskaarten, cadeautjes… alles komt ongeopend retour. Ik heb het opgegeven, om eerlijk te zijn."

„Ik weet het," zei Amber. „Ik weet het, maar het is nu… ánders. Alles ligt nu min of meer open. Poppy is weg bij mam, ze heeft een soort zenuwinzinking gekregen. Als jij hiernaartoe komt en met haar praat; professionele hulp zoekt…"

„Wat?" Hij lachte ruw. „Ik zeg al jaren dat ze die nodig heeft. Al vanaf dat ze heel klein was. Om die reden heeft je moeder me eruit gegooid."

„Wat?" bracht Amber uit. „Heeft zíj jóú eruit gegooid?"

„Ja. O, jullie zullen vast wel de versie te horen hebben gekregen waarin ík ervandoor ben gegaan, omdat ik een egoïstische, harteloze zak ben. Maar de waarheid is dat ze niet wilde inzien dat Poppy een gedragsprobleem had. Ze haatte me – en dan bedoel ik hartgrondig – omdat ik het ook maar suggereerde. Op een avond hadden we er weer eens knallende ruzie over. Het huis leek wel een slagveld. En jij, jij arme, kleine dreumes... Je zat halverwege op de trap door de spijlen naar ons te staren... Toen werd Poppy wakker en ze begon te krijsen. Jij rende naar haar toe."

„Dat kan ik me helemaal niet meer herinneren."

„Nee? Misschien maar goed ook. Je moeder was hysterisch, ze dúwde me letterlijk de deur uit... Uiteindelijk gaf ik het op en vertrok ik. Ik vond het vreselijk om Poppy zo achter te laten, want ik wist dat het alleen maar erger zou worden. En ik vond het ook vreselijk om jou met die twee achter te laten, Kraaltje. Ik voelde me verscheurd, maar je was niet míjn dochter. Ik had totaal geen zeggenschap over je..."

Kraaltje. Ja, dat was zijn koosnaampje voor haar geweest. Kraaltje. Ze was het vergeten. Hij had beloofd dat hij wat amberkralen voor haar zou kopen wanneer ze groter was.

„Had je het dan tegen niemand kunnen vertellen?" fluisterde ze. „Iemand kunnen benaderen... voor hulp?"

„Ik ben de volgende dag direct naar de huisarts gegaan en heb verteld hoeveel zorgen ik me maakte om Poppy. De huisarts dacht dat ik van de kaart was door de huwelijkscrisis, maar regelde in elk geval dat de kinderbescherming langs zou gaan. Die zagen uiteraard twee leuke kleine meisjes, keurig aangekleed; de moeder was misschien wat nerveus, maar de kinderen werden goed verzorgd. Ze sloten de zaak nog voor hij goed en wel geopend was. Poppy is door de mazen van het net geglipt. Je moest langer bij haar in de buurt zijn om door te krijgen dat ze niet spoorde.

Tjonge, het is zo raar om er na al die tijd weer over te praten. Ik heb me er min of meer bij neergelegd dat ik er niets aan heb kunnen veranderen en heb aanvaard dat ik haar en je moeder aan hun lot moest overlaten."

„Ook al wist je dat het alleen maar slecht kon uitpakken voor Poppy?" En voor mij, dacht ze erachteraan.

„Amber, de kindermishandeling waar de kranten bol van staan – seksueel misbruik, geweld, verwaarlozing – dat is maar het topje van de ijsberg. Er zijn allerlei vormen van mishandeling, van ouder naar kind. Onverschilligheid. Kilheid. Minachting. Onbetrouwbaarheid. Overal ter wereld worden kinderen tekortgedaan. Ze krijgen niet waar ze recht op hebben, doordat ze sadistische, verknipte of anderszins ongeschikte ouders hebben. En we kunnen er geen moer tegen doen."

„Maar… als jij contact met haar had gehouden…" Als je contact met óns had gehouden…

„Dacht je dat ik dat niet heb geprobeerd? Je moeder weigerde me bezoekrecht te geven. Vrouwen die zich daartegen verzetten, krijgen altijd het voordeel van de twijfel. Het was slopend. En elke keer als ik langskwam, werd Poppy vervelender en vijandiger omdat je moeder haar zo grondig tegen me opzette en jullie leugens vertelde over waarom ik was vertrokken… Ik ging eraan onderdoor. Uiteindelijk ben ik zelfs naar de rechter gestapt, wist je dat?"

„Nee."

„Nee, natuurlijk niet. Vanaf dat moment weigerde Poppy zelf om me nog langer te zien. Het was vreselijk. Als ik Annie niet had ontmoet, weet ik niet hoe ik die periode door had moeten komen."

„Is Annie de vrouw die net opnam?"

„Ja. Ze heeft me geholpen die hele akelige toestand achter me te laten. Ze heeft me gered. We hebben nu samen twee kinderen."

„Maar… maar Poppy is nog steeds je dochter!"

„Ja, dat is zo. Alleen kan ik me nu niet meer in haar leven mengen. Veel te gevaarlijk."

„Maar ze is juist in gevaar."

„Ik bedoel niet voor haar, voor míj."

Er viel een lange stilte. Amber hoorde Tony in de hoorn ademen.

„Amber! De patat is er!" riep Ben van beneden.

„Ik kan niet…" Tony aarzelde. „Ik kan het niet riskeren om weer ruzie met je moeder te krijgen." Hij klonk afgemat. „Of, en dit klinkt misschien hard – met Poppy. Ik wil voor haar betalen als ze naar iemand toe wil, een therapeut, een psychiater, wie dan ook; ik wil er graag voor betalen, maar meer kan ik niet doen. Ik heb het aan Annie beloofd. Ik heb nu een nieuw gezin."

De tranen brandden in Ambers keel. Op de achtergrond, aan de andere kant van de lijn, begon de baby weer te huilen.

„Ik moet ophangen, Amber. Je begrijpt het vast wel, hè? Bel me maar als je denkt dat ze misschien… je weet wel, ergens heen moet, en je geld nodig hebt…"

„Oké, Tony. Dag," fluisterde Amber en ze verbrak de verbinding.

Amber, Ben en Rory zaten bedrukt om de tafel met hun vis en patat. Amber merkte dat ze honger had, want ze had het grootste deel van haar cafélunch laten staan, maar ze at zonder erbij na te denken. Het feit dat haar plan om iets voor Poppy te regelen in duigen was gevallen, moest nog bezinken.

Ben stond op om een biertje uit de koelkast te pakken en vroeg langs zijn neus weg: „Heeft Kaz iets tegen jou gezegd, Amber?"

„Waarover?"

„Of een briefje achtergelaten?"

„Een briefje?"

„Ze is weggegaan," zei Rory met een mond vol patat.

„Wát?"

„Ja, vanmiddag." Ben fronste zijn voorhoofd en ging weer zitten. „Ik kwam thuis uit college en zag haar met haar tassen in de gang staan. Ik vroeg wat ze aan het doen was en ze mompelde dat ze een paar dagen naar huis ging. Maar ze had ál haar tassen bij zich. Daarom vroeg ik wat er aan de hand was, of Rory soms iets had uitgehaald of…"

„Ik niet," onderbrak Rory hem. „Ik loop de laatste tijd altijd met een grote boog om haar heen."

„…of dat Poppy iets had geflikt, en ik zei nog dat die nu heel snel haar biezen zou pakken, maar ze wilde geen antwoord geven. Ze keek me niet eens aan. Toen kwam er een taxi en ze… nou ja, ze was gewoon verdwenen. Ik hoopte dat ze misschien iets tegen jou had gezegd, omdat jullie zo veel met elkaar omgaan."

„Nee," bracht Amber uit. „Niks."

„Ik ben haar kamer in gelopen en… nou ja. Ga zelf maar kijken."

Beverig kwam Amber overeind.

Alsof Ben aanvoelde dat ze niet alleen durfde, stond ook hij op. Rory boog zich over de tafel en begon de rest van Ambers patatjes in te pikken.

Ben en Amber liepen samen de gang door en stapten Kaz' kamer in. Ben liep meteen naar de kledingkast en trok de deur open.

„Zie je? Haast al haar kleren zijn weg. Ook haar zomerspullen. Waarom zou ze die meenemen als ze over een paar dagen weer terugkomt?"

„Maar… er staat nog van alles. Ik bedoel… het beddengoed

ligt er nog, hier ligt make-up en daar…"

„Misschien had ze gewoon te veel haast om dat allemaal uit te zoeken," veronderstelde Ben somber. „Ik heb geprobeerd om haar te bellen, maar ze neemt niet op en ze reageert ook niet op sms'jes, niks."

Amber keek om zich heen. „Wat zou er gebeurd zijn?"

„Ik durf te wedden dat Poppy er iets mee te maken heeft. Je zus werkt ons allemaal enorm op de zenuwen, Amber. Ze moet nu echt weg."

„Ik weet het," mompelde Amber. „Ik ben ermee bezig."

„Chrissie logeert steeds vaker bij Elliot en Rory is haast nooit meer thuis. Misschien was de rek er gewoon uit bij Kaz. Zo is ze. Ze komt heel sterk over, maar als ze zich gek laat maken… nou ja. Je weet zelf hoe ze reageerde toen we die… je weet wel vonden. Die dingen in dat kussen."

De angst was bijna tastbaar. Ze liepen allebei naar de deur, terug de gang in. De nacht wachtte, besloop hen; kwam naderbij, als een maniak met een mes…

Ben maakte ineens een rare beweging van schrik en gaf Amber een por met zijn elleboog. Er stond iemand voor de voordeur. Ze zagen een donkere gestalte door de gele en blauwe ruitjes. Geen van beiden maakte aanstalten om open te doen.

„Het is dat oude mens van nummer 11," siste Ben. „Laat haar maar staan."

„Nee, die is veel kleiner," siste Amber terug.

Er werd aangeklopt.

Ben vermande zich, stapte naar voren en trok de deur open.

Marty stond op de stoep. „Amber, gaat het wel?" vroeg hij. „Ik dacht dat er iets mis was toen je je vanochtend ziek meldde. Ik heb weer zo'n… je weet wel, onderbuikgevoel. De hele dag al."

Met de fles rode wijn die Marty had meegebracht, trokken ze zich met z'n tweeën terug in Kaz' kamer, want Amber durfde niet naar boven.

Ze vertelde hem alles. Over de kist met Ivy Skinners spullen, over mevrouw Bartlett en alles wat ze over Ivy's verleden wist, over Poppy's steeds maffere gedrag. Ze biechtte zelfs op dat ze iets aan haar hoofd had voelen klauwen. Marty probeerde het niet weg te redeneren, hij luisterde alleen maar.

Amber schoot vol toen ze hem over het telefoontje met Tony, haar stiefvader, vertelde.

Marty sloeg zijn armen om haar heen en hield haar vast. „Kom met mij mee naar huis," zei hij zachtjes. „Je moet hier even weg, in elk geval voor vannacht. Je loopt op je tandvlees."

Amber haalde diep en haperend adem. „Ik zou het heel graag willen, geloof me. Maar Poppy… Ik kan haar zo toch niet achterlaten? Ze staat op het randje van de afgrond. Stel dat ze iets geks doet, zichzelf iets aandoet?"

„Wanneer heb je haar voor het laatst gezien?"

„Vanochtend. Ze was ergens naartoe geweest… Geen idee waarheen. Ze stond me op te wachten toen ik terugkwam van mevrouw Bartlett. Ze was woest omdat ik in haar spulletjes had gesnuffeld… Nou ja, die van Ivy… Ze wilde per se weten waar ik geweest was."

„Zal ik even naar boven gaan om te kijken of alles in orde is?"

Amber staarde hem aan. „Je lijkt wel een held!"

„Nou ja, ik vind het niet zo eng als jij…"

„Omdat je denkt dat ik het me allemaal verbeeld."

„Nee!" Marty kneep even in haar schouders. „Zo bedoel ik het niet. Alleen… Ik sta er wat verder vanaf. Ze is mijn zus niet. En… ik wil het voor jou doen." Toen kuste hij haar op haar mond, vluchtig, stond op en liep de kamer uit.

Verbijsterd bleef Amber achter, helemaal perplex. Haar lippen tintelden nog van de zoen.

Nog geen vijf minuten later was Marty alweer beneden. Het eerste wat hij deed, was de wijnfles pakken en het restje in hun glazen schenken.

Amber zocht zijn gezicht af. „En?"

„Nou ja, het gaat goed met haar. Maar allemachtig, je hebt gelijk, er is iets helemaal niet in de haak. Die hele gang op zolder... haar kamer... Ik wist niet hoe snel ik weg moest komen. Er hangt een heel griezelige sfeer."

„Wat is er gebeurd?"

„Ik klopte aan en ze riep: 'Rot op, Amber.' Dus ik zei: 'Ik ben het, Marty.' Toen klonk er een raar kloppend geluid, zoiets als kloink, kloink, kloink..."

„De schommelstoel. Ze was van de schommelstoel gesprongen."

„...en deed ze de deur van slot. Ze had een of ander... ding aan, een soort nachthemd, helemaal gescheurd, met verteerd kant dat er los bij hing... als iets uit een doodskist. En ze begon met me te flírten... Man, ze leek wel een hoer uit een stripverhaal. 'Marty, haaaiii, wat leuk! Kom verder, kom eens naar mijn kamer kijken...' "

„Ben je binnen geweest?"

„Ha! Van mijn leven niet. Ik ben in de deuropening blijven staan. Hoewel..." Marty nam vlug een slok wijn.

„Hoewel wat?"

„Ik weet niet. Ergens wílde ik niets liever dan naar binnen gaan. Niet omdat ik haar kamer wilde zien, maar ik voelde een soort... drang om uit die gang weg te vluchten. Ik bleef steeds maar het idee houden dat er iemand achter me stond."

Amber slaakte een trillende zucht. „Wat heb je tegen haar gezegd?"

242

„Ik zei: 'Ik kom alleen even kijken of alles met je in orde is, Poppy. Amber maakt zich zorgen om je.' Dat beviel haar niet. Toen drong het zeker tot haar door dat ik hier met jou was, beneden, want haar gezicht vertrok helemaal. Ze begon te schelden en riep dat je een kreng was, een slet, dat je elke avond met een ander in bed lag…"

„Wát?"

„Dus ik ben 'm gesmeerd. Ik struikelde haast over mijn eigen benen. Luister Amber, ze is knettergek, ze heeft hulp nodig. Maar voorlopig is alles in orde. Ik bedoel, haar kamer zag er normaal uit en er lag eten op haar bed, een boterham of zoiets, en een fles sap…"

„Dat moet ze zijn gaan kopen."

„Ja. Hé, je ziet er doodop uit. Lief, maar doodop. Ik blijf hier wel slapen, oké? Op die bank daar."

Amber haalde diep adem. „Nee, slaap maar in bed. Bij mij. Alsjeblieft. Ik wil dat je me vasthoudt."

17

Ze sliepen met bijna al hun kleren aan en Marty hield de hele nacht zijn arm om haar heen geslagen. Op een bepaald moment, toen hij ging verliggen, voelde Amber dat hij een erectie had, tegen haar heup, door zijn broek heen. Hij verlangde naar haar.

Dat besef stroomde als honing door haar heen, krachtig en zoet, voedde haar. Zij verlangde ook naar hem. Ze wist dat het kon gebeuren – zóú gebeuren, later. Wanneer ze dit achter de rug hadden.

Op zolder bleef alles stil; ze werden die nacht niet gestoord. In Kaz' zoetgeurende lakens viel Amber lang voor Marty in slaap. Hij hield haar vast en bestudeerde haar gezicht in het licht van de straatlantaarn, tot die in de vroege ochtend uitging en ook hij indommelde.

Toen Marty wakker werd, lag ze niet meer naast hem. Ze stond bij het venster. Ze had de gordijnen opengedaan, zodat het zonlicht naar binnen kon stromen. Ze streek met haar vingers ergens overheen, een of andere vlek, op de grote mahoniehouten tafel die voor het raam stond.

„Goeiemorgen," zei hij zacht.

Ze draaide zich naar hem toe. Haar ogen stonden vol energie, en iets wat op triomf leek. „De méúbels," zei ze. „O, waarom ben ik daar niet eerder op gekomen? De méúbels."

„Wat?"

„Ivy bestaat echt. Ze is hier, ze is echt."

„Amber, waar héb je het over?"

„Ik dacht, zoals altijd: Het ligt aan jou, Amber. Jij bent gestoord, het komt door de stress, door Poppy, het zit tussen je oren, het ligt aan jóú…"

„Amber?"

„Kaz voelde het ook… Jij voelde het gisteravond… maar dat kan, zeg maar, medeleven geweest zijn, of massahysterie of zoiets. Per slot van rekening voelden Ben en Chrissie niks, en Rory ook niet, hè? Zij zijn normaal, niet maf en verknipt, zoals ik… O, ik kan er niet bij dat ik er zó lang over heb gedaan." Ze keek hem met verwilderde ogen aan. „Moet je zien! Moet je nou zien!"

Marty stapte uit bed, liep naar haar toe en ging naast haar staan. „Wat, die kringen op tafel? Van glazen en zo?"

„Ja. Op een prachtig mahoniehouten stuk antiek. En in mijn kamer is de toilettafel volgens mij van notenhout. Dan is er nog Bens enorme eiken ladekast en de spiegel boven aan de trap. Het moet bij elkaar een fortuin waard zijn. Waarom zou onze huisbaas – die net als alle huisbazen heel uitgekookt is als het op geld aankomt – al dat kostbare antiek hier gewoon laten staan?"

„Misschien wacht hij tot het nog meer waard wordt. Zo gaat dat toch bij antiek?"

„Niet als het steeds erger beschadigd raakt. Denk je echt dat een studentenhuis de beste plek is om antiek te bewaren? Moet je die kringen zien!"

Amber sprong op hem af, drukte een kus op zijn mond en stoof de kamer uit. „Ik ga naar mevrouw Bartlett. Blijf waar je bent!"

Amber rende het pad van nummer 11 op en beukte op de deur.

Mevrouw Bartlett deed open, gekleed in een vale blauwe

ochtendjas van fluweel.

„Hij heeft de spullen samen met het huis gekocht, hè?" vroeg Amber fel. „Onze huisbaas? Het oude meubilair; dat stond er nog, hè?"

Mevrouw Bartlett vertoonde geen boosheid omdat ze al om tien voor acht in de ochtend werd lastiggevallen; ze leek zelfs niet verrast. „Ja, kindje. Hij heeft het met inboedel en al overgenomen."

„En... ik weet zeker dat Rory iets zei over dat sommige dingen er al sinds de eerste eigenaar stonden..."

„Ja, voor zover ik weet, zijn er stukken bij die er al vanaf het begin staan. Die zijn van de ene op de andere eigenaar overgegaan. Kom toch binnen, Amber. Ik was net brood aan het roosteren. Ontbijt je mee?"

„Graag." Amber volgde haar de nette oude-dameskeuken in. Ze ging aan de eettafel zitten en keek ongeduldig toe, terwijl mevrouw Bartlett nog een kopje en schoteltje uit de kast haalde en twee extra sneden brood onder de ouderwetse gasgrill legde.

„Jam erbij, kindje?" vroeg ze. „Het is zelfgemaakte."

Amber knikte. „Lekker."

Mevrouw Bartlett ging tegenover haar zitten en schonk thee in. „Het huis is een paar jaar na Ivy Skinners overlijden verkocht. Ik was een jaar of tien destijds. Daarna is het nog minstens drie keer doorverkocht. En voor zover ik weet, zijn de spiegel boven aan de trap, een aantal oude stoelen, een kaptafel en allerlei dingen van zolder nooit weggehaald."

„Dat is toch niet normaal?" Amber voelde zich tegelijk angstig en opgewonden.

„Nee. Mensen nemen spullen mee of ze verkopen ze. De oude rommel wordt verkocht of weggegooid. Tenzij..."

„Ivy het heeft tegengehouden."

„Ja, kindje. Ik zou niet weten hoe – al heb ik zo mijn vermoedens – maar inderdaad, ik denk dat zij het heeft tegengehouden. Het was haar huis, ze wilde dat alles hetzelfde bleef."

Amber smeerde wat goudgele boter op haar geroosterde
brood en schepte er een lepeltje van de glanzende jam bovenop. Het smaakte heerlijk.

„Mevrouw Bartlett? Zou u nu in staat zijn om het verhaal af
te maken?"

„Het verhaal…?"

„Ja, u wilde me vertellen wat er was gebeurd toen uw moeder naar Ivy toe ging, na al die toestanden met dat jongetje dat
ze naar binnen had gesleept en de directeur van de school die
had verboden om haar naam ooit nog te noemen…"

Mevrouw Bartlett zuchtte. „O, het was vreselijk. Mijn moeder
kwam rennend naar huis, met een lijkwit gezicht en trillend
over haar hele lijf. Ze liep de bijkeuken in. Ik hoorde haar kokhalzen, steeds maar kokhalzen, alsof ze moest overgeven, iets
akeligs uit wilde spugen wat er maar niet uit wilde. En toen ze
er weer uit kwam…" Mevrouw Bartlett stopte.

„Wat?" drong Amber aan.

„Ik zag haar arm, ze had haar mouw opgestroopt. Hij zat vol
krassen, alsof iemand haar met scherpe nagels had vastgegre-
pen en maar had geklauwd. Ik vroeg: 'Mama, wat heb je gedaan, wat is er gebeurd?' Ze keek me niet aan. Ze beweerde dat
ze was blijven haken aan de doornstruik bij het hek."

„Ivy," fluisterde Amber.

„Ja, ik denk dat ze mijn moeder was aangevlogen. Moeder
heeft er nooit één woord over gezegd. Ik hoorde haar en vader
een paar avonden daarna ruziën omdat moeder wilde verhuizen, maar ze weigerde hem te vertellen waarom. Ik weet nog
dat hij riep: 'Je wilt verkassen en je vertikt het om te zeggen
waarom?' "

„Maar jullie zijn niet verhuisd."

„Nee. We zijn niet verhuisd. Een paar maanden later, in de winter van 1939, ik zal het nooit vergeten, zag ik dat er een smalle, ruwhouten lijkkist uit nummer 17 naar buiten werd gedragen. Alleen de begrafenisondernemer was er, geen rouwende mensen. Zelfs de neef kwam niet verder dan het tuinhek. Ze was in haar eentje gestorven, Amber; een oude vrouw, verbitterd en geheimzinnig, daar op zolder, stervend... Ik weet nog dat mijn moeder het er met een buurvrouw over had. Ze zeiden dat ze niet wisten hoe lang het had geduurd voor de neef besefte dat ze dood was. Gruwelijk. Ze had een ellendig leven geleid en was op een ellendige manier gestorven... Haar hele bestaan had naar die eenzame, vreselijke dood op zolder geleid."

„En u denkt..." Amber haalde diep adem, „...dat ze daar nog steeds rondhangt."

Mevrouw Bartlett nam een muizenhapje van haar geroosterde brood.

„U denkt dat ze er rondspookt, dat haar geest nog in het huis hangt, hè?"

„Ik denk dat ze er in een bepaalde vorm nog is, ja. Iets wat het huis treurig maakt en wat de mensen die er wonen aantast..."

„Waarom bent u hier eigenlijk nooit weggegaan?"

„Nou ja, ik ben nooit getrouwd. En toen stierf mijn vader op vrij jonge leeftijd, mijn moeder was radeloos van verdriet... en voor ik het wist, was ze bejaard..."

„Ik bedoel na haar overlijden," zei Amber onomwonden. „Waarom heeft u het huis niet gewoon verkocht en alles achter u gelaten?"

„O, dat zou ik dolgraag willen. Aan de boulevard staat een appartementencomplex, aanleunwoningen noemen ze het, met

248

een huismeester en alles, en een recreatiezaal, gemeenschappe-
lijke tuinen..."

„Doe het dan. Verkoop het huis en ga daar wonen."

De oude vrouw roerde traag in haar thee. „Ik heb je verteld
dat ik naar mijn moeder was gerend, hè? Toen ik zag dat
Michael Draper naar binnen werd gesleurd. Nou... dat is niet
waar. Ik was verstijfd van angst en durfde niets te doen. Ik heb
me in de struiken verstopt, aan het eind van de straat. Ik... ik
ben gewoon in de bosjes gekropen en ben daar gaan liggen. Ik
wilde het allemaal verdringen. En ik ben in slááp gevallen. Het
schemerde al tegen de tijd dat ik naar huis durfde te lopen en
aan mijn moeder vertelde dat ik die jongen bij Ivy naar binnen
had zien gaan. Michael zat toen al úren binnen op nummer 17.
Ik had het eerder aan iemand moeten vertellen. Ik heb nooit
het hele verhaal verteld. Ik had het moeten vertellen."

„U was te bang."

„Ja. Ik dacht dat ze mij dan zou komen halen."

„Dus... dat u hier blijft, het huis in de gaten houdt, is een
manier om... het goed te maken?"

„Ik weet het niet. Ik bleef gewoon de behoefte voelen om... in
de buurt te blijven. Ik wilde proberen om mensen te waarschu-
wen. Jaar na jaar heb ik gehoopt dat de vloek was opgeheven,
maar ik heb gezinnen uiteen zien vallen, mensen de vernieling
in zien gaan, en..." Ze zweeg. Haar onderlip trilde.

Amber boog zich naar haar toe en kneep in haar hand. „Zij is
het, hè? In de spiegel. Ik zei tegen mezelf dat het gewoon een
schaduw was, gezichtsbedrog, maar zij is het, hè? En op de zoldertrap."

Mevrouw Bartlett zette trillend haar kopje neer. „Dus je hebt
haar gezien," zei ze haast geluidloos.

„Het ziet er niet uit als een vrouw. Het is een vorm, een
lange, smalle vorm. Maar het is Ivy. Ik weet dat het Ivy is."

„O Amber, je hebt haar gezien. Ooo, dat is niet best."
Mevrouw Bartlett wrong haar handen en haar ademhaling
stokte even. „Dat betekent dat ze sterker wordt. Ik dacht... dat
ze in de loop van de tijd zou vervagen. Ik dacht dat jullie jongelui haar zouden... uitdrijven, maar ze wordt juist sterker."

„Al die tijd," fluisterde Amber, „heb ik gedacht dat het aan
mij lag, dat ik gek werd, dat Poppy's gekte op mij oversloeg,
maar het ligt niet aan mij, zíj is het! Ze is er nog steeds. En ik
weet hoe ze het doet."

„Wat doet?"

„Hoe ze heeft voorkomen dat de meubels werden weggehaald. Ze kan je een heel akelig gevoel bezorgen. Intens droevig, hopeloos."

„Heeft ze dat bij jou gedaan?"

„Ja, en achteraf gezien heel vaak. Het is walgelijk. Als een
soort verkrachting. Ze dringt bij je binnen, als een smerige
stank... dat is zij ook. Die stank, dat is ze ook. De viooltjes, die
weeë viooltjes."

„Zuurtjes."

„Wat?"

„Een snoepje met viooltjessmaak. Het is een ouderwets
snoepje. Vroeger waren ze heel geliefd; ze verhulden de geur
van rottende tanden... Ivy liep er altijd op te sabbelen, zelfs als
oude vrouw nog."

„O, God. Haar adem. Wat smerig!" Amber kwam half overeind, alsof ze weg wilde rennen. „Gatver. Dan is ze dus heel
dicht bij me... als ik het ruik. Ze staat dan gewoon in mijn
gezícht te ademen..."

Mevrouw Bartlett pakte Amber bij haar arm en trok haar
weer in haar stoel. „Rustig maar, kindje. Rustig. Adem – dat
staat voor leven, hè? Dat is het enige wat ze nog heeft. Adem,
en iets van een schaduw..."

„En dat gevóél! Dat heeft ze ook nog! Jemig, het ligt zó voor de hand! Ze weet niet tot iedereen door te dringen. Rory kon ze niet bereiken. Of Ben, of Chrissie. Het lukt haar alleen als je om de een of andere reden verzwakt bent… Kaz heeft ze te pakken gekregen toen het uitging met haar vriend."

„Maar al die andere mensen, kindje… De mensen die in de loop van de tijd in het huis hebben gewoond… Er is nooit iemand gelukkig geweest…"

„Die moeten ook zwakke plekken hebben gehad. Hoeveel gezinnen zijn er nu echt gelukkig? Zij deed er gewoon een schepje bovenop. Zoals met Poppy, die laat ze ook steeds verder achteruitgaan. En de meubels… nou ja, misschien wilde de huisbaas de spiegel verkopen of zo… Ik durf te wedden dat Ivy zo heeft gestrááld dat de koper een rotgevoel kreeg. Niets specifieks, maar gewoon somber en hopeloos, zodat hij de spiegel niet meer wilde hebben, hem ineens lelijk vond of niet de moeite waard…"

„Ja… ja, zo moet het zitten."

„Uiteindelijk moet de huisbaas het gewoon hebben opgegeven om te proberen of hij die meubels kon verkopen, hè? Dat zou iedereen doen."

„Ja, en dat wil Ivy ook van jou."

„Dat ik het opgeef?"

„Ja. Dat je ophoudt met te proberen of je je zus kunt helpen. Ivy wil haar ziel hebben, Amber. Ze eist haar op. Poppy woont in haar kamer, draagt haar kleren… Zo wordt ze sterker. Op de een of andere manier zuigt ze Poppy's kracht op. Je moet er iets aan doen, Amber. Je moet het tegenhouden!"

18

Amber ging terug naar nummer 17. Marty zat aan de keukentafel fronsend in zijn mok koffie te staren; zijn gezicht lichtte op
toen Amber binnenkwam.

„Vertrouw je me?" vroeg ze.

„Waarom zou ik je niet vertrouwen?"

„Bel Bert dan op en zeg dat we vandaag geen van beiden
komen werken. Zeg dat mijn zus is ingestort, dat ze een zenuwinzinking heeft gehad. Zeg dat hij desnoods de zaak dicht
moet houden."

Marty salueerde. „Tot uw orders." Hij haalde zijn mobieltje
tevoorschijn.

Amber rende intussen naar boven, naar Bens kamer, en bad
dat hij er nog was. Hij kwam net de badkamer uit, met een
grote bruine handdoek om zijn middel.

„Het nummer van de huisbaas," zei ze dringend, „heb jij dat?
Ik heb nog nooit met hem te maken gehad, dat ging allemaal
via Kaz."

„Dat komt doordat die Tilson zo min mogelijk met dit pand
te maken wil hebben," verklaarde Ben. „Hij laat het maar wat
graag allemaal aan Kaz over. Waarom wil je zijn nummer hebben?"

„Om Poppy hier weg te krijgen."

„Dan pak ik het gelijk." Ben verdween in zijn kamer en
kwam meteen weer terug met een velletje papier. „Dit is het
nummer van zijn kantoor. Hij zou er nu moeten zijn."

Amber toetste het nummer in terwijl ze terugliep naar Kaz' kamer.

Er nam een man op. „Met Mike Tilson."

„Hallo!" zei Amber mierzoet. „Met Kaz Cooper, u weet wel, van Merral Road 17?" Ze probeerde Kaz' stem zo goed mogelijk na te doen en rekende erop dat hij die niet zo vaak had gehoord.

„O Kaz, ja, hallo. Problemen?"

„Nee nee, helemaal niet, alles is in orde. Alleen… dit zal wel gek klinken."

„Barst maar los."

„Een vriend van ons was hier laatst en zijn vader zit in het antiek. Hij stond naar die oude tafel in mijn kamer te kijken. Hij zei dat dat ding een fortuin waard is. En het punt is, meneer Tilson… nu ben ik doodsbang dat ik hem beschadig. Ik zat gisteren even mijn nagels te lakken en…"

„Ja ja," brak Mike Tilson haar af. „Ik weet dat het een mooi stuk is, een verrekt mooi stuk. Ik ben er gewoon nooit aan toegekomen om het te slijten. Ik bedoel, ik heb het geprobeerd, dat wel, maar…"

„Nou, Leo zei dat zijn vader het zo zou kopen."

„Echt?"

„Meteen. Met de spiegel erbij, die boven aan de trap hangt." Ze giechelde Kaz' keelachtige lachje. „Er is vorige week iemand tegenaan gevallen. We hadden een feestje, niks heftigs, hoor, maar we dachten even dat er een barst in was gekomen en…"

„Kaz, ik heb het heel erg druk," onderbrak Mike Tilson haar. „Luister, vis maar uit wat ze ervoor overhebben, oké? Vraag een biedprijs aan die vader van die vriend en bel me dan terug."

„En krijg ik dan commissie?" koerde Amber. Ze moest

overtuigend overkomen. Ze moest klinken alsof het geld de voornaamste reden was dat ze dit deed.

„Tien procent," bromde Mike Tilson.

„Wat voer jij in je schild?" vroeg Marty met een grijns. Hij was achter haar de kamer in gekomen en ging vlak naast haar op het bed zitten.

„Ik ben een geest die Ivy Skinner heet, aan het treiteren," antwoordde ze. „Geloof me, Marty. We moeten snél handelen." Amber liep naar Kaz' boekenkast en trok de Gouden Gids eruit. „Hier: tweedehands en antiek. Jij neemt deze bladzijde…" Ze scheurde de pagina eruit en gaf hem aan Marty. „En ik doe deze. Zeg dat ze om elf uur kunnen komen kijken, naar de tafel, de stoel, een spiegel, een kast, en… en een oud ijzeren ledikant. En het is de bedoeling dat ze de boel vandaag nog meenemen, oké?"

Amber vond het geweldig dat Marty meteen in haar gedachtegang mee leek te gaan en begreep wat ze van plan was. Hij lachte en begon te bellen, stelde geen vragen, volgde gewoon haar aanwijzingen.

Een half uur later hadden ze met drie handelaren afgesproken, die over ongeveer een uur langs zouden komen. De meeste deden achterdochtig, dus hadden ze Mike Tilsons telefoonnummer gegeven als bewijs dat de eigenaar de spullen van de hand wilde doen. Als iemand contact met hem opnam, zou Amber Tilson vertellen dat zij, of beter Kaz, nog wat andere handelaren had opgetrommeld om een zo hoog mogelijke prijs te bedingen.

Het was Marty's idee om te zeggen dat de eigenaar het pand het liefst gisteren leeg wilde hebben omdat het in drie appartementen zou worden opgedeeld.

Geniaal vond Amber het. „Dat zal haar leren," fluisterde ze.

„Haar. Dus je bent ervan overtuigd dat het een geest is? Een feitelijke… géést?"

„Een geest, ja. Weet je nog, dat gevoel dat je gisteravond kreeg toen je bij Poppy ging kijken? Die drang om van de gang weg te vluchten? Dat was zij. Dat was Ivy."

Marty huiverde. „Griezelig, hoor."

„Je hebt het gevoeld… Maar waar het om gaat, is dat je je er niet door hebt laten leiden. Ze heeft geen echte macht. Ze kan alleen maar een beetje rondhangen, als een vieze stank. Als de viooltjesstank van haar adem. Ze krijgt pas macht als jíj haar die geeft, omdat je bang bent. Met Poppy is het precies hetzelfde." Amber kwam overeind, haar ogen straalden. „Jeetje, het wordt me ineens allemaal zo duidelijk. Poppy is al sinds haar geboorte degene met macht. Maar alleen omdat wíj haar die hebben gegeven."

Marty nam haar op. Ze gaf bijna licht, was een en al energie en vastberadenheid. Hij wilde haar het liefst vastpakken en dicht tegen zich aan houden, maar hij vermoedde dat hij van haar af zou ketsen, zoals van een krachtveld. „Wil je nog een kop koffie?" vroeg hij grinnikend.

„Ja, graag. Wel cafeïnevrije, want ik sta al op springen. Nou, laat ik Rory maar eens wakker gaan maken." Amber liep de gang op.

Er kwam geen reactie toen Amber op Rory's deur klopte, dus liep ze ongevraagd verder. Gelukkig lag hij alleen in het grote, omgewoelde bed. „Rory!" siste ze. „Rory, wakker worden. Je moet iets voor me doen!"

„Wat? Wat is er verdom…"

„Luister nou maar, oké? Ik ben bezig met Poppy. Ze gaat weg, vandaag nog. Maar ik heb je hulp nodig. Jij moet haar een paar uurtjes ergens mee naartoe lokken, terwijl ik… alles regel."

„Wát? Voel jij je wel lekker? Denk je dat ik ook nog maar íéts te maken wil hebben met die gestoorde trut?"

„Als je je charmes inzet, doet ze niet gestoord, Rory. Toe nou, alsjeblieft. Jij kunt de grootste heks nog voor je innemen, Medusa zelfs, als je het probeert. Ga gewoon naar boven en zeg... verzin trouwens maar wat. Zeg dat je met haar wilt gaan lunchen, dat je nog eens een poging wilt wagen met jullie relatie."

„Onze relátie! Dat méén je niet..."

Amber boog voorover en pakte zijn onderarm vast, die glad en bruin op het witte laken lag. „Ja, ik meen het wel. Je moet haar hier weg zien te krijgen, oké? Vertrouw me nou maar. Je moet het doen. Als ze hier is en erachter komt wat er aan de hand is... Nou ja, dan zal haar eerdere gedrag nog heel redelijk lijken. Ingetógen."

„Doe het nou maar, Rory," drong Ben aan, die achter Amber naar binnen kwam.

„Wat is dit verdomme, een delegátie?" snauwde Rory.

„Ja," knikte Ben. „Luister, ik weet net zo min wat er speelt als jij. Maar als we niet snel van Poppy af komen, valt ons hele huis uit elkaar. Kaz is al vertrokken, Chrissie trekt bij Elliot in. Wat wil je, dat we allemaal weggaan? Het was hier altijd fantastisch. Ik vertrouw erop dat Amber het weet op te lossen. En als dat betekent dat Poppy een poosje de deur uit moet worden gelokt – nou, dan ben jij daar de aangewezen persoon voor. Kom op, je nest uit, douchen en je meest charmante gezicht opzetten." Hij trok met een ruk het dekbed van Rory af.

Amber draaide zich grijnzend om en liep de kamer uit.

Amber liep naar de telefooncel aan het eind van het rijtje winkels halverwege de heuvel, waarvandaan ze haar moeder soms belde, en pleegde het moeilijkste telefoontje van allemaal.

Daarna was het een kwestie van afwachten. Wachten tot Rory Poppy het huis uit zou hebben gelokt, wachten tot de antiekhandelaren langskwamen.

Marty en Amber zaten naast elkaar op Kaz' bed uit het grote raam aan de voorkant te kijken.

„Ik denk dat ik maar beter even kan gaan douchen en zo," mompelde Amber. „Zodat ik er een beetje toonbaar uitzie wanneer die handelaren komen."

„Je ziet er prachtig uit," vond Marty.

„Ik heb me nog niet eens gewassen!"

„Je ruikt heerlijk." Hij stak zijn hand uit en streek door haar haar. „Wat is er?" vroeg hij zacht. „Daarnet was je nog helemaal opgeladen. Heb je jezelf uitgeput?"

„Ik heb mijn moeder gesproken," bracht Amber uit. „Ik heb gebeld en haar verteld dat Poppy weer een... terugval heeft gehad, zoals zij het graag noemt."

„En hoe reageerde ze?"

„O, zoals ik had verwacht. Nog net niet hysterisch. Ze wilde alle details weten en huilde bij alles wat ik vertelde..."

„En dat was?"

„Ik zei dat Poppy ruzie had met de mensen hier in huis – mam gaf hun natuurlijk de schuld – en ik zei dat de zolder haar op haar zenuwen begon te werken, haar beïnvloedde... Mam vroeg waarom we niet van kamer hadden geruild..."

„O Amber. Zeg alsjeblieft dat ze in elk geval vroeg hoe het met jóú ging. Hoe jij het allemaal bolwerkt."

„Nee, niet één keer. En weet je waar ik zo pissig om ben? Telkens wanneer Poppy instort, doet mam alsof het voor het eerst is, alsof het een onverwachte, vreselijke tragedie is. Ze weigert gewoon in te zien dat er een patroon in zit en dat ze misschien stappen kan ondernemen om er iets aan te dóén."

Na een korte stilte vroeg Marty: „Hoeveel details heb je haar precies verteld over... dat het hier spookt?"

Amber draaide zich naar hem toe. „Weet je," zei ze. „Je bent geweldig! Jij hebt het gewoon... zo aangenomen, hè? Je gelooft me gewoon op mijn woord."

Marty grijnsde. „Waarom niet?"

De blik in zijn ogen werd Amber bijna te veel. Ze keek van hem weg en begon toen te lachen. „Ik heb haar niets over Ivy verteld en ook niet gezegd dat Poppy het juist ontzettend naar haar zin heeft op zolder, met die oude kist en die sleutelbos... en dat ze iets heeft met dat oude dode monster dat kleine kinderen de stuipen op het lijf joeg..."

Abrupt veerde Amber overeind en ze liep handenwringend naar het raam.

„Amber?" zei Marty verschrikt. „Wat is er?"

„De hele tijd heb ik gedacht hoe griezelig het was," begon ze verwilderd, „zoals Poppy verknocht was aan Ivy, haar kleren droeg, in haar stoel schommelde, in haar bed sliep... Maar Ivy is net zo goed verknocht aan Póppy. Zodra Poppy hier introk, werd Ivy sterker. Alsof ze... wakker werd en energie van haar begon af te tappen. Omdat ze hetzelfde zijn. Diep vanbinnen zijn ze hetzelfde."

Marty kwam naar haar toe en sloeg zijn armen om haar heen. „Misschien wel," knikte hij. „Poppy is in elk geval ook een gemeen kreng. En daar kun jij niets aan veranderen, Amber, hoe graag je dat ook wilt. Nou, ga nu maar douchen, hè? Die handelaren komen zo en... Ssst!"

Ze staarden allebei naar de deur.

Op de gang hoorden ze Rory zeggen: „...en de pasta is om je vingers bij op te eten. Eerlijk, het is echt een zaakje voor jou," gevolgd door Poppy's opgewonden gegiechel.

Samen verstopten ze zich achter het donkerrode, fluwelen gordijn en tuurden uit het raam. Poppy hing aan Rory's arm terwijl ze het pad af liepen en keek hem gretig aan.

„Hij neemt haar mee uit lunchen," fluisterde Marty. „Het spel gaat beginnen."

Amber stoof de trap op en stapte even later onder de douche. Als Ivy Skinner ook maar enig idee had welke dreiging er over het huis hing, liet ze daar vooralsnog niets van merken. In elk geval niets waar Amber, terwijl ze zich inzeepte en haar haar waste, zich bewust van was.

Na het douchen, ging ze terug naar Marty, die uit het raam zat te kijken.

„De handelaren rijden net de straat in," zei hij. „Althans, twee ervan. Zo te zien zijn ze niet blij elkaar tegen te komen."

Amber deed open.

„Iemand heeft de tijden door elkaar gehaald," snauwde de jongste van de twee, een forse kerel met bruin haar en een bruingroen jasje.

„Nee hoor, dat was opzettelijk," verklaarde Amber. „We willen die spullen vandaag nog de deur uit hebben, maar we willen er ook de beste prijs voor krijgen."

„Dat had je dan wel meteen mogen vertellen," bromde hij. „Je had kunnen zeggen dat je een veiling hield!"

„Sorry, hoor," koerde Amber. „Als u het niet ziet zitten… nou ja, dan bent u voor niks gekomen. Maar eerlijk gezegd denk ik dat u de spullen dubbel en dwars de moeite waard zult vinden."

„Laten we dan maar eens gaan kijken," vond de andere handelaar, een grijsharige, pezige man.

„Er komt nog iemand," zei Amber koel. „Maar die praat ik wel bij als hij er is. Zullen we dan maar beginnen?"

Terwijl ze hen de kamer van Kaz in leidde, was het alsof ze zichzelf van een afstandje bezig zag, vol verwondering. Een paar maanden geleden had ze nooit het zelfvertrouwen gehad om zo de touwtjes in handen te nemen. Ook Marty stond versteld van haar houding. Hij grijnsde terwijl ze de mannen voorging en deed geen poging om haar te helpen of zich ermee te bemoeien. Blijkbaar had ze geen hulp nodig.

„Daar staat die mahoniehouten tafel," wees Amber, waarna ze haar hand op de oude oorfauteuil legde, waar het kussen met het heksenpakketje naalden en tanden op had gelegen. „En deze stoel."

„En die eiken piëdestal?" vroeg de grijsharige man terwijl hij speurend de kamer rondkeek.

„Die ook," antwoordde Amber, al had ze de antieke plantentafel niet eerder opgemerkt. „Alle Victoriaanse en Edwardiaanse meubels hier."

Er werd op de deur geklopt. Marty liep erheen en liet de derde handelaar binnen. De eerste twee trokken notitieboekjes tevoorschijn en begonnen bedragen te noteren. Amber liet de derde man meteen zien wat er te koop was. Ze wilde het groepje bijeenhouden, want ze wist dat Ivy niet lang werkeloos zou blijven toekijken.

Even later liepen ze naar de trap. Amber hield even haar pas in om het doekje en de schoonmaakspray te pakken die ze op de onderste trede had neergelegd, terwijl ze ondertussen uitlegde dat alles nogal stoffig was en ze nog geen tijd had gehad om er iets aan te doen.

De lucht op de trap leek te klonteren, te verdikken. De spiegel hing dreigend boven hen, zwaar en sinister, en vertoonde vervormde spiegelbeelden terwijl ze naar boven liepen.

„Volgens mij zit hier een luchtje aan," mompelde een van de handelaren. „Waarom willen jullie eigenlijk alles op stel en sprong weg hebben?"

„Dat hebben we toch gezegd!" zei Marty, zijn stem klonk

warm en geruststellend. „De aannemer komt binnenkort. Ze gaan de muren eruit breken. Die spullen zouden geruïneerd worden."

„Schitterende spiegel, hè?" riep Amber tegen de potige, chagrijnige handelaar. Ze vermoedde dat hij zich het best zou weten te weren tegen Ivy's uitstraling.

Want Ivy was er, vlak bij hen. Ze dreef de spiegel in en uit. Amber voelde haar woede als een giftige vloedstroom die haar dreigde te overspoelen. De drang om haar haar zin te geven en zich terug te trekken, was bijna onweerstaanbaar.

Maar ze liet zich niet wegjagen.

In de bovenhoek van de spiegel liep een vingerspoor door het stof. Een rechte lijn en een slangachtige kronkel.

I.S.

Ivy Skinner.

Amber stapte een trede omhoog, richtte haar spuitflacon op het glas en poetste de initialen grondig weg. „Tjonge, het is allemaal zó vies, maar een prachtig stuk, vindt u niet?"

„Prachtig, ja," stemde de forse man schoorvoetend in. „Maar krijgen we hem er wel af? Het beslag zit vast onder een halve eeuw verflagen…"

Marty haalde een schroevendraaier tevoorschijn en begon de verf van de verzonken schroeven waarmee de spiegel aan de wand vastzat, af te schrapen. „Natuurlijk wel," zei hij zelfverzekerd. „Kijk eens aan, ik zou hem er nu al af kunnen schroeven."

Amber nam hem op en besefte dat hij het ook voelde: Ivy's haat. Het zweet stond op zijn voorhoofd, maar hij schraapte door en maakte de schroef los.

„Oké," zei de grijsharige handelaar nerveus. „Oké, laten we nu maar verder gaan."

De dreiging, de angst, hing als een mist om hen heen.

De handelaar die als laatste was gearriveerd, begon de trap weer af te schuifelen. „Ik, eh… ik krijg net een telefoontje," mompelde hij, hoewel niemand zijn mobieltje af had horen gaan. „Ik moet ervandoor. Ik bel jullie nog wel… goed?" En hij verdween als een schicht naar buiten.

„Jammer, maar helaas," meende Amber. „En voor jullie weer een concurrent minder, hè? Kom, hierbinnen staat een prachtig meubelstuk." Ze duwde Bens deur open en liet hen de eiken ladekast zien. Vervolgens nam ze hen mee naar haar eigen kamer. Ivy was flink bezig geweest. Ze had haar sieraden rondgestrooid, kleding uit de kast getrokken en op de vloer gegooid.

„Sorry," giechelde Amber. „Ik ben ook zo'n sloddervos." Ze pakte een armvol kleren op en liet ze onverschillig op het bed vallen.

De grijsharige handelaar besteedde geen aandacht meer aan het meubilair om hem heen. Hij zag eruit alsof hij moeite had om zichzelf staande te houden. Maar de potige man stond vol belangstelling de kapspiegel te bestuderen. Hij trok het laatje eruit om te kijken of het heel was.

„Daar zou je een mooie prijs voor moeten kunnen krijgen, hè?" zei Marty opgewekt.

„Hm," bromde de man. „Hij is gerepareerd."

Ivy was niet in de kamer, besefte Amber. Ze wachtte op de zoldertrap. „Kom," zei ze, „laten we naar het ledikant gaan kijken."

Terwijl ze de smalle trap op liep, begon haar hart wild te bonzen. De lucht om haar heen werd compacter en drukte zwaar op haar. Ze klom verder en voelde dezelfde bedwelmende mengeling van doodsangst en blijdschap die ze ook wel eens had gevoeld wanneer ze Poppy wist te overbluffen. In de krappe gang werd ze verstikt door de geur van rottende viooltjes.

262

Ze stak haar spuitfles omhoog en sproeide recht voor zich uit terwijl ze zich voorstelde dat ze op Ivy's gezicht richtte, en liep verder.

„En deze twee kamers?" vroeg de stevige handelaar. „Staat daar nog wat?"

„Nee, niks," antwoordde Amber beslist. „Het gaat alleen om die achterste kamer."

Bij Poppy's deur bleef de grijsharige man staan. Hij zocht steun bij de muur. „Weet je," mompelde hij, „ik voel me niet goed."

Een van de ingelijste foto's kwam los van de muur en viel op de grond. Het glas brak.

„Sorry," hijgde de man. „Sorry, ik heb er zeker tegenaan gestoten... Ik heb frisse lucht nodig. Kun je..." Hij greep Marty's arm vast. „Kun je me naar beneden helpen, knul?"

„Waag het niet," siste Amber. Ze ondersteunde de man bezorgd en koerde: „Daarbinnen zit een raam. En er staat een gemakkelijke stoel, een schommelstoel. Ga gewoon eventjes rustig zitten."

Het kon haar niet schelen dat ze zo wreed was tegen de handelaar, het kon haar niet schelen dat ze hem opofferde. Ze dirigeerde hem de kamer in en zette hem op de schommelstoel.

Marty ging naast hem staan en legde zijn hand op zijn schouder, terwijl Amber het dakraam zo ver mogelijk openzette. Er blies een gure, gronderige novemberwind naar binnen. De brede strook kant die Poppy op de ladekast had gelegd, wapperde heen en weer.

„Kijk kijk, dat bed," zei de potige handelaar. „Dat is andere koek! Puntgaaf nog."

„Ja, hè," viel Amber hem enthousiast bij. Ze voelde dat Ivy door de kamer gierde, radeloos, ziedend. „En kijk die schommelstoel, en die ladekast..."

De man pakte zijn notitieboekje en bestudeerde het even. „Nou, ik weet het wel. Ik neem het allemaal als mijn collega hier geen interesse heeft. In één koop."

„Mooi!" riep Marty. „Oké, laten we het dan beneden verder over de prijs hebben."

De grijsharige handelaar, die erop gebrand was om de kamer te verlaten, kwam moeizaam overeind. „O, er zit ook wel wat bij wat ik wil hebben," mompelde hij.

„Goed," zei Amber. De geur van viooltjes werd sterker. Ze spoot wat schoonmaakmiddel op het ledikant en poetste het kordaat weg.

„En je zegt dat je het vandaag kwijt wilt?" vroeg de stevige handelaar.

„Nu zelfs, als dat kan."

„Nou, mijn vrachtwagen staat voor de deur."

„Ik zal u helpen met sjouwen," bood Marty aan. „Als we het bed op zijn kant zetten, krijgen we het de trap wel af."

„En Ben is thuis," wist Amber. „Die springt ook wel even bij."

De handelaar bukte. Ivy's kist had zijn blik gevangen. „Hé, dat is ook toevallig. Vorig jaar ben ik in New York geweest. En ook naar Ellis Island, je weet wel, waar alle immigranten werden geregistreerd en een medische controle kregen. Ze hadden daar een hele loods vol met zulke kisten, precies dezelfde. Dat maakte het beeld heel realistisch. Oké, van dat ding wil ik je ook wel afhelpen."

Heel even zag Amber Ivy's gezicht als een schaduw boven de kist verschijnen. Vertrokken van woede en pijn, toen vervaagde het…

De handelaar was zich nergens van bewust.

„Fijn," zei Amber. „Er zitten nog wat spulletjes in – sieraden en zo – die u misschien ook wilt hebben. Al kan het meeste zo de vuilnisbak in."

„Oké," knikte de handelaar opgewekt. Hij pakte de kist op, klemde hem onder zijn arm en liep naar de trap.

19

„Hoe lang denk je dat we nog hebben, voordat Poppy terugkomt?" fluisterde Amber. Ze stond bij de gootsteen de waterkoker te vullen, terwijl de twee handelaren aan tafel zaten te
kibbelen over wat ze dachten dat de grote spiegel waard was.

„Waarom maak je je zo'n zorgen? Je hebt het volgehouden
tegenover Ivy."

„Ja, maar…" Amber blies haar adem uit. „Ik wil ze niet allebei tegen me krijgen."

De grijsharige handelaar leefde helemaal op toen hij eenmaal
een beker hete, zoete thee naar binnen had gewerkt en begon
met zijn collega over de meubels te marchanderen.

Ze werden het er algauw over eens wie wat nam en wat een
redelijke prijs was, en Amber belde meteen de huisbaas om te
informeren of hij akkoord ging.

Tilson was blij met de prijzen die waren geboden en zei tegen
Amber dat ze volgende maand negentig procent op zijn bankrekening kon overmaken, tegelijk met de huur, zoals ze hadden
afgesproken. Na een korte stilte zei hij dat ze twintig pond
extra mocht houden, want ze had mooi werk geleverd, vond
hij. Het was eerlijk gezegd een hele opluchting dat de boel nu
eindelijk werd opgeruimd na al die jaren, hij was er gewoon
nooit aan toegekomen…

„Nou," zei de potige handelaar. „Laten we maar gaan inla-
den. Zoals ik al zei, mijn wagen staat voor de deur."

„De mijne ook," knikte de grijsharige man. Hij dronk zijn

beker leeg. „Zullen we maar beginnen met dat ledikant?"

Met z'n vieren liepen ze naar boven. Op de eerste verdieping haalde Amber Ben erbij, waarna ze verder gingen naar de zolder.

Voor Ambers gevoel trilde de kamer door Ivy's bittere woede, maar het ging helemaal langs de stevige handelaar heen. Hij voelde haar niet, rook haar niet. Ivy had werkelijk geen enkele invloed op zijn doen en laten. En zo, dacht Amber, zal ik me voortaan ook tegenover Poppy opstellen.

Tot grote opluchting van de grijsharige handelaar waren er maar drie mensen nodig – Ben, Marty en zijn collega – om het ledikant door de deur te wringen en over de zoldertrap te manoeuvreren. Hij schoot voor hen uit de trap af. Amber bleef achter om Poppy's kleren uit de ladekast te halen.

De lucht in het kamertje leek te sidderen van Ivy's kwaadaardigheid. Terwijl Amber de kleding uit de laden trok, flitste Ivy's gezicht om haar heen op, als een reeks oude foto's, vaag, half belicht. Amber ging met knikkende knieën verder en legde alles in Poppy's koffer, zodat ze die meteen mee kon nemen.

De oude ebbenhouten handspiegel gleed van de ladekast af en spatte op de vloer uiteen. De schommelstoel ging van voor naar achter, van voor naar achter.

Amber bleef gewoon doorgaan met opruimen. „Mij maak je niet bang, Ivy," zei ze zacht. „Nou ja, dat doe je wel, maar ik geef niet meer toe aan de angst. Je hebt geen macht meer, niet over mij in elk geval. Poppy niet, en jij ook niet."

Plotseling steeg er een dikke walm van rottende viooltjes op en staken er vingernagels in haar schedel.

Amber schoot overeind, greep de schoonmaakspray en spoot er royaal mee om zich heen, zodat de kamer zich vulde met minuscule druppeltjes bleekmiddel en ontvetter. „Kom op, kom maar tevoorschijn!" riep ze. „Wat wil je doen? Iets een paar centimeter verschúíven?"

Stilte. Stilte, en een heel akelige, dreigende sfeer.

Amber dwong zichzelf om het gevoel te negeren. „Ik ga hier weg," zei ze. „Ik blijf niet in dit huis. Misschien denk je straks dat je gewonnen hebt, maar het maakt mij niet uit wat je denkt. Ik ga weg omdat het met jou hier is alsof je boven een kapotte riolering woont."

Ben, Marty en de potige handelaar kwamen binnen om de stoel en de ladekast op te halen. Terwijl Ben naar de stoel liep, veegde hij over zijn gezicht, alsof hij door een spinnenweb was gelopen. Onverstoorbaar pakte hij de stoel op en vertrok weer naar beneden. Marty en de handelaar tilden samen de kast naar buiten.

Amber bleef in haar eentje in de deuropening staan. „Tijd om tot rust te komen, Ivy," zei ze zacht. „Tijd om los te laten."

Toch wist ze op de een of andere manier dat Ivy nooit weg zou gaan, naar de hemel noch naar de hel. Ivy zou voor eeuwig meedogenloos, verbitterd, blijven rondspoken.

Ze deed de deur achter zich dicht en liep de trap af.

Met hulp van Ben en Marty schroefden de handelaren de grote spiegel van de wand, sjouwden de mahoniehouten tafel en de kleinere stukken van de benedenverdieping naar buiten en laadden alles in hun vrachtwagens. Nadat ze contant hadden betaald, reden ze de straat uit.

Amber en Marty gingen tegenover elkaar aan de keukentafel zitten. Amber verdeelde het geld in stapeltjes. Het meeste was voor de huisbaas en de rest – Amber stond erop – deelden ze samen, behalve twintig pond die ze Rory als vergoeding voor de lunch met Poppy wilde geven. Zoals Marty zei, zou Rory het wel verdiend hebben.

Ze bleven zitten wachten tot Rory en Poppy terug zouden

komen. Ze hadden geen idee hoe het was gegaan; of ze samen terug zouden keren en in wat voor stemming ze zouden zijn.

Amber keek op haar horloge. „Zal ik hem bellen?"

„Geef hem nog een halfuurtje," zei Marty. „Als Poppy er lucht van krijgt dat het een complot is…"

Ze vervielen weer in stilte. Amber voelde zich uitgeput, maar ze wist dat ze niet kon rusten. Nog niet.

„Wat doe je vanavond?" vroeg Marty. „Je weet dat je bij mij kunt slapen, hè?" Hij pakte haar hand vast en kneep erin.

Amber kneep terug, dankbaar en blij. „Ja. Bedankt. Maar ik moet eerst zien hoe het met Poppy afloopt."

„Je hoopt dat je moeder haar komt halen."

„Daar réken ik op. Ze kan me niet bellen, want ik heb haar mijn mobiele nummer nooit gegeven. Maar als ze direct na mijn telefoontje op weg is gegaan, dan moet ze elk moment hier kunnen zijn."

„Om Poppy mee naar huis te nemen."

„Dat is wel de bedoeling, ja."

„En als ze niet komt?"

„Ik weet het niet. Daar wil ik niet eens bij stilstaan. Het is gewoon uitgesloten dat ze niet komt als ze denkt dat Poppy in de problemen zit."

Tien minuten later hoorde ze voetstappen buiten. Ze keken elkaar aan. Toen stonden ze tegelijk op en liepen naar de voordeur.

Poppy was ofwel dronken of ze was aan het slaapwandelen. Rory droeg haar zo'n beetje het pad naar de voordeur op. Zijn gezicht zag er afgetobd uit.

„Wat is er gebeurd?" bracht Amber uit. Ze liep naar hen toe en hielp Rory Poppy te ondersteunen. „Heeft ze te veel gedronken?"

„We hebben samen één fles wijn op, meer niet," antwoordde

269

Rory buiten adem.

Ze sjorden Poppy Kaz' kamer in en legden haar op bed.

„Wat is er dan gebeurd?"

„Geen flauw idee," kreunde Rory. „Het ging prima. Nou ja, niet prima. Ik moest doen of ik het leuk vond met haar, lachen om haar flauwe geintjes, haar aankijken alsof ik haar mooi vond en…"

„Kom ter zake," snauwde Marty.

„Ja, nou ja – we hebben geluncht. Toen stelde ik voor om naar de boulevard te wandelen en dat hebben we gedaan. We gingen op het strand zitten en ik sloeg mijn arm om haar heen. Ik liet me door haar zóénen. Jullie staan diep bij me in het krijt, als je dat maar weet."

„O, hou toch op," riep Amber uit. „Vertel gewoon wat er is gebeurd. Waarom is ze er zo aan toe?"

„Ik weet het niet! Ze begon zomaar te huilen en dan bedoel ik echt jánken, heen en weer te wiegen… Het was gewoon schokkend, man."

Amber keek Marty aan. „„Dat was toen we de meubels naar buiten aan het brengen waren. Toen Ivy zo woest werd."

„En ineens… leek ze in een soort trance te raken. Alsof ze een hersenschudding had of zoiets. Ze reageerde nergens meer op, knipperde niet eens met haar ogen. Ik ben een poosje zo naast haar blijven zitten, maar ik begon het echt eng te vinden… Ik bedoel, ik blééf maar controleren of ze nog een polsslag had. Uiteindelijk heb ik haar overeind gehesen, naar de bushalte gesleept en hierheen weten te sleuren, godzijdank. Dus vanaf nu mag jij het overnemen, schat."

Amber trok het dekbed over Poppy heen, helemaal tot aan haar kin. Even kreeg ze de neiging om hem hoger te trekken en haar te bedekken alsof ze een lijk was, maar ze hield zich in. „Oké," zei ze, „we gaan naar de keuken en wachten af."

Mompelend dat hij kapot was, verdween Rory naar zijn kamer. Ben was zich nergens van bewust. Die nam lekker een douche en ging naar buiten. Intussen zaten Marty en Amber tegenover elkaar aan de keukentafel thee te drinken.

„Wat denk je dat ze aan het doen is?" fluisterde Amber.

„Ivy?"

„Ja."

„Je bent bang dat ze Poppy benadert, hè?" vroeg Marty. „Je bent bang dat ze... ik weet niet, hun krachten verenigen."

Amber huiverde.

„Wil je soms controleren of ze al wakker is?" Marty keek haar vragend aan. „Dan ga ik wel met je mee."

Samen liepen ze de gang in en keken om een hoekje van de deur Kaz' kamer in. Zo te zien had Poppy zich niet verroerd. Amber walgde bij de gedachte om dichter naar haar halfzusje toe te gaan. Ivy leek niet in de kamer aanwezig te zijn, en ook niet op de gang.

Het grote, bleke, langwerpige vlak waar de spiegel had gehangen, was als een grafsteen boven aan de trap.

„Ik wou dat mam een beetje opschoot," mompelde Amber en ze liep terug naar de keuken.

Een uur en drie kwartier later stapte mevrouw Thornley uit een taxi. Ze gaf Amber geen kus en keek niet eens naar Marty toen hij werd voorgesteld, maar vroeg botweg waar Poppy was. Je hebt gefaald, je hebt me teleurgesteld, droop van haar gezicht af. Ze keurde Amber zelfs geen blik waardig terwijl die haar in Kaz' kamer liet.

Poppy bewoog zodra ze haar moeders stem hoorde en even later zat ze rechtop in bed met een kop zoete thee, die Marty haar had gebracht. Ze luisterde naar haar moeder, die vertelde dat ze voor die nacht een pensionkamer had geboekt en dat ze

271

daar nu naartoe gingen. Dan zouden ze morgenochtend vroeg samen de trein naar huis nemen, waar Poppy veilig zou zijn.

Amber stond toe te kijken. Het drong tot haar door dat haar moeder haar afwees, dat ze geen enkele vraag aan haar stelde en gewoon op de vlucht sloeg, naar huis.

Waar zij en Poppy veilig zouden zijn.

Marty, die vlak achter Amber stond, drukte zijn schouder liefkozend tegen de hare.

Poppy liet zich met een zucht weer in de kussens vallen.

„O, moet je haar toch zien!" jammerde mevrouw Thornley. „Dit is zo'n terugval, zo'n énorme terugval. O Amber, hoe heb je het zover kunnen laten komen?"

De stilte in de kamer was als een explosie. Het waren de eerste woorden die ze direct tot Amber had gericht.

Die antwoordde, met een stem zo zwaar dat ze hem amper herkende. „Ik ben haar oppas niet, mam. Ik heb je aan de telefoon verteld wat er is gebeurd."

„Ja, maar…" Mevrouw Thornley wuifde haar woorden weg. „Als jij haar wat meer had gesteund, als jij voor haar was opgekomen tegenover die andere mensen…"

Amber haalde diep adem. „Ga nu maar."

„Hoe bedoel je: 'Ga nu maar'?"

„Precies zoals ik het zeg."

„Ik breng jullie wel even weg," bood Marty aan. Zijn oude kever stond voor de deur. „Welk pension is het?"

Vaarwel. Het ging haar plotseling zo gemakkelijk af om het te zeggen. Het was zo gemakkelijk om haar moeder en Poppy naar de deur te brengen, naar Marty's auto, zonder te weten of ze hen ooit nog zou zien.

Zodra Marty's auto aan het eind van de straat om de hoek was verdwenen, trok Amber de voordeur achter zich dicht en liep naar nummer 11 om mevrouw Bartlett te spreken. Ze legde kort en zakelijk uit wat er was gebeurd en vertelde dat het meubilair was verkocht en dat haar moeder Poppy op was komen halen.

„En jij dan, kindje?" vroeg mevrouw Bartlett met grote ogen. „Hoe moet het nu met jou? Jij blijft daar toch niet in je eentje? Niet vannacht... Ivy is vast uit op wraak."

„Nee, ik blijf hier niet. Maar het is voorbij, mevrouw Bartlett. Ik denk dat Ivy op de een of andere manier samen met de meubels is verdwenen. Of haar krácht is verdwenen. Het was alsof... alsof ze brak, omdat iemand het tegen haar opnam, haar overblufte."

„Je bent zo'n dapper kind," fluisterde mevrouw Bartlett met vochtige ogen. „Denk je echt dat het huis nu van Ivy af is?" vroeg ze toen.

„Ja. Ik ben ervan overtuigd. U hoeft het niet meer in de gaten te houden. Elke schuld die u had aan het verleden heeft u ingelost."

Mevrouw Bartlett leunde met een zucht achterover. Haar mond beefde.

„U moet uw huis verkopen," ging Amber verder. „En een appartement nemen in dat complex waar u het over had, dat met die huismeester. Laat hem de boel voortaan maar in de gaten houden. Maak nieuwe vrienden, ga in de tuin wandelen, langs het strand."

„O, dat lijkt me wel wat. Dat lijkt me zálig."

„Dan moet u het doen. Ik kom u er wel een keertje opzoeken."

Er viel een stilte. Toen zei de oude dame zacht: „Ik kan niet geloven dat ze weg is."

„Mevrouw Bartlett, ze is er in wezen nooit gewéést. Ze was gewoon... een verpeste atmosfeer, een oud gevoel. Poppy was degene die echt griezelig was. Zij was degene die echt macht had, althans over mij. En zij is nu ook weg."

Toen Marty terugkwam, trof hij Amber tot zijn verbazing in haar kamer aan, waar ze haar spullen stond in te pakken. „Gaat het wel?" vroeg hij.

„Ja." Amber liep op hem af en sloeg haar armen om hem heen. „Lief dat je ze hebt weggebracht."

„Je bent geweldig, Amber. Zo kalm."

„Waarom zou ik me nog druk maken?"

„Nou ja, het is nogal heftig, hoor. Dat je moeder je zo in de steek laat. Ik hoopte dat ik met een aardige boodschap terug kon komen, iets wat het goed zou maken, maar…"

„Ze heeft niets gezegd. Dat verwachtte ik ook niet. Het maakt niet uit."

„Echt niet?"

„Zij denkt dat ik háár heb afgewezen – en Poppy. Als ik het volgens haar regeltjes had gespeeld, was ze nooit zo vertrokken. Als ik had gehuild, van streek was geweest over Poppy, en… en… weet je wat? Ik wil er geen woord meer aan vuilmaken. Ik wil gewoon mijn spullen pakken en wegwezen."

„Wegwezen?" Marty grijnsde. „Waarnaartoe?"

Amber lachte terug. „Ik hoopte dat ik ergens bij een vriend zou kunnen logeren."

EPILOOG

Tien dagen later had Amber met Kaz afgesproken in een klein café midden in het centrum.

Amber had Kaz geschreven dat ze hoopte dat het goed met haar ging. Ze had opgebiecht dat ze zich als Kaz had voorgedaan toen ze de huisbaas had gevraagd of ze het oude meubilair mocht verkopen. Zonder in detail te treden over Ivy Skinner, schreef ze dat zij ook van Merral Road was vertrokken. Ze had haar brief afgesloten met de vraag of Kaz een keer contact met haar wilde opnemen en net iets meer dan een week daarna had Kaz gebeld.

„Ik heb een gesprek gehad op de universiteit," legde Kaz met een mond vol cake uit. Ze keek Amber nog steeds niet direct aan. „En ik mag mijn studie weer oppakken. Ze waren heel begripvol. Ik moet wat werkstukken inhalen tijdens de kerstvakantie, maar verder is er niks aan de hand. Ik leen wel iemands aantekeningen en…" Ze zweeg even en mompelde toen: „Het spijt me dat ik weg ben gegaan zonder iets te zeggen. Ik… ik draaide gewoon ineens door. Ik dacht dat ik gek werd. Ik hoorde van alles, zag van alles… en al dat gedoe met Poppy en… je weet wel…"

„Ja. Je dacht dat het spookte in huis. Dat was ook zo."

Kaz staarde haar aan.

„We hebben het ons niet ingebeeld," ging Amber nuchter verder. „Ze heet Ivy Skinner en ze is een ziekelijk, verknipt, verbitterd oud kreng dat er al rondhangt sinds 1939, toen ze overleed. Ze werd weer tot leven gewekt doordat mijn zusje in het huis trok. Omdat ze, denk ik, dezelfde fijne karaktertrekjes hebben. Ben, Chrissie en Rory hebben nooit ook maar één glimp van haar opgevangen, maar jij en ik wel omdat wij... Ik weet het niet. Kwetsbaarder zijn. Intelligenter. Meer paranormaal begaafd. Zeg jij het maar."

Half angstig, half bewonderend stelde Kaz Amber allerlei vragen. Ze trok het hele verhaal uit haar, van mevrouw Bartletts geschiedenis tot aan de dag waarop het meubilair was verkocht. „Gelukkig maar dat je me daarover had geschreven," vertelde ze, „want de huisbaas belde me laatst om te zeggen hoe blij hij was dat alles opgeruimd was. Toen vroeg hij of hij ons huurcontract voortijdig kon beëindigen, omdat hij het huis in drie appartementen wil opdelen."

„O o," giechelde Amber. „Dat had Marty al voorspeld. Dan is het helemaal einde oefening voor Ivy."

„Wie weet. Ik zou in elk geval niet in het bovenste appartement willen wonen."

„Ga jij hier nu iets anders zoeken?"

„Ja. Ben is er al mee bezig. Jij kunt ook mee verhuizen, als je wilt."

Amber glimlachte, maar gaf geen antwoord.

Kaz stootte een nerveus lachje uit. „Allemachtig, dus Ivy was echt in jouw kamer en ze verplaatste je spullen?"

„Vernielde ze. Dat moet wel, want Poppy had de sleutel niet."

„En Poppy? Poppy spande met haar sámen?"

„O, ze waren dikke maatjes. Ivy moet een gat in de lucht hebben gesprongen toen mijn halfzusje op haar zolder verscheen. Nog diezelfde nacht heeft ze haar... lichaam ingenomen. Is ze in haar binnengedrongen. En het ging steeds verder, het groeide."

Kaz liet langzaam haar adem ontsnappen. „Weet je, ik voel me een stuk beter," verzuchtte ze. „Jemig, ik zou doodsbenauwd moeten zijn, ik heb bij een kwade geest in huis gewoond, maar ik voel me heerlijk."

„Omdat het niet aan jou lag, omdat je je niets hebt ingebeeld."

„Precies. Ik was helemaal niet gek aan het worden." Na een korte pauze vervolgde Kaz: „En die... dingen... de dingen die uit het kussen kwamen, hoe zit het daarmee?"

Amber haalde haar schouders op. „Daar heb ik over nagedacht. Meer dan ik wilde, eerlijk gezegd. Ik vermoed dat ze het deed waar haar neefjes en nichtjes bij waren. Ze gebruikte hun tanden. Ze liet hen denken dat ze een heks was. Cornwall wemelt van de tradities rondom heksen. Ze beweerde vast dat ze hun ziel in bezit had genomen of zoiets. Dan gedroegen ze zich wel netjes natuurlijk. Je had die foto moeten zien die ik heb gevonden. Ze stonden gewoon stijf van angst. Arme stakkers."

Kaz keek alsof ze op het punt stond om in tranen uit te barsten. „Heb je ze ooit horen huilen?" mompelde ze.

„Wat? Nee, nooit."

„Ik wel. Eén keertje maar. De avond voordat ik wegging – dat was de druppel. Dat ontroostbare, hopeloze gehuil. Ik kon het niet verdragen."

„Mishandeling komt in allerlei vormen voor," zei Amber zacht. „Er zijn allerlei soorten wreedheid en er hoeven geen lichamelijke littekens achter te blijven. Het feit dat Ivy die kinderen in haar macht had door zichzelf als een heks voor te doen... Wie zou er iets van merken zolang ze zich gedroegen? Wie zou het iets kunnen schélen?"

„Macht door angst," mompelde Kaz.

„Ja. Die kinderen, die leefden met die... die enorme angst om

277

verbonden te zijn met iemand die je kwaad doet. Ze moesten zichzelf wel wijsmaken dat het best meeviel, hè... alleen om te overleven. Zoals gijzelaars een band krijgen met hun gijzelnemers, alleen om te overleven."

„Zoals jij, met Poppy."

Er viel een beladen stilte.

„Ja," erkende Amber uiteindelijk. „Ik hield mezelf altijd voor dat ik van haar hield, maar ik háátte haar. Het werd allemaal overstemd door schuldgevoel. Ik kon het niet aan mezelf toegeven, want als je zo aan iemand vastzit, moet je wel doen alsof alles koek en ei is, hè?"

„Ja. Maar nu ben je van haar af. Hoe is het met haar, weet je dat?"

Amber schudde haar hoofd. „Ik heb één keer naar huis gebeld, maar mam verbrak meteen de verbinding."

„Ongelooflijk. Toch lijkt het me dat het beter met haar zal gaan, nu ze weg is bij Ivy."

„Ja, maar ze blijft Poppy. Ik hoop dat ze... dat ze een inzinking heeft gehad, echt is ingestort. Dan ziet mam misschien eindelijk in dat ze hulp voor haar moet zoeken en dan wordt ze ook gedwongen om Tony – Poppy's vader – er weer bij te betrekken. Dan maakt Poppy hopelijk nog een kans."

„Je klinkt niet al te overtuigd."

„Dat ben ik ook niet. Maar ik heb mijn best gedaan. Daar ben ik van overtuigd."

Kaz glimlachte instemmend. „Je belt zeker niet meer?"

„Nee. Ze kunnen me bereiken in de Albatross, als ze willen."

Er viel opnieuw een stilte, toen glimlachte Kaz ineens en ze keek Amber recht aan. „Weet je, toen je pas bij ons was, had ik medelijden met je. Je was zo timide, zo schrikkerig. Je leek totaal geen zelfvertrouwen te hebben. En moet je jezelf nu eens zien. Jij bent de sterkste. Ik ben ertussenuit geknepen, maar jij hebt het volgehouden. Jij hebt de moed opgebracht om tegen dat... dat mónster in te gaan. Allemachtig, Amber, wat moet het moeilijk zijn geweest, wat jij hebt gedaan, zo met je moeder breken."

„Het was vreselijk. Ik ben er nog steeds verdrietig om, maar... ik kon niet meer doen alsof, niet meer liegen. Nu kan ik eindelijk léven."

„En waar doe je dat?" vroeg Kaz. „Waar woon je nu?"

Amber grijnsde.

De Albatross boekte het ene succes na het andere. Bert bloeide op in zijn nieuwe rol als chef-kok en liet het dagelijks runnen van de zaak aan Amber en Marty over.

Drie weken voor kerst kondigde hij aan dat ze, ondanks dat het geen hoogseizoen was, zo'n vijftien procent meer gasten hadden gehad en dat de winst met maar liefst achttien procent was gestegen. Hij gaf hun allebei vijftig pond extra, handje contantje. „Als het zo doorgaat," voegde hij er met tegenzin aan toe, „zal ik eens aan opslag moeten gaan denken."

Op een dag kwamen ze hand in hand aan bij het café en ontdekten dat Bert twee grote schilderijen had weggehaald. Er was een brede deur achter tevoorschijn gekomen.

„Wat zit daarachter?" vroeg Amber.

„Een grote opslagruimte," vertelde Marty. „Voor de terrastafels."

Bert trok de deur open en verdween naar binnen.

„Wat is hij toch aan het doen?" mompelde Marty. Hij liep hem achterna, op de voet gevolgd door Amber.

Binnen stonden acht lange picknicktafels met bankjes eraan vast opgestapeld en acht parasols met bierreclame erop. Bert stond achter in de ruimte tegen de houten wand te tikken.

„Ik kan hier een groot raam in zetten," zei hij. „De binten en dwarsliggers houden het gemakkelijk." Hij draaide zich enthousiast naar hen toe. „Jongens, de Albatross gaat uitbreiden! Ik haal die deur eruit, maak de ingang wat breder, zet hier een ruit in, en voilà: we hebben een L-vormige zaak. En plek voor vier extra tafels."

„En al die zomerspullen dan?" wilde Marty weten.

„Iets verderop staat een oude botenloods die ik kan huren. Het wordt een heel gedoe om de meubels te verhuizen. Daar zal ik een vrachtwagen voor moeten huren, maar het is maar twee keer per jaar en het is de moeite waard. Er staan nu dagelijks mensen in de rij voor een tafeltje."

„Bert, je bent een genie," lachte Amber.

„Vind je?"

„Ja. Dit is een prachtige ruimte. Misschien passen er zelfs wel vijf tafeltjes in. Maar het moet er wel uitzien alsof het erbij hoort. Je moet het net zo mooi maken als de rest…"

„Doe ik ook. Schilderijen aan de muur, nette tafels – en ik zet een kachel in de hoek. Het zal wat centen kosten, maar ik kan het me veroorloven en het verdient zich wel weer terug."

„Het wordt vast schitterend!" knikte Marty.

„Zeker weten," viel Amber hem bij. „En als je toch bezig bent, moet je ook iets aan de toiletten doen."

De twee mannen keken elkaar stomverbaasd aan.

„Wat is er mis met de toiletten?" bromde Bert.

„Bert, ze zijn afschuwelijk. Om te beginnen staan ze búíten. Wie wil er nu half bevriezen of natregenen als hij moet plassen?" Amber liep naar de ingang van het café.

De mannen liepen, meegesleept door haar enthousiasme, achter haar aan naar buiten. Aan weerszijden van de ingang stonden twee houten hokjes. De ouderwetse deuren waren aan de boven- en onderkant open.

„Die ga ik dus echt niet slopen," protesteerde Bert. „Ze zitten stevig in elkaar en de afvoer gaat rechtstreeks naar het gemeentelijk riool."

„Ik zeg ook niet dat je ze moet slopen. Bouw er iets overheen."

„Wát?"

„Bouw een overkapping naar het café, over de toilethokjes heen. Je zet er een brede glazen deur in, dan kun je de binnendeur open laten staan zodat er meer licht binnenkomt." Amber rukte de dichtstbijzijnde toiletdeur open. „En hier kun je gemakkelijk een wastafeltje kwijt, Bert."

„Wat is er mis met die gootsteen buiten?"

„Dat hij búíten is? De handdoek is altijd nat en zanderig!"

„Ik doe die gootsteen niet weg!"

Amber glimlachte. Ze voelde Marty's hand over haar rug strijken. Ze rilde van genot. „Die kunnen mensen 's zomers gebruiken om hun slippers af te spoelen. Dan lopen ze geen zand naar binnen."

„Hmpfff."

„Bert, denk nou na! Je moet met je tijd meegaan. Een wastafeltje, een spiegel en een handendroger erin…"

„En luxe zeep," voegde Marty eraan toe.

„…dan hang je bordjes op de deur met *Dames* en *Heren* erop."

„Dames en heren," herhaalde Marty in haar oor.

„Ik wil me niet met dat soort onzin bezighouden. Ik wil koken," bromde Bert.

„Het is geen onzin. Het is simpel eenentwintigste-eeuws comfort."

„Mijn vaste gasten klagen nooit."

„Wel waar! Vorige week nog moest ik een handdoek pakken voor meneer Miller, toen hij in de storm naar het toilet was geweest! Hé, als je die vestibule hebt gebouwd, kun je een grote kapstok tegenover de toiletten zetten. Zodat de natte jassen daar kunnen blijven en binnen niet de hele vloer nat wordt."

In de lange stilte die viel, veranderde Berts gezicht een paar keer van uitdrukking.

Toen zei Marty: „Als je precies aan de andere kant van deze muur een kachel zet, kun je er misschien een kleine radiator vandaan leiden. De ingang een beetje opwarmen. Niets ergers dan met je blote kont in de vrieskou, hè?"

„Geweldig!" riep Amber. „Het is gewoon de básis, Bert. Je moet de básis in orde hebben!"

„Stelletje zeikerds!" gromde Bert, maar ineens grijnsde hij. „Wanneer openen jullie nou eindelijk je eigen zaak, waar jullie het constant over hebben en laten jullie mij met rust?"

„Nog niet," antwoordde Marty. „Eerst zoeken we fatsoenlijke woonruimte. En dan gaan we een lange reis maken. En dán openen we onze eigen zaak en ben jij al je klanten kwijt." Marty lachte.

„Ha!" riep Bert spottend. „Dat zou ik wel eens willen meemaken! Oké, we doen het zo. Sam Snead doet het nieuwe raam en de verwarming, en ik laat hem ook wel een prijsopgave doen voor jullie ideeën."

„Het is de moeite waard, geloof me," zei Amber. „Zelfs al moet je er een lening voor afsluiten."

„Misschien. Maar als het doorgaat, wil jij alles dan regelen, Amber?"

„Ik?"

„Ja. Jij lijkt precies te weten wat er allemaal nodig is. Als het wat wordt, krijg je een bonus."

Amber grinnikte. „O, het wordt wel wat."

Boven de wastafels zaten glanzende chromen kranen en er

hing een bijpassende chromen handendroger en zeepdispenser, die Amber keurig gevuld hield. Marty plaagde haar genadeloos met haar voornemen om de toiletten te versieren met schelpen, zeepaardjes en zeesterren, een zeemeermin en zeemeerman op de deuren te schilderen in plaats van dames- en herenbordjes op te hangen. Amber wist dat ze het eenvoudig moest houden, in de geest van de Albatross.

Op een dag kwam er een vrouw van de plaatselijke cadeauwinkel langs met twee schitterende spiegels in lijsten van drijfhout. Ze wilde ze gratis beschikbaar stellen, zolang er een kaartje onder werd geplaatst waar *verkrijgbaar bij* op stond.

Amber nam het aanbod dankbaar aan en hing ze boven de wastafels. Kort daarop vond ze twee platte, mooie stukken drijfhout op het strand. Met een gloeiend hete schroevendraaier graveerde ze er een *D* en een *H* in en hing ze aan de deuren. Het was eenvoudig, stijlvol, perfect.

Bert bedankte haar wat nors, maar hij gaf haar zeventig pond als bonus. Diezelfde dag nog begon er een artistieke stapel drijfhout te groeien in de hoek bij de nieuwe glazen deur, net zoals de stapel binnen.

Toen Marty Amber die avond in bed een zoen gaf, zei hij dat ze zich geen groter compliment had kunnen wensen.

 **Kate Cann is geboren in 1954. Ze woont in Twickenham (Engeland) aan de rivier de Theems. Ze is getrouwd en heeft een dochter en een zoon, twee katten en een niet zo heel erg opgevoede beagle die Scully heet.**

Kate Cann schrijft niet alleen boeken, maar werkt ook als redactrice. Haar hobby's zijn: hardlopen, wandelen, kletsen en lezen.

Kate Cann was jarenlang redactrice bij een grote uitgeverij. Daar werkte ze vooral aan boeken voor jongeren. De meeste boeken die ze onder ogen kreeg, gingen over verliefdheid, vriendschap, met elkaar naar bed gaan, dat soort dingen.

Eerlijk gezegd vond ze de verhalen vaak nogal somber en zwaar op de hand. Steeds meer kreeg ze het gevoel dat ze zelf een boek wilde schrijven over verliefd zijn. Maar dan een realistisch verhaal, over hoe het vóélt als je verliefd bent, en wat er allemaal met je gebeurt. Bovendien wilde ze háár boek, het werden er ten slotte drie, een positieve boodschap meegeven. Verliefd zijn is toch ook geweldig?

Kate Cann haalt de inspiratie vooral uit haar eigen herinneringen, hoewel ze soms ook, zoals ze eerlijk opbiecht, gesprekken op straat of in de trein tussen jongeren afluistert.

Kate Cann schrijft voor jongeren omdat ze dat een interessante doelgroep vindt. Zelf zegt ze daarover:

„Als je tussen de dertien en zeventien jaar bent, gebeurt er van alles met je. Je begint door te krijgen wie je bent en wat je wilt, je lichaam verandert, je moet naar school, je bent met je toekomst bezig, je wordt verliefd (soms vaker achter elkaar), je gaat voor het eerst uit, voor het eerst zonder volwassenen op vakantie... Ik kan me nog heel goed herinneren wat ik allemaal voelde en meemaakte in die tijd. En over al die gevoelens en emoties en dingen die je bezig houden in de puberteit, zijn maar weinig boeken geschreven."

Het verhaal over Col en Don is een beetje háár verhaal. Toen ze zeventien was, was ze ook megaverliefd op een jongen, net als Col. En ze maakte met die jongen ongeveer hetzelfde mee als Col. In die tijd schreef ze alles op in een dagboek. En die dagboeken heeft ze gebruikt voor het verhaal.

In VERLIEFD leert Col in het zwembad waar ze altijd traint, Don kennen. Don is hartstikke leuk om te zien én hij is lief. Die twee worden verliefd op elkaar. Ze gaan uit, maken plezier, maar dan laat Don langzamerhand merken dat hij verder wil gaan dan zoenen. Hij wil met Col naar bed. Col wordt een beetje onzeker, dat snap je. Eigenlijk wil ze nog helemaal niet met Don naar bed, maar ze is bang dat hij het misschien uitmaakt als ze het niet doet. Kijk, als je verliefd bent, heb je niet alleen vlinders in je buik. Soms voel je je ook heel erg onzeker en weet je niet precies wat je moet doen of wat er van je verwacht wordt.

Wat Kate Cann met dit boek, en met haar andere boeken, duidelijk wil maken is dat als je ergens een heldere mening over hebt of als je ergens helemaal achter staat, je daar dan niet vanaf stapt om iemand anders een plezier te doen. Blijf gewoon altijd jezelf!

Na VERLIEFD verscheen SAMEN. Dit is van de drie boeken uit de trilogie 'Col' het meest persoonlijke boek. Voor SAMEN heeft Kate Cann namelijk grote delen overgenomen uit haar eigen dagboeken. Col geeft Don in het boek ook een gedicht dat ze zelf destijds heeft geschreven.

Het derde boek van de trilogie heet TWIJFELS. Dit gaat over alles wat je voelt als je het hebt uitgemaakt met iemand van wie je misschien nog een beetje houdt. En over de verleiding om het weer opnieuw met elkaar te proberen. Kate Cann weet uit ervaring dat het heel moeilijk, zelfs bijna onmogelijk is om gewoon door te gaan met je leven als het net uit is met je vriend of vriendin. Col probeert het wel. Ze leert een heleboel en wordt daardoor uiteindelijk nóg sterker dan ze al was.

Kate Cann heeft ook een eigen website op **www.katecann.com**. *Daar kun je nog meer informatie over haar lezen en e-mails naar haar sturen. De site is in het Engels, en je e-mail moet ook in het Engels geschreven worden, want Kate leest geen Nederlands... Ze is ook heel benieuwd hoe haar boeken in Nederland worden ontvangen, en ze hoopt dat ze af en toe eens een berichtje krijgt van de lezers.*

Lees al onze boeken van Kate Cann!

Kijk voor een recent overzicht op www.kluitman.nl

Trilogie Col:
Col wordt verliefd op Don. Ze hebben veel plezier, tot Don laat merken dat hij meer wil dan zoenen. Col wil dat eigenlijk niet, maar ze is bang dat Don het anders uitmaakt.

ISBN: 90.206.2131.9   ISBN: 90.206.2132.7   ISBN: 90.206.2133.5

deel 1 · deel 2 deel 3

Trilogie Rich:
Rich baalt ervan dat hij geen geld heeft. Het knapste meisje van school ziet hem daarom niet staan. Als hij een bijbaantje krijgt, verdient hij opeens geld als water. Nu gaan al zijn dromen uitkomen. Dat denkt Rich tenminste.

ISBN: 90.206.2146.7   ISBN: 90.206.2147.5   ISBN: 90.206.2148.3

deel 1 deel 2 deel 3

Diverse titels:
Verliefd zijn is leuk, maar soms ook helemaal niet makkelijk! Kate Cann schrijft over de vlinders, kriebels, twijfels en onzekerheden die je hebt als je verliefd bent.

ISBN: 90.206.2143.2   ISBN: 90.206.2136.x   ISBN: 90.206.2137.8   ISBN: 90.206.2157.2